Deux siècles d'orfèvrerie à Strasbourg

Deux siècles d'orfèvrerie à Strasbourg

XVIIIe-XIXe siècles dans les collections du musée des Arts décoratifs

Les Musées de Strasbourg

Ce catalogue a été publié
à l'occasion de l'ouverture des nouvelles salles
d'orfèvrerie strasbourgeoise
du musée des Arts décoratifs de Strasbourg
le 26 novembre 2004.

Fabienne Keller
Sénateur, maire de Strasbourg

Robert Grossmann
Maire délégué, chargé de la Culture

Les Musées de Strasbourg

Directeur des Musées :
Fabrice Hergott
Conservateur en chef du patrimoine,
chargé du musée des Arts décoratifs :
Étienne Martin
Secrétariat :
Marie-Louise Wendling
Conservateur du patrimoine, chargé
de la restauration et de l'informatique :
Alain Schmitt
Administration :
Hubert Taglang et son équipe
Communication :
Marie Ollier et son équipe
Coordination éditoriale :
Hélène Charbonnier
Chargée des partenariats :
Karine Renaux-Cheikh
Service photographique :
Christine Speroni et son équipe
Service éducatif des Musées :
Margaret Pfenninger et son équipe
Bibliothèque des Musées :
François-Marie Deyrolle et son équipe

Les travaux de rénovation muséographique
ont bénéficié du soutien du Ministère
de la Culture (Direction régionale des affaires
culturelles d'Alsace).

Catalogue

Le catalogue a été réalisé
par les Éditions des Musées de Strasbourg.
Responsable d'ouvrage :
Étienne Martin, assisté
de Anne-Claire Pesneaud-Antheaume
Coordination éditoriale :
Hélène Charbonnier,
avec la collaboration de Véronique Stahn
et Camille Weibel
Édition : Emmanuelle Gaillard, Chine
Conception graphique : Marc Walter, Chine
Photographies : Martine Beck-Coppola
Photogravure : Quat'Coul
Impression : Valblor, Illkirch

Remerciements

Nous remercions particulièrement :
Sylvain Chauvineau, Emmanuel Fritsch,
Emmanuelle Gaillard, Virginie Godar,
le pasteur Geoffroy Goetz, Anny-Claire Haus,
Pascal Hertz, Christian Hoerack, Benoît Jordan,
Brigitte de Montgolfier,
Anne-Claire Pesneaud-Antheaume,
Tessa Rosebrock, la comtesse Sforza et Véronique
Stahn.

ainsi que :

Artothek, Weilheim, Susanne Vierthaler
Badisches Landesmuseum-Verwaltung,
Karlsruhe, Ina Twelker
Bayerische Schlösserverwaltung, Munich,
Eva Gerum
Bayerische Schlösserverwaltung-Museumsabteilung,
Munich, Dr. Sabine Heym
Bayerische Staatsgemäldesammlungen, Munich,
Christina Schwill
Diss Immobilier, Strasbourg, Michel Diss
Galerie Neuse, Brême, Christine Bernheiden
Historisches Museum, Bâle, Rainer Baum
Kunsthistorisches Museum, Vienne, Ilse Jung
Reiss-Engelhorn-Museen, Mannheim,
Marianne Aselmeier
Stadtverwaltung Heidelberg
Sotheby's, New York, John Ward
Sotheby's, Paris, Thierry de Lachaise,
directeur du Département d'Orfèvrerie
The Toledo Museum of Art, Nicole M. Rivette

Sommaire

Travail d'orfèvres

À l'orfèvrerie, la langue française associe science du détail et art de la perfection. Du XVe au XVIIIe siècle, le travail des orfèvres strasbourgeois justifia pleinement ce lieu commun : ils firent de Strasbourg l'un des centres les plus importants, les plus originaux et les plus rayonnants de la production orfévrée européenne.

À Strasbourg, les traditions françaises et allemandes se rencontrent. Les influences se mêlent et se fécondent réciproquement pour transformer de précieux matériaux en formes inédites et en décors d'une extrême finesse. Au XVIIIe siècle, la ville compte, après Paris, le plus grand nombre d'orfèvres de France ; la réputation du vermeil strasbourgeois s'étend dans l'Europe entière. Des dynasties d'orfèvres, celles des Imlin, Oertel, Alberti ou Kirstein, prospèrent. Avec son rattachement à la France, Strasbourg devient l'une des capitales les plus courues de l'orfèvrerie en Europe – un art décoratif qui est à lui seul un art de vivre.

L'orfèvrerie est, en effet, l'un des témoins les plus précieux de l'évolution des goûts et des mœurs : on y voit, par exemple, de nouveaux ustensiles apparaître, à mesure que le café, le thé ou le chocolat font leur apparition sur les tables des cours et de l'aristocratie européennes. C'est bien une histoire multiple que recèlent les riches collections orfévrées des musées de Strasbourg : histoire des arts décoratifs et du raffinement, histoire de l'art et des émotions.

En renouvelant la muséographie de ses collections d'orfèvrerie, le musée des Arts décoratifs rend justice à cette grande tradition strasbourgeoise. Nous espérons que le public découvrira avec plaisir et fascination ce patrimoine exceptionnel.

Fabienne Keller
Sénateur, maire de Strasbourg

Robert Grossmann
Maire délégué, chargé de la Culture

8

Abréviations utilisées pour
les dimensions des œuvres :
H. : hauteur
l. : largeur
L. : longueur
P. : profondeur
Ø : diamètre

Les illustrations
des pages 2, 6, 13 et 278
ont été mises en scène
dans les Grands Appartements
du palais Rohan.

Un fil d'argent et de vermeil

À Strasbourg, au XVIIIe siècle, s'intercalent parmi les maisons de pierre ou de pans de bois des siècles précédents, palais, hôtels et demeures bourgeoises de style Régence et Louis XV, habillés de parement de grès, ornés de mascarons sculptés et de balcons à grille de ferronnerie. Leur décor intérieur s'inspire d'un modèle nouveau dicté par « l'art de vivre à la française ». Boiseries sculptées, plafonds stuqués, cheminées de marbre surmontées de leur trumeau de glace et parquets de Versailles viennent se substituer aux aménagements traditionnels hérités du XVIIe siècle rhénan, plafonds lambrissés et poêles en faïence. C'est en 1681 que Louis XIV intègre Strasbourg à la France, mais il faudra attendre encore quelques décennies pour assister à la métamorphose urbaine de la ville libre royale. Ancienne et nouvelle sociétés s'évertuent alors à vivre selon la mode contemporaine, reconstruisant logis de ville et de campagne avec une créativité stimulée par une étonnante émulation. Si les édifices et leurs décors ont pour la plupart survécu, il reste peu de témoignages matériels de la vie de société qui s'y déroulait.

L'importante collection du musée des Arts décoratifs évoque remarquablement cette dimension impalpable, sociale, en ce qu'elle autorise des reconstitutions possibles de l'environnement domestique des commanditaires. Le souvenir de ces familles reste bien sûr gravé dans les armoiries qui s'intercalent au milieu des décors Régence, rocaille et « néo-grec » des pièces d'orfèvrerie. La très grande qualité de ces objets laisse entrevoir l'aspiration et surtout l'élévation de leur goût. Pour répondre à ces commandes et au fourmillement créatif d'une société en pleine transformation, se sont retrouvées à Strasbourg quelques personnalités exceptionnelles portant les noms d'Imlin, de Kirstein, d'Oertel ou d'Alberti, indissociables du célèbre vermeil de Strasbourg. Les familles européennes, qui se croisent dans les salons de la société strasbourgeoise du temps, ont écrit l'histoire de cet art avec les orfèvres installés au pied de la cathédrale, dans des ateliers où se succèdent compagnons et apprentis, originaires eux-mêmes d'un champ géographique qui s'étend bien au-delà des deux rives de la vallée du Rhin. Cette mouvance et cette rencontre des hommes trouvent à Strasbourg un aboutissement dans la production d'une orfèvrerie d'argent et de vermeil hors du commun. Ce que « l'art de vivre à la française » avait alors de plus fastueux s'y reflète. Elle continue aujourd'hui de briller avec cette tonalité si particulière des choses qui ont su traverser le temps, augmentant la perfection de leur qualité propre par cette teinte ombrée de l'histoire qui nous en assure aujourd'hui un éclat unique.

Cet éclat continue de rayonner dans les salles du musée des Arts décoratifs où la collection a trouvé un écrin à sa mesure, le palais Rohan de Robert de Cotte, chef-d'œuvre de l'architecture classique française. Le choix de ces lieux admirables a été fait il y a longtemps par Hans Haug et cette collection ne fait aujourd'hui que retrouver sa destination première. C'est H. Haug en effet qui initia et ne cessa d'enrichir ces collections d'orfèvrerie, rendant à la ville de Strasbourg une de ses plus grandes gloires et dotant ses musées d'un des plus prestigieux ensembles en Europe.

Au regard de la nouvelle scénographie conçue par l'architecte Jérôme Habersetzer, on pourrait croire que ces très belles pièces n'ont jamais été aussi bien mises en valeur, que leurs lignes, leurs formes et leur luminosité n'ont jamais pu être aussi bien appréciées. Il est certain que cette présentation est une contribution réelle à la valorisation du patrimoine strasbourgeois. Mais le public, devant ces mêmes objets, devra aussi rendre hommage à Étienne Martin, conservateur du musée des Arts décoratifs, qui a veillé à ce que la conservation, la présentation et le catalogue qui ont permis et accompagné la réouverture de ces salles soient en accord avec son goût exigeant et savant pour les arts à Strasbourg au XVIIIe siècle. Nos remerciements s'adressent aussi à Martine Beck-Coppola et à Marc Walter qui ont su traduire avec sensibilité l'esprit de la collection à travers la conception photographique et graphique de cet ouvrage.

FABRICE HERGOTT
Directeur des Musées

Deux siècles d'orfèvrerie à Strasbourg 1681-1870

Double-page précédente
1. Jean Louis Imlin (1663-1720), *Héliodore au Temple de Jérusalem*, signé et daté « Johann Ludwig Imlin, 23 Januar 1708 », lavis d'encre sur papier, 19, 6 x 30, 4 cm, Livre d'or de la corporation de l'Échasse, fol. 163 a et b, Strasbourg, Cabinet des estampes et des dessins. Inv. 1490

L'orfèvrerie strasbourgeoise des XVIIIe et XIXe siècles se distingue autant par la haute technicité de sa production et ses formules décoratives originales que par le caractère dynastique des familles de maîtres qui illustrent son histoire. Elle est le résultat de la conjonction d'éléments contextuels dont les plus déterminants sont à rechercher, d'une part, dans l'organisation d'un système corporatif exemplaire mis en place au Moyen Âge et maintenu jusqu'à son abolition sous la Révolution française, de l'autre, dans son ancrage au sein des anciennes institutions de la ville libre du Saint Empire romain germanique qui survécurent intactes lors de l'intégration de Strasbourg au royaume de France en 1681.

Une ville prédestinée

Depuis la fin de l'époque médiévale, Strasbourg est une ville libre et immédiate, relevant de ce fait directement de l'empereur. Elle se présente alors comme une république face aux princes allemands et au roi de France. Mises à part les attributions traditionnelles de toute ville, elle détient un certain nombre de droits souverains dans les domaines diplomatique, militaire, monétaire et judiciaire. Les institutions urbaines demeurent quant à elles immuables de 1482 à 1789. À leur base se trouvent vingt corporations dont la grande majorité réunit plusieurs corps de métiers. Chacune, dirigée par un groupe de quinze échevins cooptés à vie par leurs pairs, désigne un représentant au Grand Sénat élu pour deux ans. Cette assemblée constitue le vivier des deux principaux conseils qui dirigent la cité, le Conseil des XV pour les affaires intérieures et le Conseil des XIII pour la politique extérieure. Les fonctions représentatives sont assurées par un *Ammeister*, bourgeois, et quatre *Stettmeister*, nobles placés à la tête du magistrat.
Depuis les traités de Westphalie en 1648 et de Nimègue en 1679, l'Alsace est française. Seule Strasbourg reste une enclave que le roi Très Chrétien est déterminé à conquérir pour unifier définitivement l'Alsace et faire de Strasbourg sa capitale, mais aussi pour contrôler le pont sur le Rhin et réduire le protestantisme dans une ville passée à la Réforme dès 1526. Le 23 octobre 1681, après avoir confirmé la ville dans ses anciens privilèges, droits, statuts et coutumes et après avoir maintenu l'organisation et les institutions municipales, Louis XIV fait son entrée à Strasbourg, dont le magistrat s'est préalablement soumis par un accord signé le 30 septembre. Ainsi, devenue capitale de la province d'Alsace, Strasbourg connaîtra une nouvelle ère de prospérité face à un monde germanique ruiné par les guerres et verra coexister, jusqu'à la Révolution, cultures française et germanique, catholicisme et luthéranisme dans un climat qui sera particulièrement propice au développement économique, intellectuel et artistique de la nouvelle ville libre royale.
Aucun changement n'est apporté aux antiques règlements des corporations. La plus noble d'entre elles est celle des orfèvres dont l'histoire remonte au XIVe siècle. Son siège, le poêle, est situé à l'angle de la rue du Dôme et de la rue de l'Échasse, à l'ombre de la cathédrale, où s'est développé le quartier des orfèvres autour de la rue éponyme, anciennement rue des Prêcheurs. Parmi les libéralités que le roi octroie à la ville lors de la capitulation figure le maintien, pour les orfèvres, de travailler l'argent au titre de l'Empire, un titre un peu plus bas que celui de Paris. Ce détail capital va assurer la renommée du vermeil strasbourgeois. Il permettait en effet à l'argent d'accepter une dorure supérieure en qualité à celle de l'argenterie parisienne. Aussi le vermeil de Strasbourg, matériau de luxe par excellence, sera-t-il réputé pour sa beauté et sa résistance dans l'Europe entière ; cela au-delà même de ses frontières et tout au long du XVIIIe siècle, période pendant laquelle il connaît une vogue persistante. Les propriétés de l'or, qui ne s'oxyde pas au contact de certains aliments, contrairement à l'argent, lui permettent aussi de mieux résister dans les pays chauds et humides[1]. Les qualités intrinsèques de l'argent doré strasbourgeois ajoutées à la position géographique de la ville, aux confins de plusieurs états et aux

2. Enseigne « Aux deux cigognes », vers 1760, haut-relief en grès surmontant la porte d'entrée de la maison de l'orfèvre Jacques Henri Alberti (1730-1795), devenue par la suite celle des orfèvres Buttner (ill. cat. 61), Strasbourg, 14, rue des Orfèvres.

croisements des grands itinéraires européens, expliquent que celle-ci soit véritablement devenue la capitale du vermeil.
Les contacts et les échanges avec les villes rhénanes se poursuivent après 1681 et vont rester constants en ce qui concerne l'orfèvrerie, notamment par le biais de la circulation des apprentis et des compagnons allant se former dans les villes où résident les maîtres les plus habiles. La notoriété de Strasbourg est telle au XVIIIe siècle, dans le domaine des métiers d'art et tout spécialement en orfèvrerie, qu'elle attire des jeunes gens venus d'une aire géographique s'étendant jusqu'aux confins du Saint Empire (Autriche, Bohême, Pays-Bas, Pologne, Danemark). Il arrivait du reste que ceux-ci s'établissent à Strasbourg, à l'issue de leur maîtrise, après avoir épousé une fille ou une veuve d'orfèvre de cette ville.
Le nombre des ateliers strasbourgeois n'atteint pas avant 1681 celui des grands centres allemands que sont Augsbourg et Nuremberg. En revanche, une fois intégrée au royaume de France, Strasbourg, par le nombre et la qualité de ses orfèvres, se range immédiatement après Paris[2]. Les registres de la tribu de l'Échasse, conservés pour les années s'étendant de 1716 à 1766[3], font apparaître qu'apprentis et compagnons orfèvres sont majoritairement originaires des régions rhénanes de la Souabe et de la Bavière. Ceux d'origine française sont rares, alors même que le roi a fait prendre au magistrat les mesures nécessaires pour encourager l'installation à Strasbourg de familles françaises et catholiques. Faut-il y voir la crainte de se confronter à une barrière linguistique et confessionnelle ? Cette première moitié du XVIIIe siècle est pourtant une période florissante à Strasbourg : en 1744, sept nouveaux orfèvres s'inscrivent à la tribu ; en 1745, ils sont neuf à le faire. Le contexte semble plus favorable aux apprentis venus d'outre-Rhin et formés dans la grande tradition de l'orfèvrerie allemande. S'agissant d'un centre de production réputé pour son savoir-faire et où les formes parisiennes ont été rapidement adoptées, ils trouvent à Strasbourg, ville française majoritairement protestante et germanophone, le lieu idéal pour parfaire leur éducation professionnelle.
La métamorphose progressive de la société urbaine entraîne en effet avec elle un changement dans le goût qui va s'orienter vers les modes nouvelles et l'art de vivre français. L'intendant d'Alsace est français ainsi que les hauts fonctionnaires de la nouvelle administration mise en place après 1681, avec à sa tête le prêteur royal, représentant du roi et apparaissant dans les faits comme véritable chef du magistrat. Il en va de même pour les militaires, fort nombreux. Strasbourg en tant que place forte et ville de garnison abrite de nombreux corps de troupe français, tels les régiments de Beauvoisin, du Dauphin, de Jarnac-Dragon, de Lorraine, du Poitou, le Royal-Roussillon, ou le corps royal d'artillerie. Les officiers supérieurs issus d'illustres familles du royaume, tels les maréchaux d'Huxelles, de Contades, de Broglie et du Bourg, agissent comme de véritables ambassadeurs de la culture française. La réintroduction du culte catholique à Strasbourg permet le retour de l'évêque dans la capitale diocésaine abandonnée depuis la Réforme au profit de Saverne. Le prince-évêque de Fürstenberg prend officiellement possession de la cathédrale lors du *Te Deum* solennel chanté en présence de Louis XIV le 23 octobre 1681. Mais c'est par l'accession au trône épiscopal du prince Armand Gaston de Rohan-Soubise, en 1704, que sera véritablement signifiée en Alsace la suprématie française dans les arts. Faisant appel à Robert de Cotte, Premier Architecte du roi, pour transformer somptueusement le château épiscopal de Saverne à partir de 1720, puis pour donner les plans de son palais strasbourgeois en 1727, l'illustre prélat introduira la grande architecture et les grands décors français dans la province.
Séparée de l'Empire, l'Alsace n'en demeure pas moins pour le reste de la France une « province à l'instar de l'étranger effectif » sur le plan de la circulation des marchandises. Sont désignés de la sorte les territoires annexés progressivement au domaine royal à partir du XVIe siècle, tels le Béarn, le Hainaut, les Flandres, la Franche-Comté, la Lorraine et le Roussillon. L'installation royale n'ayant pas entraîné le report sur le Rhin de

3. Détail de la coupe de Jean Frédéric Baer représentant un atelier d'orfèvre, probablement l'atelier familial (*cf.* ill. 5), Galerie Neuse, Brême, Allemagne.

la ligne douanière, l'Alsace, tout comme la Lorraine et les Trois Évêchés[4], est dans une certaine mesure en dehors du trafic français. Elle conserve néanmoins la liberté de commercer sans entrave avec l'étranger, disposition dont elle saura amplement tirer profit. Aussi les cours allemandes, tournées vers Paris ou Versailles, vont-elles trouver à Strasbourg une orfèvrerie de choix, alliant qualité et goût français à des conditions d'autant plus avantageuses qu'elle est dégagée de toute taxe douanière. Tout au long du XVIIIe siècle, ce statut particulier vaudra aux orfèvres strasbourgeois les plus en vue de prestigieuses commandes de la part d'une clientèle transrhénane désireuse d'adopter un cadre de vie à la française.
Dès lors toutes les conditions sont réunies pour faire de Strasbourg une ville d'orfèvres.

L'organisation du métier

Héritiers d'une organisation corporative séculaire régissant le métier, les orfèvres strasbourgeois s'emploieront à maintenir à travers elle, jusqu'à la Révolution, la transmission d'une pratique alliant art et savoir-faire. L'orfèvrerie, soumise à des contrôles matérialisés par les poinçons, est manufacturée par des maîtres, des compagnons et des apprentis dans des boutiques ouvertes, au vu de tous, comme en témoignent encore, rue des Orfèvres, les rez-de-chaussée en arcades de certaines façades du XVIIIe siècle. Deux d'entre-elles ont conservé leur enseigne en pierre taillée : l'enseigne « Aux deux cigognes » (ill. 2) et l'enseigne « Au Globe D'or - Zur Goldenen Weltkugel ».
La période d'apprentissage, longue et rigoureuse, est payante et s'étend sur une durée de quatre années durant lesquelles le maître pourvoit au gîte et au couvert de l'apprenti et surtout lui permet d'aborder tous les aspects du métier, y compris le dessin et la gravure indispensables pour pratiquer cet art. Il lui faut s'inscrire à la tribu de l'Échasse et prêter serment de « bonnes vie et mœurs ». Huit années de compagnonnage sont ensuite nécessaires avant de pouvoir se présenter à la maîtrise. La réalisation du chef-d'œuvre est strictement réglementée. Le candidat dispose de trois mois pour l'exécuter, conformément au modèle imposé – une coupe couverte sur pied – et ceci chez l'un des trois contrôleurs du jury. L'examen comprend une interrogation orale et la présentation de l'œuvre dont on juge l'exécution technique et les qualités artistiques. Une fois reçu maître et après avoir acquis le droit de bourgeoisie, l'orfèvre prête serment et s'inscrit à la tribu. Son poinçon est alors insculpé sur les plaques conservées en deux exemplaires, l'un par la tribu de l'Échasse et l'autre par le bureau de contrôle municipal (ill. p. 286).
Les collections du musée des Arts décoratifs conservent un tel chef-d'œuvre. Il s'agit de la coupe de Johann Jacob Bury (1698-1734), reçu maître le 22 septembre 1732 (cat. 1). Sa forme archaïsante est celle des hanaps rhénans du XVIIe siècle. Elle témoigne du maintien de formules qui font perdurer la tradition et renvoient à l'histoire même des corporations strasbourgeoises demeurées à l'abri de toute modification de leurs statuts et privilèges en 1681. Une coupe plus tardive (ill. 5), le chef-d'œuvre de Jean Frédéric Baer de 1746, est conçue sur un modèle tout à fait similaire. Cependant, l'orfèvre inscrit l'objet dans son temps en adoptant un extravagant décor rocaille typique des années 1740-1750 à Strasbourg, emprunté à la toute nouvelle ornementation proposée par les décors intérieurs du palais Rohan mis en place vers 1740. Le portrait de J. F. Baer (ill. 4) est remarquable dans le sens où, par sa mise en scène, il situe la position sociale de l'orfèvre . La composition d'ensemble est celle du portrait aristocratique qui fait se détacher le modèle devant un fond de draperie dégageant une colonne monumentale posée sur une base. J. F. Baer, revêtu d'une élégante pelisse et couvert d'un bonnet assorti bordé de fourrure, est assis devant une table à dessus de marbre, sur laquelle sont posés la coupe de 1746, son chef-d'œuvre, et les outils évoquant le métier d'orfèvre. On ne peut s'empêcher de

4. *Portrait de Jean Frédéric Baer (1721-1795)*, Strasbourg, milieu du XVIIIe siècle, huile sur toile, 99 x 80 cm, Galerie Neuse, Brême, Allemagne.

5. Jean Frédéric Baer (1721-1795), *Coupe couverte, chef-d'œuvre de maîtrise de 1746*, Strasbourg, datée de 1746 et de 1756, argent, H. 37,5 cm, Galerie Neuse, Brême, Allemagne.

tirer un parallèle avec le célèbre portrait de l'orfèvre parisien Thomas Germain, sans doute le plus grand orfèvre français du XVIIIe siècle, représenté aux côtés de sa femme par Nicolas de Largillière en 1736[5]. Ils posent tous deux en robe d'intérieur, portée avec un savant laisser-aller, et sont environnés de pièces d'orfèvrerie. Thomas Germain, une main posée sur une grande aiguière en argent tout en maintenant un porte-mine, désigne de l'autre un candélabre orné de figures de faune et de faunesse dont plusieurs exemplaires sont connus. Les deux portraits véhiculent un même message. L'orfèvre y apparaît en tant qu'artiste et dans la parfaite maîtrise d'un art qui lui vaut aisance et considération.

À Strasbourg, la tribu de l'Échasse regroupe toute l'industrie du luxe, des doreurs aux laqueurs, marbriers, verriers, graveurs, relieurs, libraires, négociants en porcelaine, peintres et sculpteurs. Seuls ses membres ont droit au port de l'épée. Lors de la venue de Louis XV à Strasbourg, en 1744, ils seront invités à participer en uniforme à la réception du roi, constituant un « corps d'infanterie », accompagnés de leurs fils « en habit comme des gardes suisses »[6]. Ce prestige et le pouvoir qui en découle, soutenus par un fonctionnement corporatiste et protectionniste, sont renforcés par les alliances qui se font au sein des professions liées aux arts du métal et favorisent de ce fait le maintien de l'outil de travail, de la clientèle et des capitaux entre les mêmes mains et ceci sur plusieurs générations.

Jean Jacques Bury et Jean Frédéric Baer illustrent parfaitement cette dimension dynastique. Le premier, filleul de l'orfèvre strasbourgeois Geoffroy Bernard Agricola, entame son compagnonnage en 1726 auprès du bijoutier joaillier Jean Daniel Wurtz et le poursuit à partir de 1727 chez l'orfèvre André Altenburger, tous deux strasbourgeois. Deux des fils de Bury vont embrasser la carrière de leur père. Jean Jacques (II) effectue son apprentissage chez Tobias Ludwig Krug à Strasbourg puis s'installe à Hanau en tant qu'orfèvre, graveur et professeur de dessin à l'Académie de cette ville. Des deux fils de ce dernier, Jean Jacques (III) (1760-1806) et Jean Frédéric (II)

6. Dédicace de Jean Louis Imlin (1663-1720) accompagnant le lavis d'encre représentant *Héliodore au Temple de Jérusalem* (ill. pp. 10-11), dans le Livre d'or de la corporation de l'Échasse : *Zu einem Angedencken wolte dieses wenige E. E. Zunfft beÿfügen. 23 Januar 1708. Johann Ludwig Imlin.* (Ce modeste souvenir en hommage à la vénérable tribu. 23 janvier 1708. Jean Louis Imlin.)

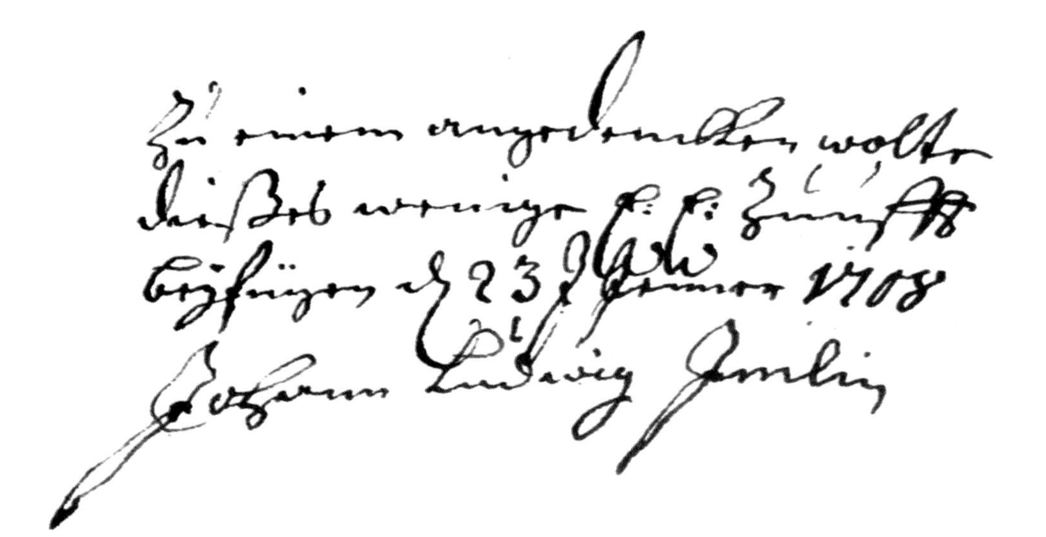

(1763-1823), le premier sera orfèvre, le second peintre. Quant au frère de Jean Jacques (II), Jean Frédéric, apprenti à Strasbourg chez l'orfèvre Johann Jacob Frey de 1744 à 1749, il s'établira à Hanau puis à Genève[7].

Le père de Jean Frédéric Baer, Jean Daniel (1690-1763), est orfèvre et petit-fils d'orfèvre par sa mère, Agnès Waldeck. Il réalise son chef-d'œuvre de maîtrise en 1716 chez l'orfèvre contrôleur Jacques Fajard, premier orfèvre français et catholique venu s'installer à Strasbourg après 1681 (ill. 14). Jean Daniel (I) Baer épouse en 1717 la fille de l'orfèvre Jean-Pierre Stroehlin. Ce dernier, originaire d'Ulm, avait lui-même épousé une fille d'orfèvre strasbourgeois, Marie Barbe Hammerer, et ceci en 1694, l'année de son accession à la maîtrise. Les mariages contractés avec des filles ou des veuves de maître, en effet, rendent plus aisée la difficile installation de jeunes orfèvres non implantés localement.

Son fils aîné, Jean Daniel (II) (1721-1778), est apprenti dans l'atelier paternel et se soumet à l'épreuve du chef-d'œuvre en 1743. Le fils de ce dernier, Jean Frédéric (II) (1747-1811), après un apprentissage chez le bijoutier joaillier Jean Daniel Wurtz puis chez son père entre 1760 et 1765, accèdera à la maîtrise en 1778, après le temps réglementaire de compagnonnage.

Jean Frédéric Baer (1721-1795) est le second fils de Jean Daniel (I). Sur le portrait le représentant, il apparaît avec toute l'assurance que lui confèrent les trois générations d'orfèvres qui le précèdent du côté à la fois paternel et maternel ; filiation dont il semble se prévaloir orgueilleusement comme de véritables quartiers de noblesse. Suivant les traces de son frère, c'est dans l'atelier du père qu'il va passer ses années d'apprentissage de 1734 à 1738 (ill. 3). La période de compagnonnage entérinée, il soumet avec succès son exceptionnelle pièce de maîtrise à l'approbation du jury et intègre la vénérable et prestigieuse tribu de l'Échasse. De son mariage avec la fille d'un fermier seigneurial est né un fils, Jean Frédéric (III) (1766-1795), qui, après avoir effectué sa période d'apprentissage chez son père, sera orfèvre avant de mourir prématurément à l'âge de 29 ans[8].

Deux dynasties d'orfèvres

Les Imlin (1689-1831) Les deux dynasties strasbourgeoises les plus prestigieuses sont celles des Imlin et des Kirstein. L'atelier Imlin est celui qui témoigne de la plus grande continuité puisque son activité s'étend de 1689 à 1831. Jean Louis Imlin, le fondateur (1663-1720), est fils d'un greffier et commissaire de la ville, et petit-fils d'un juriste et diplomate originaire de Heilbronn en Wurtemberg, conseiller du duc de Wurtemberg à Strasbourg. Après ses années de compagnonnage chez Daniel Harnister, l'un des meilleurs orfèvres strasbourgeois de la seconde moitié du XVIIe siècle, Jean Louis Imlin accède à la maîtrise en 1689 et épouse, l'année suivante, Marie Salomé Harnister, la fille de son défunt maître dont il assure la succession. Son poinçon en forme d'écu avec, en son centre, une abeille, fait allusion au patronyme de l'orfèvre et fonctionne comme des armes parlantes.

Le Livre d'or de la corporation de l'Échasse comporte un dessin à la plume et au lavis d'encre, œuvre de l'orfèvre, signé et dédicacé en date du 23 janvier 1708 (ill. 1 et 6). Il illustre un thème tiré du Second Livre des Maccabées mettant en scène Héliodore, premier ministre du roi Séleucus IV Philopator, envoyé par celui-ci à Jérusalem pour confisquer le trésor du Temple[9]. J. L. Imlin représente Héliodore dans la salle du trésor lorsqu'il est jeté à terre par la force divine et que lui apparaissent un cavalier à l'armure d'or et deux anges flagellants. Coupes, aiguières, bassins, objets de culte, sac et coffre remplis d'or, qui environnent l'action, font allusion au métier d'orfèvre. Le choix d'un épisode tiré de l'Ancien Testament rappelle par ailleurs l'appartenance de la plupart des familles d'orfèvres strasbourgeois à la religion protestante.

De Jean Louis Imlin, le musée des Arts décoratifs conserve trois gobelets. Deux gobelets de magistrat dans la forme traditionnelle du gobelet rhénan du XVIIe siècle, bien que datés respectivement de 1712 et 1714 (cat. 12 et 13), ainsi qu'une coupe à couvercle ornée de deux anses à feuillages entrelacés, d'un modèle répandu en Europe autour de 1700 (cat. 2).

7. Façade de l'hôtel élevé en 1748 pour Jean Louis Imlin (1694-1764), Strasbourg, 30, place Kléber.

8. G. Gimpel, *Portrait de François Daniel Imlin (1757-1827)*, 1827, gouache sur papier, 30,5 x 28,2 cm, Strasbourg, Cabinet des estampes et des dessins. Inv. 77.004.0.22

Son fils aîné, Jean Louis (II) (1694-1764), présente son chef-d'œuvre le 16 août 1719 devant un jury particulièrement élogieux : *...Vorgelegtes Stück sehr kunstreich und aus einem Stück doppeltgeschlagen verfertigt, dass also noch keines in Statt Strassburg, so zierlich gemacht worden seye, als eben dieses...*[10]. Jean Louis (II) est l'auteur des principaux services de table de la cour de Hesse-Darmstadt et de celle de Deux-Ponts devenue maison régnante de Bavière en 1806. Il participe, vers 1746, à la réalisation du grand nécessaire de Marie Albertine Louise de Hesse-Darmstadt, livrant le miroir de toilette et deux élégants pots couverts, aujourd'hui au Museum of Art de Toledo[11]. Un gobelet à couvercle, offert par les échevins de la tribu des Drapiers de Strasbourg au couple Jean Dietrich et Marie Barbe Kniebs à l'occasion de leurs noces d'or en 1731, figure dans les collections du musée des Arts décoratifs (cat.15). C'est Jean Louis (II) Imlin qui fait reconstruire en 1748 la maison située place Kléber, alors place d'armes (ill. 7). Entièrement élevée en grand appareillage de pierre, cette belle façade de style Louis XV à trois étages – dont un sous combles mansardés – et balcon de ferronnerie témoigne avec une certaine ostentation du degré de fortune atteint par l'orfèvre et de son cadre de vie.

De ses deux frères, l'un, Godefroy (1701-1751), est reçu maître joaillier en 1726 après avoir effectué son apprentissage chez Jean Henri Schaumann[12], et l'autre, Jean Frédéric (1708-1763), va exercer le métier d'orfèvre après acceptation de son chef-d'œuvre en 1734. Il épouse Marie Salomé Falkenhauer, fille de Sigismond (II) Falkenhauer, membre de la dynastie de serruriers ferronniers les plus en vue de la ville, auteurs des grilles de balcons et rampes d'escalier des grands hôtels qui voient le jour durant le second quart du XVIIIe siècle à Strasbourg.

Jean Louis (III) (1722-1768), fils aîné de Jean Louis (II) Imlin, présente son chef-d'œuvre le 23 novembre 1746 devant un jury enthousiaste déclarant que la pièce soumise à son approbation dépasse de loin celles que ses trois membres ont examiné par ailleurs, ceci d'un point de vue à la fois artistique et technique. Bon sang ne saurait mentir. Il épouse, en décembre 1746, Marie Salomé Ehrmann, fille d'un courtier membre du corps des marchands affilié à la tribu du Miroir. Sa carrière, bien que brève – il meurt à l'âge de 46 ans – n'en demeure pas moins brillante. Contrairement à son père qui exploite un vocabulaire de formes et d'ornements Régence, Jean Louis (III) est actif durant la période qui voit le style rocaille s'introduire à Strasbourg à travers, notamment, la mise en place des décors intérieurs du palais épiscopal construit sur les plans de Robert de Cotte à la demande du prince-évêque, Armand Gaston de Rohan. C'est aussi le moment, vers 1730-1740, où la forme parisienne de l'écuelle à bouillon est adoptée à Strasbourg. Le musée des Arts décoratifs conserve deux beaux exemplaires de bouillons en argent doré réalisés par Jean Louis (III), respectivement de 1756 et 1767, dans un style rocaille mesuré et raffiné, où l'on remarque la parfaite maîtrise des différentes techniques de fonte, de repoussé et de ciselure auxquelles fait appel l'orfèvre pour exprimer le décor naturaliste de fleurs, branchages et volutes qui en animent la surface (cat. 38 et 39). Exécutée en 1768 par Jean Louis (III), l'écuelle à bouillon avec son présentoir et le couvert assorti, aux armes de la famille du Bourg, est entrée dans les collections du Metropolitan Museum of Art de New York en 1941. Deux salières, de 1766, au dessin typiquement rocaille vraisemblablement inspiré d'un modèle parisien, sont également conservées au musée des Arts décoratifs (cat. 71).

Vers 1746, alors qu'il vient d'être reçu maître, J. L. Imlin participe, aux côtés de son père et des orfèvres J. F. Senckeisen, J. J. Ehrlen, J. J. Vierling, à la réalisation du nécessaire de voyage de Marie Albertine Louise de Hesse-Darmstadt. Il comprend vingt-neuf pièces, dont trois coffrets en argent doré livrés par J. L. Imlin. Ceux-ci sont richement ornés de palmettes, guirlandes de fleurs et volutes de style Louis XV. Mais sa commande la plus remarquable connue à ce jour est celle du service de table de l'électrice Elisabeth Auguste de Bavière et de Palatinat (1721-1794). Il partage cette réalisation, en raison du nombre important de pièces à mettre en œuvre, avec les

9. E. F. Imlin, *Étiquette de firme de l'orfèvre François D. Imlin*, 1823, gravure, 6,9 x 10,8 cm, Strasbourg, Cabinet des estampes et des dessins. Inv. 77.004.0.21
L'inscription figure sur un bouclier surmonté d'une ruche d'où s'envolent des abeilles, allusion au patronyme familial.

orfèvres strasbourgeois Jean Henri Oertel (1717-1796) et Jacques Henri Alberti (1730-1795). Ainsi, Jean Louis (III) Imlin conclut sa carrière en livrant à l'électrice de Bavière et de Palatinat en 1768, année de la mort de l'orfèvre, un grand présentoir circulaire, un pot à oille avec son présentoir, deux seaux à rafraîchir, sept cloches avec leur plat de différentes formes, six plats de différentes formes et dix-neuf assiettes (ill. 22-25). L'ornementation de ce service en argent, représentative du style Louis XV des années 1750-1760, est fondée sur une déclinaison de motifs de laurier en guirlandes ou en bordures, avec des cartouches en complément pour les objets les plus spectaculaires, à savoir le pot à oille et les seaux à bouteille.
Son frère Jean Daniel, né en 1724, est reçu à la maîtrise le 22 décembre 1750. Il décède en 1758. Le frère cadet, Georges Frédéric (1727-1782) accède à la maîtrise le 17 novembre 1751 et épouse en décembre de la même année Catherine Elisabeth Roederer, fille de l'orfèvre Jean Frédéric Roederer. Georges Frédéric Imlin est représenté dans les collections du musée par deux assiettes en argent à bords ondoyants, de 1775 (cat. 80).
Leur fils, François Daniel (1757-1827, ill. 8), est reçu à la maîtrise en 1780. Il s'inscrit à la tribu de l'Échasse en 1781 et prend la succession de son oncle Jean Louis (III), décédé sans postérité en 1768. L'intérim à la tête du prestigieux atelier avait été assuré de 1768 à 1781 par Jacques Henri Alberti, ancien compagnon du maître. Le 22 janvier 1781, François Daniel se marie avec Marie Madeleine Albrecht et s'établit au n° 15 de la rue des Orfèvres. De sa production, le musée des Arts décoratifs conserve plusieurs œuvres. Un gobelet en argent doré à côtes pincées, orné d'une guirlande de fleurs (cat. 28), reprend le modèle par excellence du gobelet strasbourgeois. Il a été décliné de diverses manières par la plupart des orfèvres de la ville à partir des années 1720-1730 jusqu'à la fin du siècle. L'écuelle couverte et son présentoir de 1784, en revanche, sont d'un modèle Louis XVI particulièrement original, alliant une grande douceur de formes au répertoire ornemental classique (cat. 42). Cette recherche de simplicité et de fluidité se retrouve dans la conception du nécessaire de toilette en argent livré en 1788-1789 à la princesse Louise de Bade, aujourd'hui conservé au Badisches Landesmuseum de Karlsruhe (ill. 31).
Le plateau en argent doré, réalisé pour présenter les clefs de Strasbourg lors de la venue de Napoléon en 1806, reste quant à lui d'esprit Louis XV avec son marli au bord extérieur mouvementé en accolades (cat. 126). Les salières à prises en forme de grecques (1798-1809) et les deux paires de flambeaux, l'une en athénienne et l'autre en obélisque (1809-1819), réussissent une heureuse fusion de l'évolution des modes qui se succèdent au tournant du XVIIIe siècle (cat. 76, 96, 97).
L'étiquette de firme de son fils, Emmanuel Frédéric Imlin (1782-1831), précise l'enseigne de l'atelier : *AUX ABEILLES. IMLIN. Orfèvre. Fabrique et vend de l'Argenterie, Bijouterie et du Vermeil. Rue des Orfèvres n° 16 à Strasbourg* (ill. 9). L'inscription figure sur un bouclier surmonté d'une ruche d'où s'envolent des abeilles, allusion au patronyme familial. En 1823, année où la vignette est gravée, ce motif n'est plus d'aucune actualité politique mais demeure indissociable de la marque de fabrique d'une dynastie qui s'éteindra avec Emmanuel Frédéric, dernier orfèvre du nom.

Les Kirstein (1629-1860) À l'origine de la dynastie des Kirstein se trouve un jeune compagnon venu d'outre-Rhin, Joachim Friedrich Kirstenstein, né le 25 avril 1701 à Beelitz en Prusse. François Baron d'Autigny, prêteur royal, écrit dans un rapport adressé en 1776 à Versailles que les 4/5e des garçons de métier arrivent des villes d'Allemagne[13]. La plupart d'entre eux retourne dans leur pays, d'autres s'établissent à Strasbourg par le biais de mariages stratégiques qui leur permettent de s'introduire au sein des familles autochtones. C'est le cas de Joachim Friedrich qui va contracter son nom en Kirstein.
Le 7 avril 1729, il se présente à la tribu de l'Échasse en vue d'obtenir l'autorisation de réaliser son chef-d'œuvre, précisant qu'il envisage d'épouser la fille d'un orfèvre de la ville et qu'il compte

10. Mercklin, *Portrait de Jacques Frédéric Kirstein (1765-1838)*, vers 1830, huile sur toile, 65 x 52 cm, Strasbourg, musée des Beaux-Arts. Inv. MBA 478.

11. Jacques Frédéric Kirstein (1765-1838), *Esquisses de scènes évoquant la chasse*, vers 1810-1820, crayon sur papier, Album Kirstein, Strasbourg, Cabinet des estampes et des dessins. Inv. XXXII.91

s'établir à Strasbourg. Il essuie un refus car sa formation ne se termine que trois mois plus tard, le 14 juillet. À cette date, J. F. Kirstein réitère sa demande : elle est acceptée sous réserve que le chef-d'œuvre soit exécuté chez maître Imlin, vraisemblablement Jean Louis (II). La pièce est fabriquée en peu de temps – un mois et demi – alors que la durée réglementaire est de trois mois. On observe cependant que des aménagements sont possibles, par exemple lorsqu'il s'agit d'un fils d'orfèvre. Le chef-d'œuvre obtient l'approbation du jury, le 1er septembre[14]. J. F. Kirstein peut enfin envisager le mariage, le règlement exigeant le célibat de la part des candidats à la maîtrise. Il s'unit le 14 octobre 1729 à Marie Salomé Widder, fille de l'orfèvre Michael Widder dont il prendra la succession (cat.10). Par ce mariage, le jeune orfèvre obtient le droit de bourgeoisie et peut désormais s'inscrire à la tribu de l'Échasse : il prête serment le 14 décembre suivant. La naissance d'un enfant, le 12 novembre 1729, explique l'empressement de J. F. Kirstein à vouloir s'établir. Il s'agissait en effet de respecter simultanément les règles imposées par la corporation et celles dictées par les convenances sociales.

Le musée des Arts décoratifs conserve de lui un gobelet de forme tulipe typiquement parisien, gravé d'une bordure rocaille à volutes et chicorée (cat. 22). Il y est également représenté par un nécessaire de voyage, ou de chasse, comprenant couvert, couteau, cuillère à moelle et à œuf, gobelet à côtes pincées, le tout finement gravé de lambrequins Régence (cat. 98). Le nécessaire est serré dans son écrin de maroquin. Jean Louis (II) Imlin et Jean Frédéric (I) Buttner ont réalisé de tels ensembles qui apparaissent comme étant spécifiquement strasbourgeois.

Jean Jacques Kirstein (1733-1816), fils et successeur de Joachim Friedrich, effectue son apprentissage dans l'atelier paternel de 1747 à 1751. À l'issue de ses années de compagnonnage il est reçu maître et intègre la tribu de l'Échasse en 1760. Il épouse la même année Anna Bameyer et s'établit au n° 4 de la rue des Orfèvres. Sa carrière sera exceptionnelle par la durée mais surtout par la qualité de sa production qui lui vaudra les plus flatteuses commandes. Jean Jacques Kirstein saura passer habilement du style Louis XV de ses débuts (cat. 66, 79 et 93), qu'il pratique dans la manière ample et déliée propre au style rocaille strasbourgeois, aux formes et au répertoire ornemental néoclassiques, dans leur expression la plus parisienne. Deux des plus beaux nécessaires commandés à l'orfèvre sont partiellement évoqués par les collections du musée des Arts décoratifs. Il s'agit tout d'abord d'une partie du nécessaire de la comtesse von der Leyen dont le musée conserve l'écuelle à bouillon avec son présentoir et son couvert, deux flacons à parfum et leur plateau, un éteignoir et l'aiguière avec son bassin en argent doré, de 1789 (cat.100). On peut rapprocher cet ensemble de l'exceptionnel miroir de toilette en argent doré exécuté en 1786 pour la princesse de Deux-Ponts (cat.101). En effet, ce dernier appartenait initialement à un important nécessaire comprenant des objets semblables à ceux figurant dans le nécessaire von der Leyen. Certaines des trente pièces qui accompagnaient le miroir et qui furent dispersées en 1944 se trouvent aujourd'hui au musée de la Residenz à Munich (ill. 28, 29 et 30). Livré par l'orfèvre à la demande de

Maximilien de Deux-Ponts, le nécessaire constituait le somptueux cadeau de relevailles que le prince faisait à son épouse au lendemain de la naissance du fils aîné du couple, Louis, espoir de la Maison de Wittelsbach dans la succession au siège électoral de Bavière.
La réussite de Jean Jacques Kirstein, orfèvre talentueux et productif, lui vient d'avoir su répondre aux exigences de l'importante clientèle constituée par les cours régnantes d'Outre-Rhin, qui ont reconnu en lui l'équivalent des grands orfèvres parisiens contemporains.
La succession sera assurée par son fils Jacques Frédéric (1765-1838, ill. 10), apprenti chez Georges Frédéric Imlin de 1778 à 1783. En raison du décès de ce dernier, Jean Jacques Kirstein obtient la dispense des derniers mois d'apprentissage pour son fils. Les années de compagnonnage sont interrompues, quant à elles, par la Révolution qui va procéder à la suppression des corporations. Jacques Frédéric s'établit en 1795 et épouse la même année Suzanne Barbe Kraemer. Par arrêté du 17 nivôse an VI (6 janvier 1798) est imposé aux orfèvres le poinçon losangique devant contenir obligatoirement la ou les initiale(s) de l'orfèvre. Jacques Frédéric opte pour un losange vertical comprenant la lettre K dans la moitié inférieure et trois cerises dans la moitié supérieure, allusion à son patronyme. Sa brillante carrière est remarquablement bien évoquée dans les collections du musée. 
Il semble tout d'abord collaborer aux grands ensembles commandés à son père avant la Révolution puis, après son installation, connaît une période de récession en raison des événements politiques. Les corporations qui ont assuré le prestige des métiers sont supprimées une première fois le 12 mars 1791 par l'Assemblée constituante pour être partiellement rétablies un mois plus tard. Elles vont subsister jusqu'à l'établissement de la loi organique du 19 brumaire an VI (9 novembre 1797), date de leur abolition définitive. Cette mesure signifie l'anéantissement d'une tradition plusieurs fois séculaire, entraînant souvent la ruine des orfèvres ainsi que la dispersion, sinon la fermeture, des ateliers. De plus, le contexte politique n'est pas favorable à l'industrie du luxe, mise en veille jusqu'au Consulat et à l'Empire. Aussi, peu d'objets témoignent-ils de l'activité de Jacques Frédéric durant cette période. Une paire de salières Louis XVI, vers 1798-1809, constitue le seul exemple de sa production dans le style du XVIIIe siècle présenté au musée (cat. 74). En revanche, une pince à gâteau en vermeil, une saucière avec son présentoir en argent partiellement doré et une cafetière d'époque Empire d'un modèle original par ses réminiscences de formules Directoire sont là pour rappeler la production de vaisselle et d'ustensiles de table sortie de l'atelier Kirstein au début du XIXe siècle (cat. 60, 70 et 87)[15].
Mais c'est la réalisation des deux clefs présentées à Napoléon lors de son entrée à Strasbourg en 1806 qui inaugure ce que sa production future aura de plus remarquable, une qualité de ciselure extraordinaire, expression d'une habileté peu commune (cat. 126). Elle se traduit tout particulièrement lorsque l'orfèvre traite des sujets « au naturel », comme c'est le cas pour les têtes des clefs de ville ornées d'aigles impériales encadrées de branches de laurier, ou bien dans les fameux tableaux en haut-relief à sujets cynégétiques qui lui vaudront

12. Jacques Frédéric Kirstein (1765-1838), *Présentoir de la coupe à décor de chasse aux lions*, vue en plan, vers 1820, crayon, encre et rehauts de gouache blanche sur papier bistre, 19,5 x 20 cm, Album Kirstein, Strasbourg, Cabinet des estampes et des dessins. Inv. XXXII.91

13. Joachim Frédéric Kirstein (1805-1860), *Étude en vue de la réalisation d'une coupe couverte*, signé et daté *f. Kirstein, Nov. 1858*, crayon et crayon noir sur papier, 32,6 x 23,4 cm, Album Kirstein, Strasbourg, Cabinet des estampes et des dessins. Inv. XXXII.92

une renommée internationale (cat. 139, 153, 154). Le Cabinet des estampes et des dessins conserve de l'excellent dessinateur et chasseur passionné qu'était Jacques Frédéric Kirstein, un ensemble de dessins et d'esquisses, réunis en un album, dont la plupart ont inspiré les tableaux en fonte d'argent repoussé et ciselé (ill. 11).

Les nombreuses coupes commémoratives exécutées par Kirstein à partir de 1814 sont prétexte à réinventer, dans le langage formel et décoratif du néoclassicisme tel que l'a redéfini le style Empire, les riches hanaps offerts durant la Renaissance par le magistrat strasbourgeois aux personnalités qu'il souhaitait honorer (cat. 34, 35, 36, ill. 12). Le grand vase de 1825, présenté à l'Exposition des produits de l'industrie à Paris en 1834, est d'une virtuosité technique éblouissante (cat. 37). Il traduit la foi en un métier et la survivance d'un savoir-faire ancestral ayant échappé à la coupure entre le XVIIIe et le XIXe siècle, si profonde politiquement et socialement, grâce aux dynasties qui se sont maintenues. Celles-ci, prenant le relais des corporations supprimées, ont permis d'assurer la transmission des acquis.

Joachim Frédéric (II) Kirstein (1805-1860) est apprenti dans l'atelier de son père, Jacques Frédéric. Ce dernier lui enseigne la ciselure ainsi que les techniques du modelage et de la fonte dont il a la parfaite maîtrise. Le jeune orfèvre complète sa formation chez le sculpteur Landolin Ohmacht à Strasbourg, puis chez Pierre Jean David d'Angers à Paris. Tout en pratiquant la sculpture en tant que statuaire et médaillier, il poursuit l'œuvre de son père et s'installe 26, rue des Orfèvres. Ses dessins préparatoires à la réalisation de certaines pièces d'orfèvrerie trahissent pourtant davantage le sculpteur (ill. 13). Le musée des Arts décoratifs conserve de lui deux objets liés à l'exercice du culte, une aiguière et un calice couvert, dont l'ornementation mêle classicisme et historicisme dans une esthétique qui laisse entrevoir des formules héritées de la précédente génération (cat. 124 et 125). C'est dans la composition et l'exécution des bas-reliefs fixés en applique sur ces

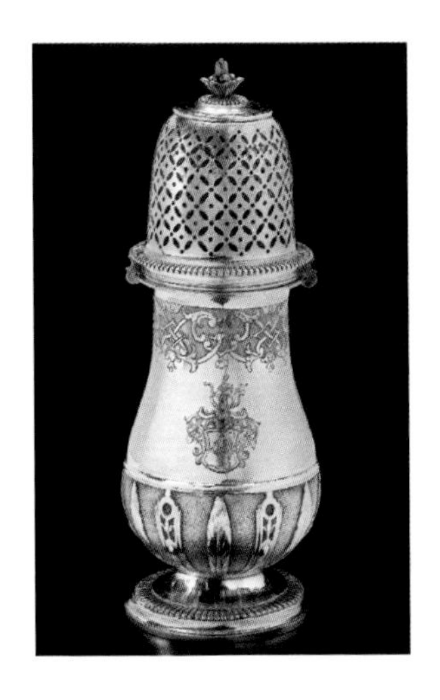

14. Jacques Fajard (maître en 1707, mort en 1763), *Sucrier à poudre*, argent, vers 1710-1720, H. 23,5 cm. Vente Sotheby's, Paris, 18 décembre 2002.

pièces que Joachim Frédéric (II) Kirstein montre le plus d'originalité. À sa mort, en 1860, se conclut la lignée d'une dynastie d'orfèvres strasbourgeois dont le règne aura duré cent cinquante-neuf ans, disparition qui coïncide avec le début de l'industrialisation de l'orfèvrerie en France.

Production et clientèle

Le nombre des insculpations, qui avait diminué en raison de la guerre de Trente Ans, remonte véritablement à partir de 1690. Les changements politiques intervenus après 1681 n'apportent pas de coupure dans l'organisation de la corporation, ni dans celle du métier, ni même dans les pratiques de la clientèle. En cette fin de XVIIe siècle vont perdurer les modes héritées du XVIe siècle. Au moment d'entrer au sein d'une corporation, dans une société, ou d'endosser une fonction politique, l'usage veut que l'élu offre un objet d'orfèvrerie, gobelet ou hanap, à la corporation dont il dépend, et alimente ce faisant le trésor de cette dernière. La tradition des cadeaux officiels et des distinctions honorifiques sous forme de pièces d'argenterie, plus ou moins précieuses, est une autre source de commande pour les ateliers strasbourgeois. Figurent parmi ces objets les gobelets dits « de magistrat », ou *Rathsbecher*, offerts aux membres du magistrat, aux bourgmestres et aux échevins. On voit ainsi se perpétuer la fabrication des gobelets rhénans de forme tronconique, parfois munis d'un couvercle, jusqu'au milieu du XVIIIe siècle. En argent doré, ou partiellement doré, le corps du gobelet est traité en décor amati, d'où l'appellation *Schwitzbecher*[16]. Les parties lisses sont réservées à la gravure d'armoiries ou d'une dédicace (cat. 5 à 13). Deux gobelets de ce type figurent sur la *Grande Vanité* peinte en 1641 par Sébastien Stoskopff[17]. Le musée des Arts décoratifs conserve une série de ces gobelets dont le plus récent est daté de 1740. Il est gravé aux armes de la ville d'Obernai et au nom d'André Uhlmann, membre du magistrat (cat. 20). Le modèle du gobelet en tulipe, d'influence parisienne, apparaît vers 1720-1730 et se superpose dans un premier temps à la forme traditionnelle puis la supplante au milieu du siècle : le gobelet offert en 1731 par la tribu des Drapiers au couple Dietrich-Kniebs à l'occasion de leurs noces d'or en est un bel exemple (cat. 15). La coutume du cadeau honorifique et corporatif persiste jusque vers la fin du XVIIIe siècle comme en témoigne le gobelet ovale en argent doré de Jean Frédéric Fritz, de 1776 (cat. 29). La forme en hanap héritée du XVIe siècle, quant à elle, va persister jusqu'en plein XVIIIe siècle, au travers du modèle imposé par le règlement de la corporation de l'Échasse pour la réalisation du chef-d'œuvre de maîtrise (cat. 1 et ill. 5).

La clientèle à la base de ces commandes est principalement issue du magistrat, de la bourgeoisie, des tribus de métiers et du monde agricole. Elle va s'augmenter des membres du clergé avec le retour du culte catholique à Strasbourg et des représentants français de la nouvelle administration civile et militaire qui se met progressivement en place. Si la production d'époque louis-quatorzienne est très sporadiquement représentée au musée des Arts décoratifs (cat. 2, 3 et 4), il convient toutefois de mentionner le surtout de table réalisé par Wilhelm Schmit, maître en 1711. L'œuvre n'est pas précisément datée mais elle présente toutes les caractéristiques du style Louis XIV, autant par la forme du plateau à bord godronné que par son riche décor gravé, directement inspiré de Bérain, mêlant sphinges et écureuils au milieu d'entrelacs et de lambrequins (cat. 65). De même, un sucrier à poudre en argent de forme balustre, avec couvercle à baïonnette repercé de quartefeuilles et à décor de godrons, d'appliques de feuilles et de lambrequins, constitue un rare exemplaire de ce type d'objet dans la production strasbourgeoise des années 1710-1720. Il s'agit d'un ouvrage de Jacques Fajard, premier orfèvre français – par conséquent catholique – à s'être installé dans la ville libre royale en 1707, année où il acquiert le droit de bourgeoisie et où il est reçu maître (ill. 14)[18].

Parmi les objets réalisés par les orfèvres strasbourgeois à cette époque, les plus répandus sont, avec les écuelles, les

15. J. Striedbeck, *Étiquette de firme de l'orfèvre Jean Frédéric Buttner (maître en 1746, mort en 1779)*, vers 1760, gravure, 16,2 x 11 cm, Strasbourg, Cabinet des estampes et des dessins. Inv. XXII.17

coupes sur piédouche ornées d'anses à volutes, avec ou sans couvercle, dont le décor consiste généralement en godrons et applications de feuilles et de lambrequins[19]. L'écuelle à bouillon adopte la forme française, sans piédouche, avec anses horizontales dites « oreilles » et anneau de prise pour le couvercle. Le répertoire ornemental comprend godrons, palmettes, lambrequins appliqués et entrelacs gravés dans le style de Bérain. De beaux exemplaires de ces écuelles sont reproduits dans le livre consacré à l'argenterie domestique française par Faith Dennis, paru en 1960 : il s'agit d'ouvrages de Johann Reinholt Buttner, vers 1700-1712, de Daniel Seupel, vers 1691-1725, ou encore d'un maître strasbourgeois non identifié, vers 1690-1725[20].

Les planches d'ornements gravées de Daniel Marot, de Jean Bérain et les *Nouveaux Desseins pour graver sur l'orfèvrerie* de Masson matérialisent autant de sources d'inspiration pour les orfèvres. Les motifs de Bérain, avec leurs arabesques et leurs lambrequins, seront utilisés en France jusque dans les années 1740 (cat. 18). L'aiguière et son bassin, réalisés dans le second quart du XVIIIe siècle par Johann Jacob Ehrlen (maître en 1728), sont un remarquable exemple de l'emploi de ce langage décoratif mis au point par l'inventif dessinateur de la Chambre et du Cabinet du roi (cat. 64). La relève est progressivement assurée par le style rocaille à la fin des années 1730. Les maîtres vont souvent adapter des modèles qui s'inscrivent dans le sillage de la production d'orfèvres parisiens tels Thomas Germain, Juste-Aurèle Meissonnier, Jacques Roettiers. Ils s'appuient essentiellement sur les recueils de modèles gravés, parmi lesquels il convient de citer les *Éléments d'orfèvrerie* de l'orfèvre Pierre Germain publié en 1748[21], le *Nouveau Livre des vases* paru en 1734 comportant des modèles du peintre Antoine Boucher, et surtout les projets gravés de Meissonnier (1693-1750), autre dessinateur du Cabinet du roi, qui marquent l'apothéose du style rocaille.

L'écuelle couverte avec son présentoir sera le terrain d'expérimentation privilégié des orfèvres strasbourgeois pour l'adoption du nouveau langage décoratif. Du style rocaille ils retiennent essentiellement le vocabulaire ornemental naturaliste qui est appliqué avec beaucoup de fantaisie et parfois avec une certaine exubérance sur des pièces aux formes restées sobres (cat. 38, 39). Le plein épanouissement de ces écuelles à bouillon se situe vers 1770 et correspond aux modèles à oreilles rocaillées, à décor de guirlandes de fleurs ciselées avec un réalisme minutieux et à graines de couvercle en forme d'artichaut posé sur une terrasse de feuilles d'acanthe mouvementées (cat. 40, 41). Véritable spécialité strasbourgeoise, elles sont produites jusqu'à la fin de l'Ancien Régime et se renouvellent avec l'apport des ornements Louis XVI (cat. 42, 100). Elles sont généralement armoriées, de même que les couverts et les gobelets – autres spécialités des orfèvres de la ville –, l'héraldique permettant de situer une clientèle qui se révèle être cosmopolite (royaume de France, Saint Empire et Confédération suisse).

Plusieurs facteurs sont ici déterminants et l'on peut rappeler que Strasbourg, d'une part, s'est fait une spécialité du travail du vermeil, matériau en vogue à une époque où l'essor de la consommation est favorisé en France par un important réseau routier, de l'autre, abrite une société mouvante du fait de son statut de ville de garnison et de capitale administrative de la province. On peut citer à titre d'exemple la commande de vingt-quatre couverts en vermeil à l'orfèvre Imlin, en 1750, par le comte Voyer d'Argenson, ministre de la Guerre en relation avec les représentants de la place forte royale[22], ou l'écuelle couverte avec présentoir et couvert aux armes de la famille du Bourg, conservés au Metropolitan Museum of Art de New York et œuvre de Jean Louis (III) Imlin (1768).

Les présents, matérialisant des actes d'allégeance ou de reconnaissance effectués par le magistrat ou les corporations, constituent une source de commande locale non négligeable. En 1722 par exemple, les cadeaux offerts par la ville au comte palatin du Rhin au moment de la naissance de son fils, futur Christian IV, sont exécutés par l'orfèvre Jean Pick (maître en 1702). Les tribus, quant à elles, pourvoient régulièrement les orfèvres strasbourgeois en commandes. En effet, les corporations

16. Strasbourg, *Dessin d'un ostensoir*, vers 1830-1840, encre et lavis aquarellé sur papier, 80,7 x 39,4 cm, Strasbourg, Cabinet des estampes et des dessins. Inv. XII.42

17. Jean Jacques Kirstein (1733-1816), *Écritoire*, vers 1782, argent et argent doré, Bâle, Historisches Museum, Haus zum Kirschgarten. Inv. 1978.224

18. Attribué à Jean Geoffroy Fritz (1768-1823), *Dessin d'une aiguière de Sainte Cène*, vers 1800, encre et crayon sur papier bleu, 48 x 32,1 cm, Strasbourg, Cabinet des estampes et des dessins. Inv. LXV.61

ont pour habitude d'offrir des présents à leur chef afin de s'assurer ses bons services auprès du magistrat, saisissant pour ce faire tout événement de la vie publique ou privée de l'intéressé susceptible d'être commémoré par un tel geste. Le gobelet à couvercle de Jean Louis (II) Imlin, offert par la tribu des Drapiers au couple Dietrich-Kniebs en 1731 à l'occasion de ses noces d'or, illustre cette tradition (cat. 15).
Que ce soient les corporations de la Mauresse, de la Fleur, des Boulangers, des Tailleurs de Pierre, des Charpentiers, chacune fait appel aux Imlin, Kirstein, Pick ou autres pour l'exécution de présents aussi divers que « dix couverts d'argent dorés », « un gobelet d'argent doré avec un couvercle, en outre des mouchettes avec des porte-mouchettes d'argent », « une soucoupe d'argent avec une sucrière aussy d'argent » ou une écritoire d'argent (ill. 17). En 1697, lorsque Friderici est élu *Ammeistre* régent, la tribu dont il est le chef décide de lui offrir une « souscoup d'argent doré avec 6 pareils gobelets et 6 cuilliers qu'on avoit choisi chez le sieur Immelin, l'orfèvre. Toute cette vaisselle d'argent coûte 240 livres ; pour y faire graver les armes de l'*Ammeistre* et celles de la tribu on débourse 40 sols ». Lors de la réélection de Friderici en 1703, la tribu lui offre « 4 salatières d'argent » ; à son entrée au Conseil des XIII, elle lui fait présent d'« un bassin d'argent à barbe avec un étuy pour la savonnette ; à sa troisième régence, il est gratifié de deux chandeliers d'argent avec doubles porte-mouchettes et enfin, à sa quatrième régence, d'un réchaud d'argent[23].

Des nombreuses commandes d'orfèvrerie religieuse qui ont dû nécessairement affluer après 1681 et durant tout le XVIIIe siècle, il reste peu de choses en raison notamment des saisies révolutionnaires. Le retour de la cathédrale au culte catholique, le transfert du Collège des jésuites de Molsheim au cœur de Strasbourg où est créé un séminaire en 1683, l'installation des puissants chanoines de la cathédrale dans la capitale diocésaine et l'arrivée d'ordres religieux stimulent la production d'objets de culte dont certains orfèvres se font une spécialité, comme Jean Georges Pick (maître en 1739) (cat. 115). L'Alsace voit l'ensemble de son territoire se couvrir d'églises nouvelles et s'embellir de façon somptueuse les sanctuaires de ses riches abbayes. L'orfèvrerie religieuse de la seconde moitié du XVIIIe siècle représentée dans les collections du musée suit ce mouvement de rénovation et va emprunter une certaine grâce mondaine aux objets civils contemporains (cat. 116-118). Le culte protestant, quant à lui, est évoqué par un exceptionnel ensemble de livres de cantiques à reliure d'orfèvrerie, pour la plupart de la première moitié du XVIIIe siècle, répétant une formule décorative empruntée au siècle précédent et qui se pérennisera jusque dans la seconde moitié du siècle (cat. 102-114). Faut-il y voir une marque de conservatisme face à la montée progressive du culte catholique à Strasbourg ? Les objets liés à la commémoration de la Sainte Cène – aiguière, boîte à hosties, calice et patène à piédouche – sont plus abondamment produits à la fin du XVIIIe siècle, ceci dans un style particulièrement dépouillé (ill. 18 et cat. 119), et au XIXe siècle où s'illustrent les deux derniers représentants de la dynastie des Kirstein (cat. 121-125).

19. Martin van Meytens (1695-1770), *Repas du couronnement de l'archiduc d'Autriche, futur empereur Joseph II, comme roi des Romains, à Francfort le 3 avril 1764* (détail), 1764, huile sur toile, 360 x 320 cm, Vienne, château de Schönbrunn.
La table est dressée « à la française » avec sa vaisselle d'argent comprenant assiettes, couverts, cuillère à ragoût, salières sur pied à trompette, pot à oilles et terrines disposés alternativement pour le confort des convives, le tout sur une nappe blanche. Tous ces objets sont distribués dans une rigoureuse symétrie autour du surtout central réunissant les sucriers à poudre et deux carafes contenant l'huile et le vinaigre.
Il est surmonté d'une coupe garnie d'oranges et de citrons en pyramide d'où émergent des fleurs d'oranger.
En dehors des couverts placés selon l'habitude allemande, cette table est un parfait témoignage de l'adoption des modes françaises par les cours d'Europe.

Les grands commanditaires

Ce qui allait durablement modifier la production des orfèvres et donner une impulsion nouvelle au métier, c'est moins l'arrivée de formules décoratives nouvelles que l'adoption des « manières françaises ». Du déjeuner au coucher, celles-ci étaient parfaitement codifiées et s'accompagnaient de vaisselles et d'ustensiles adaptés. Le déjeuner se prenait au réveil, généralement dans la chambre à coucher. On y servait un bouillon dans une écuelle à oreilles, pourvue d'un couvercle et d'un présentoir (cat. 38 à 42). Le dîner se déroulait vers deux ou trois heures alors que le souper était servi aux alentours de neuf ou dix heures. Le service « à la française » va s'imposer à l'Europe entière durant tout le XVIIIe siècle et jusqu'au début du XIXe siècle (ill. 19). Il consiste en une succession de services – habituellement de deux à huit qui se suivent à un quart d'heure d'intervalle – comportant chacun un grand nombre de plats différents disposés savamment sur la table, selon les plans du maître d'hôtel, sans qu'ils ne circulent entre les convives. De ce fait, les plats, avec ou sans cloche, les terrines (ill. 20), les pots à oille et leur cuiller de service, les salières et les compotiers se démultiplient en fonction du nombre de couverts et du nombre de services. Le centre de table reçoit un surtout réunissant huiliers, boîtes à épices, sucriers à poudre restant en place durant toute la durée du repas alors que les couverts et l'ensemble des plats sont retirés avant chaque nouveau service. Flambeaux et girandoles éclairent la table ; les pièces d'orfèvrerie en argent ou en vermeil sont disposées sur de grandes nappes blanches damassées, dans un ordonnancement chargé de satisfaire l'œil et le confort des convives qui doivent pouvoir se servir sans avoir à déplacer les plats. Aussi les services de table sont-ils constitués d'une grande quantité de pièces, ce qui amène souvent plusieurs orfèvres à se grouper pour réaliser ces commandes exceptionnelles.
C'est sous le règne de Louis XV que va s'imposer une conception unifiée du « service de table » et que naît la notion d'ensemble

20. Strasbourg, *Modèle de terrine avec plateau à double proposition*, vers 1770, traces de crayon, encre et lavis sur papier, 25,3 x 34,6 cm, Strasbourg, Cabinet des estampes et des dessins. Inv. LXV.3

21. Jean Louis (II) Imlin (1694-1764), Jean Jacques Vierling (maître en 1745), Jean Frédéric Senckeisen (maître en 1744), Jean Louis (III) Imlin (1722-1768), Jean Jacques Ehrlen (maître en 1728), *Nécessaire de voyage de Marie Louise Albertine de Hesse-Darmstadt*, 1749, argent doré. Coffre d'origine gainé de maroquin rouge et doublé de velours de soie vert, 37 x 89,9 cm, The Toledo Museum of Art, États-Unis. 1970.30-.37

dont l'homogénéité s'affirme par la destination et l'ornementation. En dehors des couverts – cuiller, fourchette et couteau – et de la platerie – assiettes, plats et compotiers – les pièces de forme constituent l'élément décoratif essentiel de la table. Elles sont d'une fantaisie et d'une variété sans cesse renouvelées tout au long du siècle, qu'il s'agisse du pot à oille, de forme circulaire, ou de la terrine, de forme ovale, tous deux destinés à servir les ragoûts. Couvre-plats, saucières, huiliers-vinaigriers (cat. 66-69), salières (cat. 71-76), boîtes à épices, moutardiers, candélabres, seaux à bouteille et verrières pour rafraîchir respectivement le vin et les verres, sont assortis par le décor.

À cette multitude d'objets nouveaux liés au service de la table, il convient d'ajouter ceux nés de la mode des breuvages introduits en France au XVIIe siècle, c'est-à-dire le thé, le café et le chocolat, et dont l'usage va se répandre au XVIIIe siècle. Cafetières, théières et chocolatières (cat. 85-91), accompagnées de sucriers et de cuillères à sucre repercées (cat. 55-57), sont prétextes à des créations souvent très originales de la part des orfèvres.

Autre pratique récente liée à l'adoption des modes françaises, celle de la confection de nécessaires. Ceux-ci consistent en un regroupement d'objets liés à un usage particulier, tels la toilette, le déjeuner, l'écriture, la couture ou d'autres encore. Ils sont souvent combinés, ce qui a pour conséquence d'en augmenter, parfois considérablement, le nombre de pièces. Ces luxueux nécessaires devant pouvoir être transportés d'un lieu de résidence à un autre sont accompagnés d'ingénieux coffrets, voire de coffres, réalisés par des tabletiers-gainiers. Un habile dispositif de compartiments, destinés à recevoir individuellement chaque objet en épousant sa forme particulière, permettait d'assurer l'acheminement de son contenu sans encombre.

En ce début du XVIIIe siècle, Strasbourg réunit toutes les conditions pour répondre à la réalisation de tels ensembles : d'une part, une qualité de dorure exceptionnelle et l'habileté de maîtres qui font de Strasbourg la capitale du vermeil, matériau en vogue ; de l'autre, une importante communauté d'orfèvres réputés, dont les différents membres sont solidaires par leur appartenance à la puissante corporation de l'Échasse et par les liens familiaux qui les unissent les uns aux autres. Cette configuration favorise les regroupements de main-d'œuvre dès lors qu'il s'agit de faire face à des commandes d'envergure. Une autre particularité strasbourgeoise notable est l'existence de nombreux ateliers de gainiers installés dans une rue dont l'appellation en conserve le souvenir, la rue du Maroquin, située symétriquement à la rue des Orfèvres, par-delà la cathédrale. La fréquence des écrins dans l'orfèvrerie strasbourgeoise est étonnamment élevée en regard du reste de la France, précaution qui s'explique certainement en raison d'une production essentiellement tournée vers l'exportation ou destinée à une clientèle « nomade » (pp. 2, 88-89 et cat. 82, 98)[24].

Les commandes les plus prestigieuses émanent des princes allemands possessionnés en Alsace, installés à Strasbourg dans les plus beaux hôtels de la ville, et de ceux régnant sur leurs territoires héréditaires, tous alliés entre eux par mariage[25]. Ces familles aristocratiques, dans leur volonté de suivre l'exemple de Paris et Versailles, constituent un véritable vivier de clients pour les orfèvres strasbourgeois. Les ensembles qui leur étaient destinés n'ayant pas subi les fontes révolutionnaires, comme ce fut le cas en France, forment un témoignage unique de la production strasbourgeoise dans ce qu'elle a de plus spectaculaire.

En 1736, Jean Louis (II) Imlin livre un service de table pour le mariage de Louis VIII, colonel-propriétaire du régiment Royal-Hesse-Darmstadt au service de la France, gendre de Régnier III de Hanau-Lichtenberg qui fit construire de 1731 à 1736, à partir de plans de Robert de Cotte, le vaste et grandiose hôtel de la rue Brûlée à Strasbourg[26]. Il subsiste de ce service d'apparat un pot à oille et son présentoir en argent dans un style Régence, dont l'ornementation n'est pas sans rappeler la décoration sculptée si caractéristique de l'hôtel qui l'abritait[27].

Le nécessaire de toilette réalisé pour Marie Louise Albertine de Hesse-Darmstadt, née Linange-Dabo-Heidesheim, est conservé pour l'essentiel au Museum of Art de Toledo. Marie Louise

22. Jean Louis (III) Imlin (1722-1768), Jean Henri Oertel (1717-1796), Jacques Henri Alberti (1730-1795), *Service de table de l'électrice Elisabeth Auguste de Bavière et de Palatinat*, 1768-1780, argent, Heidelberg, Kurpfälzisches Museum. Inv. Nr. GM 697

23. Jan Philips van Schlichten (1681-1745), *Portrait de l'électrice Elisabeth Auguste de Bavière etde Palatinat entourée de ses deux sœurs*, vers 1743-1745, huile sur bois, 40,7 x 52,7 cm, Mannheim, Städtisches Reiss-Museum. Inv. RMM 1966/2
Le portrait représente les trois filles du comte palatin Joseph Karl Emmanuel August von Sulzbach : au centre l'électrice Elisabeth Auguste de Bavière et de Palatinat (1721-1794), à gauche la duchesse Marie Anne Josèphe de Bade (1722-1790), à droite Marie Françoise Dorothée de Deux-Ponts-Birckenfeld (1724-1794), mère de Karl II August duc de Deux-Ponts et de Maximilien Joseph de Deux-Ponts, futur roi de Bavière.

Albertine épouse en 1748 Georges Guillaume de Hesse-Darmstadt (1722-1782), fils de Louis VIII et frère de Louis IX devenu Landgrave de Hesse-Darmstadt à la mort de son père en 1768[28]. Cinq orfèvres strasbourgeois vont se grouper pour fabriquer cet ensemble en vermeil, ne comprenant pas moins de cinquante pièces et un coffre de voyage, exécutés en 1749 (ill. 21). Le grand miroir de toilette de forme contournée ainsi que deux pots à fards de Jean Louis (II) Imlin, un plateau à bord contourné de Jean Jacques Vierling (maître en 1745), l'écuelle à bouillon avec son plateau de Jean Frédéric Senckeisen (maître en 1744), deux coffrets à pieds et un coffret similaire sans pieds de Jean Louis (III) Imlin, quatre boîtes à poudre circulaires de tailles différentes de Jean Jacques Ehrlen (maître en 1728), ont tous été exécutés dans une grande unité de style mêlant ornements Louis XV et rocaille. Pour la cafetière et la chocolatière tripode, conservées quant à elles au Département des Objets d'art du musée du Louvre, J. J. Ehrlen a adopté une ornementation résolument rocaille à base de cartouches asymétriques gravés aux armes[29].

Aujourd'hui au Kurpfälzisches Museum de Heidelberg, le service de table en argent commandé par Elisabeth Auguste, électrice de Bavière et de Palatinat (1721-1794), constitue un exceptionnel ensemble de soixante douze pièces (ill. 22)[30]. Si l'on se réfère à l'inventaire du château d'Oggersheim de 1769, il apparaît que le « Service de table tout neuf, marqué du Chiffre de notre Sérénissime Souveraine » était initialement plus important et comprenait notamment deux pots à oille et un minimum de trente et une cloches contre un pot à oille et dix couvre-plats dans sa configuration actuelle[31]. Oggersheim a été édifié d'après les plans de Nicolas de Pigage pour le comte palatin Friederich Michael de Deux-Ponts-Birkenfeld (1724-1767), beau-frère de l'électrice. Cette résidence de campagne est acquise en 1768, après la mort du comte palatin, par le prince électeur Carl Théodor (1724-1799), qui la met à disposition de sa femme, Elisabeth Auguste, dont il vit séparé (ill. 23). Le service est réalisé en 1767-1768, dans un délai très court, sachant que Jean Louis (III) Imlin, auteur de la plus grosse partie de la commande, disparaît le 8 décembre 1768. Jean Henri Oertel exécute l'aiguière à couvercle alors que Jacques Henri Alberti et Jean Louis Imlin se chargent de la fabrication du restant. À ce dernier échoit la réalisation des pièces de formes les plus décoratives, seaux à rafraîchir et pots à oille (ill. 24 et 25). Il partage avec J. H. Alberti celle des assiettes et des plats avec leurs cloches. Alberti complètera le service en 1770, 1772 et 1779-1780. Cette dernière livraison correspond à la commande des candélabres dont le dessin est conservé au Cabinet des estampes et des dessins de Strasbourg (ill. cat. 92). Assiettes et plats aux bords contournés en accolades et pièces de forme mouvementées mais au décor symétrisé, à ornementation de guirlandes de laurier annonçant le retour au classicisme, sont caractéristiques du style Louis XV des années 1760. Le pot à oille (ill. 25) peut être mis en parallèle avec celui de l'orfèvre parisien Étienne-Jacques Marcq, de 1755-1756, conservé au musée des Arts décoratifs à Paris et dont la conception formelle et ornementale est très proche. Les pieds en rouleau, de même que les deux anses, s'épanouissent en feuillages souplement ondulés. Un cartouche à enroulements et chutes de laurier reçoit les initiales couronnées de l'électrice.

24. Jean Louis (III) Imlin (1722-1768), *Deux seaux à rafraîchir*, 1768, argent, H. 24,2 cm, partie du service de table de l'électrice Elisabeth Auguste de Bavière et de Palatinat, 1768-1780, Heidelberg, Kurpfälzisches Museum. Inv. Nr. GM 697

25. Jean Louis (III) Imlin (1722-1768), *Pot à oille*, 1767, argent, H. 38 cm, partie du service de table de l'électrice Elisabeth Auguste de Bavière et de Palatinat, 1768-1780, Heidelberg, Kurpfälzisches Museum. Inv. Nr. GM 697

Sur le couvercle, à canaux tors rayonnants, se dresse une grenade formant graine. Cet objet résume parfaitement l'esthétique du temps et se présente comme un rare témoignage de pot à oille strasbourgeois alors que le fonds de dessins d'orfèvrerie des musées de Strasbourg en contient de nombreux modèles (ill. 20 et ill. cat. 39 et 96).

La Maison de Deux-Ponts, par ses territoires situés aux frontières ouest du Saint Empire et ses possessions alsaciennes, était en lien constant avec la France. Le duc Christian IV (1722-1775), proche de Louis XV, fondateur en 1757 du régiment royal Deux-Ponts au service de la France, réside sur ses terres ou bien dans son hôtel parisien. Il pourvoit à l'éducation de ses deux neveux, héritiers présomptifs des Wittelsbach : Karl August (1746-1795) et Maximilien Joseph (1756-1825). Leur mère, Marie Françoise Dorothée née princesse de Palatinat-Soultzbach (1724-1794) a pour sœur l'électrice Elisabeth Auguste de Bavière et de Palatinat (ill. 23). Leur père, Frédéric Michael comte palatin de Deux-Ponts-Birkenfeld (1724-1767), frère de Christian IV duc de Deux-Ponts, est le commanditaire du château d'Oggersheim.

En 1770, le duc acquiert pour ses neveux l'ancien hôtel Gayot à Strasbourg, élégante demeure élevée en 1754-1755 dans le voisinage de l'hôtel de Hesse-Darmstadt. La même année est octroyé à Max Joseph le commandement du régiment Royal-Alsace, au service de la France, dont il ne prendra la direction effective qu'en 1776, à sa majorité.

À la mort de Christian IV, en 1775, son neveu Karl August lui succède en tant que duc de Deux-Ponts. À partir de l'été 1776, le jeune duc régnant sous le nom de Karl II August fait construire un vaste château, Karlsberg, aux abords de Hombourg (Sarre). Y prendront place de riches collections, en particulier de peintures et de dessins. L'ameublement sera essentiellement livré par le marchand mercier parisien Bourjot qui fournira, entre autres, un mobilier complet en bois sculpté et doré de Georges Jacob[32]. C'est l'orfèvre strasbourgeois Jean Jacques Kirstein qui est chargé de réaliser un fastueux service

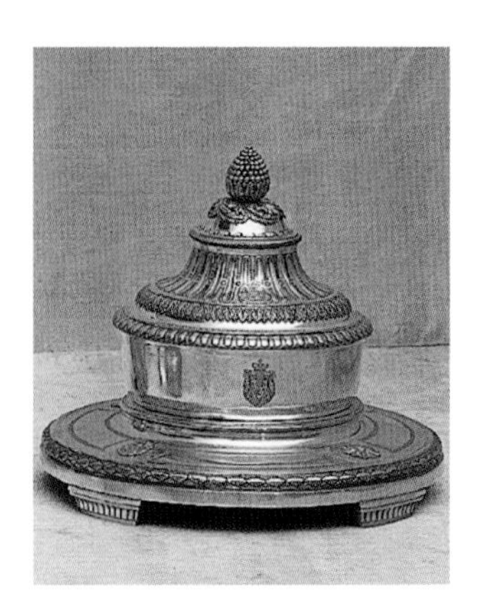

26. Jean Jacques Kirstein (1733-1816), *Pot à oille, d'un ensemble de quatre, provenant du service de table de Karl II August duc de Deux-Ponts*, vers 1780, argent, Munich, Residenz. Inv. Nr. : Res. Mü. SK 1201-1208

27. Johann Joseph Friedrich Langenhöffel (1750-1807), *Auguste Wilhelmine de Deux-Ponts et ses enfants Louis et Amalie*, 1791, huile sur toile, 232,5 x 146,4 cm, Munich, Bayerische Staatsgemäldesammlungen. Inv. Nr. 2870
La princesse de Deux-Ponts est représentée, vraisemblablement dans le parc du château de Rohrbach près de Heidelberg, en compagnie de Louis, né en 1786, futur Louis Ier de Bavière, et d'Auguste Amalie qui épousera Eugène de Beauharnais, fils de l'impératrice Joséphine, en 1806.

de table en argent dans un style illustrant brillamment le « retour à l'antique » qui règne dans la nouvelle résidence ducale[33]. Plus de soixante pièces sont conservées au musée de la Residenz à Munich dont quatre terrines et leur présentoir ainsi que quatre pots à oille et leur présentoir (ill. 26).
En 1784 disparaît à l'âge de huit ans Karl August Friederich, fils unique de Karl II August et prince héritier de la Maison de Wittelsbach. Les espoirs se portent dès lors sur Maximilien Joseph de Deux-Ponts, frère de Karl August, qui épouse l'année suivante Augusta Wilhelmine, fille de Georges Guillaume de Hesse-Darmstadt et de Marie Albertine Louise de Linange-Heidesheim. Cet homme de goût, dépensant l'argent sans compter, est décrit par la baronne d'Oberkirch dans ses *Mémoires* : « Le prince Max était un bourreau d'argent : le roi Louis XVI avait payé ses dettes et il en faisait toujours de nouvelles ». Un « état des effets mobiliers » de l'hôtel strasbourgeois[34], de 1786, révèle un complet et dispendieux réameublement à la pointe de la modernité parisienne. Le cabinet des glaces de l'appartement de la princesse, dans lequel alternaient glaces et boiseries sculptées à motifs de grotesques or sur fond rechampi blanc, abritait un mobilier assorti au décor comprenant deux consoles à piètement en forme de cariatides, quatre chaises et un lit de repos en bois sculpté doré, recouverts de satin blanc. Détruit durant la dernière guerre en Allemagne où il avait été transféré pendant la Révolution, cet ensemble a selon toute vraisemblance été réalisé par un atelier parisien pour être ensuite installé dans l'hôtel de Deux-Ponts.
Lorsque le 25 août 1786 naît Louis, l'héritier providentiel des princes palatins, Maximilien offre un cadeau véritablement royal à Augusta Wilhelmine (ill. 27). Il s'agit d'un luxueux nécessaire de toilette en vermeil commandé à Jean Jacques Kirstein. La pièce maîtresse en est le grand miroir de toilette, surmonté initialement des armes d'alliance des Maisons de Deux-Ponts et de Hesse-Darmstadt, conservé au musée des Arts décoratifs de Strasbourg avec son écrin de voyage (cat. 101). Le dessin du miroir et son ornementation Louis XVI, alliés à un jeu subtil

28 et 29. Jean Jacques Kirstein (1733-1816), *Bougeoirs et pot à fard provenant du nécessaire de la princesse Auguste Wilhelmine de Deux-Ponts-Birkenfeld*, 1786, argent doré, H. pot à fard 14,2 cm ; H. bougeoirs 20 cm, Munich, Residenz. Inv. Nr. : Res. Mü. SK 3931-3932-3933

30. Jean Jacques Kirstein (1733-1816), *Écuelle couverte et son présentoir provenant du nécessaire de la princesse Auguste Wilhelmine de Deux-Ponts-Birkenfeld*, 1786, argent doré, H. de l'écuelle à bouillon 12 cm ; Ø du présentoir 25 cm, Munich, Residenz. Inv. Nr : L-SK 1/1-2, 2/1-3, 3

31. François Daniel Imlin (1757-1827), *Nécessaire de toilette de Louise de Bade*, 1788-1789, argent, Karlsruhe, Badisches Landesmuseum. Inv. Nr. 95/948

d'opposition de deux tons d'or, en font un objet exceptionnel dans la production française de l'époque. Deux bougeoirs, une boîte à poudre, l'écuelle à bouillon ornée de deux tourterelles symbolisant l'amour et le couvert provenant de ce même nécessaire, qui à l'origine comptait une trentaine de pièces, font aujourd'hui partie des collections du musée de la Residenz à Munich (ill. 28, 29 et 30)[35].

À la veille de la Révolution, en 1789, Jean Jacques Kirstein livre un nécessaire en argent doré exécuté dans un style très proche du précédent. La commande s'inscrit, elle aussi, dans la tradition du cadeau de relevailles après la naissance d'un héritier mâle assurant la survivance dynastique. Les sujets du comte von der Leyen, seigneur de Blieskastel, rendent hommage à la comtesse Sophia Therese née Schoenborn, au lendemain de la naissance du fils unique du couple, Erwein, en faisant ce présent qui se révèle être aussi une marque d'allégeance adressée au nouvel héritier de la seigneurie[36]. De cet ensemble, le musée des Arts décoratifs conserve une écuelle couverte et son présentoir, un couvert, deux flacons à parfum sur leur plateau, un éteignoir ainsi que l'aiguière et son bassin (cat. 100). L'ornementation est principalement dévolue à la déclinaison de motifs de guirlandes de fleurs où dominent les roses. L'aiguière, ornée d'un élégant médaillon ovale environné de fleurs et présentant les armes d'alliance Leyen-Schoenborn, est ceinte au niveau du col d'un tore de roseaux illustrant la fonction de l'objet. Lorsque le nécessaire fut présenté à l'exposition *Le Siècle d'or de l'orfèvrerie de Strasbourg* chez Jacques Kugel à Paris en 1964, étaient exposées des pièces le complétant, à savoir six boîtes à poudre de tailles différentes, deux petits plateaux ovales, un présentoir avec deux pots à fard couverts, une boîte ovale, une brosse et une boîte à mouches. Aujourd'hui dispersé, cet ensemble révèle non seulement les propositions qu'un orfèvre tel que Kirstein était en mesure de faire à ses clients, mais aussi la modernité de son style à mettre en parallèle avec celui du grand orfèvre parisien Robert-Joseph Auguste (vers 1725-1795), brillant promoteur du style « à la grecque ».

Lui est contemporain, mais dans une esthétique tout autre, le nécessaire de toilette en argent exécuté par François Daniel Imlin pour la Maison de Bade, en 1788-1789 (ill. 31). Les parents de Louise Marie Auguste de Bade lui en font présent en 1793 lors de son mariage, sous le nom d'Elisabeth Alexiewna, avec le grand-duc Alexandre Pavlowitch, futur Alexandre Ier de Russie. À la mort de l'impératrice Elisabeth, en 1826, le nécessaire revient à sa mère, la margrave Amalie de Bade née princesse de Hesse-Darmstadt (1754-1832). L'ensemble comprend un miroir, une aiguière et son bassin, quatre boîtes à poudre de deux tailles différentes, deux flacons, deux petits plateaux. Les formes épurées, d'une grande douceur, mettent l'accent sur la beauté du matériau. Le miroir, à la bordure rectangulaire ornée aux quatre angles de cubes à rosace, est surmonté d'un médaillon enrubanné au chiffre L, initiale qui se répète sur les diverses pièces de la toilette. Le bord intérieur du cadre est souligné d'une torsade caractéristique de l'art de F. D. Imlin, motif que l'on retrouve sur l'écuelle couverte et son présentoir de 1784 conservée au musée des Arts décoratifs (cat. 42 et pp. 92-93).

Rares sont les nécessaires, exécutés pour la clientèle française, ayant échappé aux destructions révolutionnaires ou aux fontes de reconversion. Aussi fait figure d'exception le nécessaire livré successivement en 1782, 1783 et 1784 par Jacques Henri Alberti à Mgr Raymond de Durfort, archevêque de Besançon de 1774 à 1790, prince du Saint Empire. De style Louis XVI, au corps lisse souligné de moulures de laurier et d'agrafes, les objets sont gravés aux armes du prélat. Cet extraordinaire ensemble combiné, de quarante et une pièces, regroupe les nécessaires de toilette, de déjeuner, de thé, de café, d'écriture et le luminaire. La taille des objets et la simplicité de leur ornementation laissent à penser qu'il s'agit avant tout d'un nécessaire de voyage[37].

Les archives évoquent cependant l'existence de tels ensembles. Daté du 3 novembre 1734, l'inventaire après décès de la maréchale du Bourg, sœur du prêteur royal François Joseph de Klinglin, mentionne « la toilette de feue Madame consistant en son pot à eau avec sa cuvette, deux boîtes à poudre, trois gobelets dont deux égaux et le troisième plus petit, un petit coffret, une écritoire, avec encrier, sablier, clochette et porte lunettes ensemble, un bougeoir, le tout d'argent. Plus deux chandeliers avec leurs mouchettes, le porte mouchette en vermeil »[38].

Plus extraordinaire, cette prestigieuse commande qui surgit au détour d'un compte-rendu de session du Conseil des XV, réuni le 7 décembre 1743[39]. Le compagnon tourneur Laurent Seeberg, natif de Stockholm, sollicite une dérogation afin de pouvoir présenter son chef-d'œuvre à l'issue de six années de compagnonnage effectuées dans le royaume, dont une année à Paris et plusieurs à Strasbourg, alors que le temps réglementaire n'est pas encore écoulé. Les orfèvres de la place étant très demandeurs de sa collaboration, il souhaite obtenir cette dispense, être reçu à la maîtrise des orfèvres, acquérir le droit de bourgeoisie à Strasbourg et s'y marier. L'empressement de Laurent Seeberg, poussé par ses futurs confrères, trouve son explication au travers de l'intervention du prêteur royal, François Joseph de Klinglin, qui fait savoir au Conseil que, sans le concours du demandeur, les orfèvres strasbourgeois seront dans l'incapacité de réaliser l'importante commande de vaisselle d'argent que vient de leur adresser le duc de Chartres. Avec de tels arguments Laurent Seeberg ne pouvait qu'obtenir gain de cause et, sur l'habile suggestion du prêteur, le Conseil accorde la dispense demandée contre versement de deux livres par l'intéressé. Ce témoignage exceptionnel démontre que Strasbourg est au centre d'un réseau commercial qui rayonne d'est en ouest et assure la renommée de ses orfèvres à travers l'Europe entière.

Avec l'abandon du service « à la française » au profit du « service à la russe », dans la première moitié du XIXe siècle, la production des services de table d'argent ou de vermeil n'a plus raison d'être. La montée d'une nouvelle classe sociale, la bourgeoisie, va orienter la production des orfèvres vers l'industrialisation, la maison Christofle apparaissant comme particulièrement pionnière en matière d'innovations techniques et ceci sans sacrifier au goût du luxe et de l'ostentation cher à la société du XIXe siècle. Si les grands orfèvres parisiens, tels Martin-Guillaume Biennais ou les Odiot, subsistent pour répondre à la demande des couches les plus aisées de la société parmi lesquelles la vaisselle d'orfèvrerie est toujours en faveur, les ateliers régionaux disparaissent progressivement au profit de la capitale. Les tabletiers y concentrent par ailleurs l'essentiel de la production de nécessaires sur le plan national. À Strasbourg, les quelques orfèvres encore en activité au début du siècle, les Kirstein, Buttner, Imlin, vont suivre les modes nouvelles sans retrouver le rythme de leur production du XVIIIe siècle, concurrencés par la généralisation de la porcelaine. Cependant, Jacques Frédéric Kirstein saura donner un souffle nouveau à son art en se spécialisant dans la réalisation de coupes commémoratives et de tableaux à sujets cynégétiques répondant à la fois par leur esthétique et les sujets traités à une clientèle avide de se créer un cadre de vie raffiné et cossu. On peut considérer que la note finale est donnée par l'extraordinaire vase exécuté en 1825 par Jacques Frédéric Kirstein, l'orfèvre de province le plus célèbre dans la première moitié du

XIXe siècle. Présenté à l'Exposition des produits de l'industrie en 1834 à Paris, l'éclatant vase en argent doré et argent va fasciner autant par ses prouesses techniques que par ses qualités artistiques qui synthétisent les acquis d'un savoir-faire aussi précieux que le matériau si magistralement mis en œuvre durant deux siècles à Strasbourg.

La collection d'orfèvrerie

L'histoire de la collection d'orfèvrerie du musée des Arts décoratifs de Strasbourg est intimement liée à celle des musées de la ville. Au moment même où les ateliers d'orfèvre disparaissent à Strasbourg, leur production fait son entrée dans un établissement de type nouveau en Europe : le musée des Arts décoratifs. Fondé en 1883 et inauguré en 1887, le Kunstgewerbe Museum est installé dans les bâtiments de l'Ancienne Boucherie sous la dénomination Hohenlohe Museum, en hommage au prince de Hohenlohe-Langenburg, *Statthalter* d'Alsace-Lorraine et ami des Arts. Le Dr. Auguste Schricker, secrétaire général de l'Université impériale et initiateur du musée, est un proche du prince. L'ouverture du Hohenlohe Museum coïncide avec celle d'autres musées conçus selon le même modèle en Allemagne, en Angleterre et en France. Il allait présenter des objets originaux, ou des copies, s'échelonnant du Moyen Âge à l'époque contemporaine, et ceci dans les diverses branches des métiers d'art. Ces collections étaient complétées par une bibliothèque et un fonds d'estampes et de dessins, spécialisés dans l'architecture, les arts décoratifs et l'ornement[40]. La vocation éminemment pédagogique de ce dispositif est relevée par Wilhelm Bode (1845-1929), expliquant, dans un texte intitulé « Les missions de nos musées d'art décoratif »[41], ce qui avait suscité la création de tels musées dans les dernières années du XIXe siècle : « Les objectifs ayant présidé à la fondation des musées d'art décoratif étaient presque exclusivement didactiques et technologiques : le renouveau et la valorisation de l'art décoratif et particulièrement dans ces temps modernes, d'un art national, à travers le rassemblement le plus varié d'exemples pouvant servir de modèles. » Dans le même temps, Auguste Schricker défendait le principe du renforcement de l'enseignement des arts décoratifs, conçu comme inséparable de l'ouverture du musée, pour promouvoir l'artisanat d'art. Avec Wilhelm Bode, alors en lien étroit avec les musées de Strasbourg[42], il est vraisemblablement l'instigateur de l'ouverture d'une École des Arts décoratifs à Strasbourg, au début des années 1890. Anton Seder, l'un des représentants les plus qualifiés de l'Art nouveau en Allemagne, sera placé à la tête de l'École.

32. Hans Haug dans la bibliothèque des Grands Appartements du palais Rohan, en 1961.

En 1907, la direction du musée échoit au professeur Ernst Polaczek qui va réorganiser les collections de manière thématique et définir une politique d'acquisitions axée sur les arts décoratifs strasbourgeois[43]. À côté de la céramique et du mobilier figurent, en particulier, les arts du métal avec la ferronnerie, les étains et l'orfèvrerie. Cependant, dans les comptes-rendus des années 1909 et 1910, le directeur regrette de ne pouvoir

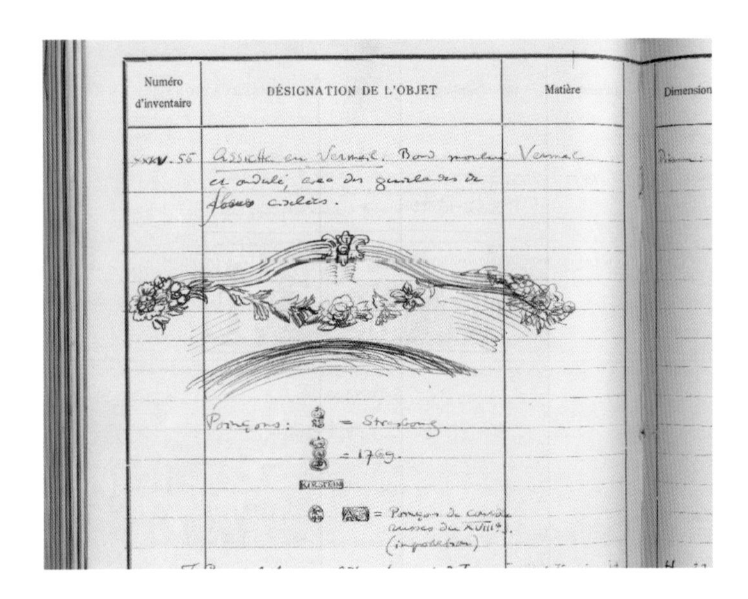

33. Registre d'inventaire du musée des Arts décoratifs (détail). Inscriptions et croquis à l'encre de Hans Haug correspondant à l'enregistrement de l'assiette en argent doré de Johann Jacob Kirstein (cat. 79), mai 1935.

enrichir la collection d'orfèvrerie et souligne que le musée se doit de faire connaître le rayonnement dont a bénéficié Strasbourg du XVIe au début du XIXe siècle grâce à la production de ses ateliers d'orfèvre[44]. E. Polaczek se plaint l'année suivante de ne pouvoir saisir les opportunités que propose le marché, en raison du coût élevé des pièces d'orfèvrerie seules accessibles aux amateurs fortunés et aux grands musées. La collection s'augmente néanmoins de quelques pièces des XVIIe, XVIIIe et début du XIXe siècles, comme par exemple le gobelet de Jacques Henri Alberti (cat. 27), la saucière et la cafetière de Jacques Frédéric Kirstein (cat. 70 et 87).

Depuis 1907, Hans Haug (ill. 32) est actif au musée en tant que jeune assistant bénévole, excepté une interruption en 1913 afin de poursuivre ses études d'histoire de l'art à Munich et à Paris. Effectués de 1907 à 1918, les achats clairvoyants de Ernst Polaczek ont considérablement augmenté les collections du Kunstgewerbe Museum. Hans Haug, nommé conservateur de l'établissement après la guerre, obtient le transfert du musée au palais Rohan. Désormais dénommé musée des Arts décoratifs, il va englober les appartements du roi et ceux du prince-évêque, ainsi que l'aile des écuries à l'ouest et le pavillon d'entrée situé au nord-ouest, ce dernier destiné à abriter les arts du métal qui y seront visibles à partir de 1922.

Hans Haug, qui avait publié en 1914 un article de fond consacré à l'histoire de l'orfèvrerie strasbourgeoise intitulé « Zur Geschichte des Strassburger Goldschmiede-Handwerks, 1363-1870 »[45], va s'atteler à développer le noyau de la collection. Celle-ci, à côté de la section capitale réservée aux céramiques Hannong initiée avec discernement par E. Polaczek et considérablement développée par H. Haug, est appelée à témoigner de la place privilégiée occupée par Strasbourg dans le domaine des arts décoratifs du Moyen Âge au début du XIXe siècle. De 1919 à 1939, H. Haug procède à l'acquisition de près de cinquante pièces d'orfèvrerie pour la seule période de 1681 à 1870. Ensemble remarquable, tant par la diversité des pièces que par leur qualité, il réunit déjà les grands noms de l'orfèvrerie strasbourgeoise du XVIIIe siècle. Dans le compte-rendu des années 1923-1926, le conservateur avait annoncé ses ambitions[46] : « Comme dans les deux précédents comptes-rendus, nous pouvons relater l'acquisition de nombreuses et importantes pièces d'orfèvrerie strasbourgeoise. Cette spécialité de l'art local, qui se fait de plus en plus rare sur le marché européen, doit être l'objet d'une attention toute particulière de la part du Musée des Arts décoratifs de Strasbourg ; aussi ne doit-il craindre aucun sacrifice pour enrichir, dans la limite de ses possibilités, cette collection.» Jusqu'en 1984, cette section du musée se présente comme une entité réunissant les œuvres du XVIe jusqu'au XIXe siècle. Les achats de Haug couvrent par conséquent la période dans toute son étendue, avec cependant une prédilection avérée pour le XVIIIe et le début du XIXe siècle (ill. 33). H. Haug procède également à l'acquisition de pièces de comparaison, aussi bien rhénanes que françaises, dans le souci de montrer l'évolution de l'art en Alsace avec de très larges confrontations internationales, ainsi qu'il

34. Vue du salon d'assemblée des Grands Appartements du palais Rohan, présentant la section consacrée à l'orfèvrerie strasbourgeoise des XVIIe, XVIIIe et XIXe siècles, à l'exposition *L'Alsace française 1648-1948*, Strasbourg, Musée historique et palais Rohan, 1948.

s'emploie à le faire par ailleurs au musée des Beaux-Arts dont il assure également la direction.

Les efforts déployés par Hans Haug, pour resituer l'orfèvrerie strasbourgeoise dans son temps et à la place qui lui revient, sont couronnés de succès au vu des catalogues des nombreuses expositions internationales consacrées entre les deux guerres à l'orfèvrerie française (ill. 34). Lors de l'exposition *L'Orfèvrerie française civile du XVIe siècle au début du XIXe siècle* au musée des Arts décoratifs de Paris, en 1926, ou bien lors de l'exposition *Three Centuries of French Domestic Silver* au Metropolitan Museum of Art de New York, en 1938, la production strasbourgeoise est représentée par des prêts du musée de Strasbourg, mais également par de nombreux prêts émanant de prestigieuses collections privées. Au travers de ces événements, de ses contacts avec les marchands parisiens, suisses et allemands et de son activité autour de la collection, H. Haug saura tisser des liens étroits avec de grands collectionneurs d'orfèvrerie, français notamment.

Durant l'occupation allemande les musées de Strasbourg sont placés sous contrôle de la *Zivilverwaltung* et gérés à partir de 1940 par un nouveau directeur, Kurt Martin, auparavant directeur de la Staatliche Kunsthalle de Karlsruhe et ami de longue date de H. Haug. Contraint à l'exil, ce dernier s'installe à Paris au début de l'année 1941. À son retour, à la fin de la guerre, il trouve le palais Rohan dévasté par le bombardement aérien du 11 août 1944 ; l'aile des écuries, en particulier, abritant les collections de céramique jusqu'au début des hostilités, est totalement détruite. Fort heureusement, l'ensemble des oeuvres d'art conservées au palais avait été évacué et mis en lieu sûr. La lente et délicate restauration de l'édifice débute en 1946 et permet la réinstallation des collections de céramique en 1949, non pas dans l'aile ouest qui n'est pas encore en mesure de la recevoir, mais dans le pavillon de l'Officialité occupé jusqu'en 1939 par les arts du métal et épargné lors du bombardement dévastateur. Par conséquent, dans l'attente de l'achèvement des travaux de restauration de l'édifice et du réaménagement complet des collections du musée des Arts décoratifs, l'orfèvrerie va être hébergée par le musée de l'Œuvre Notre-Dame voisin, créé par Hans Haug en 1931 et consacré aux arts du Moyen Âge et de la Renaissance à Strasbourg.

Tout au long de la décennie qui suit la fin de la guerre, le directeur des musées de Strasbourg poursuit avec passion l'enrichissement de la collection d'orfèvrerie. Il écrit en 1956, dans le compte-rendu des années 1945-1955[47] : « Rien n'a été négligé pour enrichir la collection de pièces représentatives, en argent et surtout en vermeil, portant les poinçons des meilleurs orfèvres strasbourgeois du passé. L'action de la Direction des Musées, les efforts financiers de la Ville, ont été, dans ce domaine, grandement soutenus par des initiatives privées de quelques donateurs et surtout de la Société des amis des musées. » Parmi les objets les plus remarquables se trouvent l'aiguière et son bassin de Jean Jacques Ehrlen (cat. 64), acquise grâce à l'appui financier de D. David Weil, l'écuelle couverte avec son présentoir et son couvert en vermeil de Jacques Henri Alberti (cat. 40), l'huilier en argent de Jean Jacques Kirstein (cat. 66), don des Amis des musées, et le grand miroir de toilette provenant du nécessaire de la princesse de Deux-Ponts (cat. 101). Cette œuvre, exceptionnelle et spectaculaire tant par ses qualités artistiques que par son intérêt historique, demeure le joyau inégalé de la collection. Sa parfaite connaissance de l'orfèvrerie française en générale et de la production strasbourgeoise en particulier a aidé H. Haug à convaincre la municipalité strasbourgeoise de l'opportunité de cette acquisition, et ceci malgré un prix considérablement élevé. Il sut, par ailleurs, alerter un collectionneur parisien de renom, en lien avec le monde des musées, qui eut ainsi la possibilité d'acquérir, lors de la même vente en Suisse, les deux bougeoirs et une boîte à poudre faisant partie du nécessaire de Deux-Ponts et que le musée de Strasbourg n'était pas en mesure d'acheter (ill. 28 et 29). Depuis, ceux-ci ont intégré les collections du musée de la Residenz à Munich.

En 1964, il organise, chez le marchand parisien Jacques Kugel, une exposition intitulée *Le Siècle d'or de l'orfèvrerie de Strasbourg*.

J. Kugel, homme érudit et passionné, réunira avec la complicité du directeur des musées de Strasbourg un ensemble de plus de deux cents objets d'orfèvrerie strasbourgeoise, provenant de nombreux musées et de prestigieuses collections privées. Le catalogue rédigé par Hans Haug constitue en quelque sorte celui de la collection idéale entrevue par le commissaire de l'exposition du 10 au 31 octobre 1964, rue de la Paix à Paris. Les bénéfices de l'exposition, organisée au profit de la collection d'orfèvrerie du musée de Strasbourg, ont contribué à l'achat de l'un des rares chefs-d'œuvre de maîtrise attestés du XVIIIe siècle strasbourgeois, la coupe couverte sur pied en argent de Johann Jacob Bury (cat. 1).

Infatigable promoteur de l'orfèvrerie strasbourgeoise par les essais qu'il publie dès 1914, par ses participations à la rédaction de divers catalogues d'exposition et par les nombreux articles qu'il signe dans les revues d'art internationales, H. Haug quitte la Direction des Musées en 1963, au moment de son départ en retraite. Il disparaît en 1965 laissant inachevée sa dernière entreprise, l'inventaire de l'orfèvrerie strasbourgeoise dans les collections publiques françaises. Son successeur, Victor Beyer, rassemblera ses notes et publiera ce travail posthume en 1978 avec l'aide de Geneviève Levallet-Haug, sa veuve[48].

C'est Jean-Daniel Ludmann, conservateur du musée des Arts décoratifs de 1966 à 1992, qui va poursuivre avec la même conviction la tâche enthousiasmante laissée en héritage par H. Haug. Tout en procédant activement à l'enrichissement des collections d'orfèvrerie, J.-D. Ludmann opère, en 1984, le retour au palais Rohan des œuvres correspondant aux XVIIIe et au XIXe siècles, parachevant ainsi le projet muséographique tel que l'avait conçu H. Haug[49]. Le palais Rohan et le musée des Arts décoratifs qui l'abrite ont pour mission d'évoquer conjointement la vitalité créatrice et le rayonnement des métiers d'art depuis l'introduction du goût français dans la ville libre royale, à la fin du XVIIe siècle. La collection retraçant la production des orfèvres de la ville, rassemblée par les Musées de Strasbourg durant un peu plus d'un siècle, en est la parfaite illustration.

1. Hans Haug cite la lettre du chevalier de Boufflers, alors gouverneur du Sénégal, à sa sœur, Madame de Boisgelin, la priant d'acheter pour lui des pièces d'usage courant en vermeil de Strasbourg, seules capables de résister à l'altération provoquée par les climats tropicaux. Haug (H.), 1964, p. 12.

2. À la veille de la Révolution, Paris compte cinq cents ateliers. Strasbourg se place après la capitale avec cent deux ateliers. D'autres villes de province restent nettement en retrait comme Lille avec soixante-sept maîtres, Marseille cinquante-huit et Metz trente-six. Augsbourg, qui se situe en tête pour l'Allemagne, atteint en 1740 le nombre de deux cent soixante-quinze maîtres ; ce chiffre devant chuter de moitié à la fin du XVIIIe siècle.

3. Archives municipales de Strasbourg.

4. Metz, Toul et Verdun.

5. Nicolas de Largillière , *Thomas Germain et sa femme,* 1736, huile sur toile, 146 x 113 cm, Lisbonne, Fondation Calouste S. Gulbenkian.

6. Archives municipales de Strasbourg, XI 109 et P.V. Échasse 5, fol.1171-1173.

7. Fritsch (E.), « Bury, Jean-Jacques », *Nouveau Dictionnaire de biographies alsaciennes*, Supplément, Strasbourg, 2005, à paraître.

8. Fritsch (E.), 2003, pp. 87-108.

9. Ancien Testament, 2 M 3, 24-27.

10. Archives municipales de Strasbourg, Protocoles de la tribu de l'Échasse. « La pièce présentée est très artistement travaillée et réalisée d'une seule pièce repoussée sur les deux faces et ceci de la façon la plus décorative sans qu'on puisse la comparer avec quoi que ce soit d'autre dans la production strasbourgeoise jusqu'à ce jour. »

11. Haug (H.), 1964, ill. 33.

12. Le Cabinet des estampes et des dessins conserve un recueil de dessins de joaillerie de Godefroy Imlin, de 1754. Inv. LX.30

13. Haug (H.), 1964, p. 15.

14. Archives municipales de Strasbourg, P.V. Échasse 5, fol. 444, 445, 452, 458 et 460.

15. Situé dans l'immeuble paternel au n° 4 de la rue des Orfèvres. Archives municipales de Strasbourg, État civil, 1838, n° 1100, fol. 264.

16. « Schwitzet gestochen »

17. Strasbourg, musée de l'Œuvre Notre-Dame. Inv. MBA 1249

18. Cat. vente Sotheby's, Paris, 18 décembre 2002, n° 74, pp. 34 et 35.

19. Dennis (F.), 1960, t. I, p. 335 , ill. 534 ; p. 348, ill. 555.

20. Dennis (F.), *op. cit.*, p. 336, ill. 535 ; p. 346, ill. 550 ; p. 347, ill. 553.

21. Pierre Germain, maître en 1744, a travaillé quelque temps chez Thomas Germain après avoir fait son apprentissage chez Nicolas Besnier.

22. Hatt (J.), 1948, t. 88, fascicule 1, p. 169.

23. Hatt (J.), *op. cit.*, pp. 170-173.

24. Kenber (B.), 2003, p. 39.

25. Les grandes dynasties alsaciennes étant éteintes, leurs biens étaient passés par mariage entre les mains de princes allemands du voisinage :

le comté de Lichtenberg aux Hanau puis aux Hesse-Darmstadt, les seigneuries de Ribeaupierre et de Bischwiller aux Deux-Ponts et celle d'Ochsenstein aux Linange-Dabo.

26. Actuel hôtel de ville.

27. Darmstadt, Hessisches Landesmuseum. La quasi totalité de cet ensemble a disparu lors des destructions dont Darmstadt a fait l'objet durant la dernière guerre.

28. Colonel-propriétaire du régiment de Hesse-Darmstadt et petit-fils de Régnier III, Louis IX sera l'ultime occupant de l'hôtel familial à Strasbourg avant sa nationalisation en 1790.

29. Un nécessaire en vermeil aux armes de Hesse-Cassel, œuvre de Jean Henri Oertel, lui est très apparenté. *Cf.* Helft (J.), 1968, ill. p. 353 et pl. LXVIII A, B et C.

30. Heidelberg, Kurpfälzisches Museum. Inv. GM 697

31. Munich, Bayerische Staatsarchive, Abt. III, Geheimes Hausarchiv, Korr. Akt. Nr. 1259, Folio Nr 5

32. Munich, Residenz. Inv. Nr. : Res. Mü. SV, FV III 420

33. Munich, Residenz, partie du *Service de table de Karl II August duc régnant de Deux-Ponts-Palatinat*, Jean Jacques Kirstein, Strasbourg, vers 1780, argent. Inv. Nr. : Res. Mü. SK 1195-1257

34. Munich, Bayerische Staatsarchive, Inventar Hôtel de Deux-Ponts 1786. BayHStA Rappolsteiner Akten Nr. 67

35. Munich, Residenz, *Nécessaire de la comtesse palatine Auguste Wilhelmine de Deux-Ponts*, Jean Jacques Kirstein, Strasbourg, 1786, argent doré. Écuelle couverte et son présentoir, Inv. Res. Mü. L-SK 1/1-2 ; couvert, Inv. Res. Mü. L-SK 2/1-3 ; boîte à épices ou à mouches, Inv. Res. Mü .L-SK 3 ; boîte à poudre ou pot à fard, Inv. Res. Mü. SK 3931 ; deux bougeoirs, Inv. Res. Mü. SK 3932-3933.

36. Les terres de la seigneurie de Blieskastel jouxtent au nord-est celles de Deux-Ponts.

37. Le nécessaire a figuré à l'exposition *Le Siècle d'or de l'orfèvrerie à Strasbourg*, Jacques Kugel, Paris, 1964, p. 82, n°131 (collection baron Alain de Rothschild).

38. Archives départementales du Bas-Rhin, 6E41/52, Étude Jean Humbourg, 3 novembre 1734.

39. Archives municipales de Strasbourg, 2R 153 pp. 553 ff. Que Mme Françoise Lévy-Coblentz soit ici remerciée d'avoir porté à notre connaissance ce document d'archives particulièrement significatif dans le cadre de notre propos.

40. L'important fonds de plus de trois cents dessins d'orfèvrerie, aujourd'hui conservé au Cabinet des estampes et des dessins de Strasbourg, en provient. Il contient des modèles d'orfèvres, mais également des travaux effectués par les élèves des écoles de dessin nombreuses dans la seconde moitié du XVIIIe siècle à Strasbourg. La dernière en date avant la Révolution est celle de Paul-Olivier Tieschinsky, « maître de dessin pour les artisans ». *Cf.* Schneegans (C.), « L'enseignement des arts en Alsace. Les écoles de dessins de Strasbourg au XVIIIe siècle », *Archives alsaciennes d'histoire de l'art*, Strasbourg, 1927, pp. 185-224.

41. Bode (W.), *Kunst und Kunstgewerbe am Ende des neunzehnten Jahrhunderts*, Berlin, Bruno und Paul Cassirer, 1901, pp. 58-59.

42. Le Musée des Beaux-Arts de Strasbourg, installé dans les murs de l'Aubette, est détruit lors du Siège de la ville en 1870. Wilhelm Bode, directeur des Musées royaux de Prusse, est chargé à partir de 1889 de constituer la collection du nouveau musée des Beaux-Arts qui intégrera le premier étage du palais Rohan en 1898.

43. Afin de pouvoir redéployer les collections, E. Polaczek fait transférer la salle de lecture et de consultation du musée vers le palais Rohan, où l'ancienne aile des communs, située à l'est, est transformée pour l'accueillir par l'architecte de la cathédrale, Johannes Knauth.

44. E. Polaczek était vraisemblablement sensibilisé à la question par l'intermédiaire de l'article de Marc Rosenberg intitulé « Une ville d'orfèvres oubliée » (Rosenberg (M.), « Eine vergessene Goldschmiedestadt », *Kunstgewerbeblatt*, II, 1886, pp. 41-48), et par l'étude consacrée à l'histoire juridique et sociale de la corporation des orfèvres strasbourgeois de Hans Meyer (Meyer (H.), *Die Strassburger Goldschmiedezunft von ihrem Entstehen bis 1681*, Leipzig, 1881.)

45. Haug (H.), « Zur Geschichte des Strassburger Goldschmiede-Handwerks, 1362-1870 », *Verbandstag (XIV.), Verband deutscher Juweliere, Gold- und Silberschmiede*, Strasbourg, 1914, pp. 29-65.

46. Musées de la Ville de Strasbourg, *Compte-rendu 1923-1926*, Strasbourg, 1927, p.13.

47. Musées de la Ville de Strasbourg, *Compte-rendu 1945-1955*, Strasbourg, 1956, pp.189 et 190.

48. Haug (H.), *L'Orfèvrerie de Strasbourg dans les collections publiques françaises*, Paris, 1978.

49. Le musée de l'Œuvre Notre-Dame a été fondé par H. Haug en 1931, dans le but de réunir les collections du XIIIe au XVIIe siècle dispersées dans les autres musées. Il présente l'orfèvrerie médiévale et Renaissance dans son contexte historique.

Coupes, gobelets et vase

1. COUPE

1732
Johann Jacob Bury
(1698-1734, maître en 1732)
Argent
H. 38 cm ; l. 14,5 cm ; P. 14,5 cm
Poinçon : 13 à fleur de lis
(à partir de 1728).

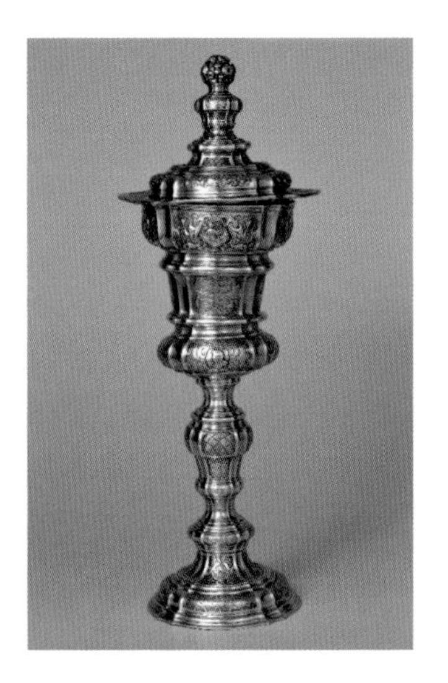

EXPOSITION : 1978, Strasbourg, n° 66, pl. 8.
BIBLIOGRAPHIE : Haug (H.) 1978, n° 80 ; Haug (G.), 1984, p. 127 ; Fritsch, 2003, pp. 19-22, ill. 18.
HISTORIQUE : acquise à l'issue de l'exposition *Le Siècle d'or de l'orfèvrerie de Strasbourg* qui s'est tenue du 10 au 31 octobre 1964 chez le marchand parisien Jacques Kugel, initiateur de la manifestation organisée au profit de la collection d'orfèvrerie des musées de Strasbourg. La coupe de J. J. Bury a été achetée en 1965 auprès de J. Kugel sur les fonds récoltés à la faveur de l'exposition.
Inv. LXV.104 a et b

INSCRIPTION : *Chef d'œuvre ft Par Jn Jes Bury légué par Madame Vernet née Labart à Frich Bury fils du dit Jn Jaqes Remis le 1er Avril Lan 1773,* gravée au revers de la bordure plate du couvercle.

Coupe couverte à pied constituée de trois éléments : le pied et la coupe, qui sont assemblés, et le couvercle. Sa forme, empruntée au style du XVIIe siècle rhénan, est rythmée par les horizontales très marquées des ressauts moulurés, qui se répètent à intervalles réguliers, et par les quatre bandes verticales lisses encadrées de côtes pincées, qui les traversent de bas en haut et se poursuivent sur le couvercle. Ce quadrillage délimite les zones recevant le décor ciselé, voire repoussé.
Le pied et la tige sont ornés de feuillages entrelacés, de résilles avec rosettes et quartefeuilles, d'entrelacs et d'un motif de vannerie. L'ornementation de la coupe elle-même est à la fois décorative et figurée. La base renflée présente quatre bustes de personnages antiques en relief se détachant sur fond maté : ils sont environnés de motifs auriculaires. Le registre central, en retrait marqué, comprend des scènes de la vie d'un pâtre symbolisant les quatre moments du jour. Le dernier registre, sur le bord supérieur proéminent de la coupe, présente Apollon, Neptune, Mercure et Cérès apparaissant dans des réserves au milieu de motifs de ferronneries, de cornes d'abondance et de coquilles.
Le bord plat du couvercle, délimité par une moulure à filets, est orné sur le dessus d'une élégante frise d'arabesques se détachant sur fond amati dans le style de Bérain. Quatre allégories féminines insérées dans un décor de volutes baroques ornent la doucine sommée de motifs de résilles et rosettes. Elle est couronnée par une terrasse moulurée recevant la prise en forme de vase fleuri.
Cet objet occupe une place exceptionnelle au sein de la collection d'orfèvrerie du musée des Arts décoratifs en raison de ses qualités artistiques et techniques, mais aussi parce qu'il s'agit d'un chef-d'œuvre de maîtrise attesté. Un second chef-d'œuvre de maîtrise est connu ; il s'agit de la coupe de Jean Frédéric (I) Baer de 1746 (ill.5 p. 16)[1]. Elles se distinguent toutes deux, en plein XVIIIe siècle, par la même forme archaïsante en hanap[2]. Celle-ci renvoie à la définition du chef-d'œuvre par la tribu de l'Échasse. Le règlement de 1482 prévoyait la réalisation d'un calice (vaisselle à bossage), d'un sceau et d'un diamant serti sur une bague, l'épreuve de maîtrise réunissant jusqu'au début du XVIIIe siècle les trois spécialités d'orfèvre, de bijoutier et de joaillier. Le règlement de 1536 remplace le calice par une coupe d'un marc. Le 12 mars 1712, des avenants au règlement stipulent entre autres que les orfèvres ne seront plus tenus qu'à exécuter un seul objet, à savoir un vase monté sur pied et muni d'un couvercle. Dorénavant, l'épreuve allait se limiter exclusivement à leur spécialité d'orfèvre.
En janvier 1732, J. J. Bury sollicite auprès de la tribu l'autorisation de réaliser son chef-d'œuvre. Celle-ci lui est refusée car il est marié. Le règlement exige en effet que le candidat soit célibataire jusqu'au moment de l'examen du chef-d'œuvre. Sa demande, qu'il réitère le 25 avril 1732, est finalement acceptée, après versement d'une amende, à condition qu'il exécute la pièce chez le maître Unselt selon le modèle imposé. À l'issue de la présentation devant les trois jurés de la corporation, Jacques Fajard, Johann Friederich Unselt et Johann Philipp Zeyssolf, le 22 septembre 1732, Johann Jacob Bury est reçu maître.
Au travers des coupes de Bury et de Baer se dessinent à la fois la force et le poids de l'institution corporative. Elles expliquent la persistance de certaines formules destinées à maintenir le haut degré de technicité du métier d'orfèvre, hérité du passé, et son prestige.

Achat, Paris, 1965.

1. Phillips (A.), « The masterpiece of Jean Frederic Baer. A highly important french silver cup and cover », cat. vente Christie's, Londres, 11 juin 2003, pp. 100-112, ill. pp. 101-109 ; *Strassburger Silberpokal Meisterstück von Jean Frédéric Baer*, Galerie Neuse, Brême, 2003 ; Fritsch (E.), 2003, pp. 87-108, ill. pp. 90, 92, 98 et 102.

2. Un hanap en argent de 1717, œuvre de l'orfèvre strasbourgeois Johann Friederich Unselt, est conservé dans les collections du Badisches Landesmuseum de Karlsruhe. Conçu selon le même modèle que les coupes de Bury et de Baer, il est très proche de celle de ce dernier par la forme et surtout par l'utilisation d'une ornementation plastique très vigoureuse (inv. n° 72/134).

2. COUPE COUVERTE À DEUX ANSES

1689-1720
Johann Ludwig Imlin
(1663-1720, maître en 1689)
Argent doré
H. 10,1 cm ; l. 19 cm ; P. 13,3 cm

Poinçons :
– sur la coupe : 13 à fleur de lis (insculpé en 1690) ; poinçon du maître ; poinçons de second titre et de grosse garantie (années 1819-1838), ce dernier associé au poinçon de bigorne (criquet, en usage de 1819 à 1838) ;
– sur le couvercle : poinçons de second titre et de grosse garantie (années 1819-1838), ce dernier associé au poinçon de bigorne (criquet, en usage de 1819 à 1838).

EXPOSITIONS : 1936, Paris, n° 347 ; 1948, Paris, n° 243 ; 1948, Strasbourg, n° 633 ; 1964, Paris, n° 12.
BIBLIOGRAPHIE : *Compte-rendu 1923-1926*, p. 14, ill. 12 ; Haug (H.), 1978, n° 51 ; Haug (G.), 1984, p. 121.
Inv. XXVI.95

Coupe de forme circulaire reposant sur un piédouche uni. Bords supérieur et inférieur à bande unie et moulurée de filets contrastant avec le corps amati. Constituées de volutes feuillagées, deux anses fondues sont soudées de part et d'autre du corps de l'objet. Couvercle surmonté d'une prise en forme de boule reposant sur une terrasse moulurée et cintrée d'une succession de filets et de bandes amaties. Le décor de cet objet est similaire à celui des gobelets de magistrat couverts de la fin du XVIIe et du début du XVIIIe siècles.
Des coupes de modèle similaire ont été produites en France autour de 1700[3].

Achat, Strasbourg, 1926.

3. On peut mentionner une coupe à deux anses au poinçon de Clermont-Ferrand vers 1700 et une autre au poinçon de Béziers 1690-1691. Helft (J.), 1968, p. 363 et pl. XLIX.

3. GOBELET

Vers 1700
Argent doré
H. 8,3 cm ; l. 10,4 cm ; P. 6,7 cm
Poinçon : 13 à fleur de lis
(insculpé en 1690).

BIBLIOGRAPHIE : Haug (H.), 1978, n° 110. Le gobelet reproduit dans le catalogue de Hans Haug ne correspond pas à cet objet. Il s'agit probablement du gobelet reproduit au n° 171 du catalogue de l'exposition *Le Siècle d'or de l'orfèvrerie de Strasbourg*, Paris, 1964, apparaissant sous la mention « Collection de Madame E. L. ».
En revanche, l'illustration réalisée par Hans Haug dans le registre d'inventaire du musée décrit fidèlement l'objet.
Inv. XXXIX.6

Gobelet reposant sur un piédouche godronné. Constituées de volutes feuillagées, deux anses fondues sont soudées de part et d'autre du corps de l'objet dont la base est ornée de godrons au repoussé et le bord supérieur d'une bordure moulurée de filets. Acquis auprès de l'antiquaire David Bloch avec le gobelet de Johann Stahl et le gobelet à deux anses figurant aux nos 11 et 16 du catalogue. Dorure usée.
Un gobelet d'un modèle très voisin, réalisé vers 1692-1725 par Johann Bernhart (Strasbourg, maître en 1686), est reproduit dans l'ouvrage de Jacques Helft[4].

Achat, Colmar, 1939.

4. Heft (J.), 1968, p. 580, pl. LXIV A.

4. TÂTE-VIN

Vers 1700
Daniel Seuppel (maître en 1691)
Argent partiellement doré
H. 2,9 cm ; l. 13,3 cm ; P. 12,5 cm
Poinçons : poinçon du maître ; 13 à fleur de lis (insculpé en 1690) ; poinçon de garantie à l'importation (cygne, en usage depuis 1893), associé à un poinçon de bigorne de contremarque (insecte, en usage à partir de 1838).

BIBLIOGRAPHIE : Haug (H.), 1978, n° 54 ; Haug (G.), 1984, p. 122.
Inv. 33.004.0.82

Tâte-vin de forme ovale à bord festonné. Anses fondues et finement ciselées à décor ajouré de feuilles d'acanthe et de fleurs, soudées de part et d'autre de la coupelle. Illustrant la fonction de l'objet, le décor au repoussé représente, sur le fond de la coupelle, Bacchus enfant chevauchant un tonneau, encadré par deux pieds de vigne, tenant d'une main un carafon et de l'autre une coupe. La scène s'inscrit dans un ovale environné d'un fond amati qui se poursuit par une frise de volutes d'acanthe soulignant le bord mouvementé de la coupelle. Intérieur et anses dorés. Bord extérieur souligné d'une bande dorée. Ce modèle de tâte-vin, dont l'exemplaire de Seuppel est le seul connu dans la production strasbourgeoise, est répandu dans le Rhin inférieur aux XVIe et XVIIe siècles.

Achat, avant 1910.

5. GOBELET DE MAGISTRAT

1683
Argent partiellement doré
H. 9,9 cm ; Ø 8,4 cm
Poinçon : 13 à fleur de lis.

Exposition : 1964, Paris, n° 5.
Bibliographie : *Compte-rendu 1945-1955*, p. 190.
Inv. IL.21
Inscription : sur le corps sont gravées les armoiries de la ville de Wissembourg surmontées des armes de France et de l'inscription : *STAT WEISENBURG RATS BECHER 1683.*

Gobelet cylindrique, bords supérieur et inférieur dorés à bande moulurée de filets. Corps uni gravé d'armoiries. Intérieur doré. Ce modèle de gobelet est uniformément répandu dans les pays du Rhin.

Don de la Société des amis des musées, Strasbourg, 1949.

6. GOBELET DE MAGISTRAT

1684
Johann Georg Burger
(maître en 1682)
Argent partiellement doré
H. 9,8 cm ; Ø 8,2 cm
Poinçons : 13 à fleur de lis ; poinçon du maître.

Expositions : 1948, Strasbourg, n° 610 ; 1964, Paris, n° 3.
Bibliographie : Haug (H.), 1978, n° 45 ; Haug (G.), 1984, ill. p. 109.
Inv. 33.004.0.83
Inscription : le dessous en argent est gravé d'un cercle dans lequel figurent la massue des armes de Colmar et la date 1684.

Gobelet cylindrique, bords supérieur et inférieur à bande dorée unie moulurée de filets, corps amati.

7. GOBELET DE MAGISTRAT

1689
Argent doré
H. 9,3 cm ; Ø 8 cm
Poinçon : 13 à fleur de lis ; poinçon de garantie (crabe, en usage à partir de 1838).

Exposition : 1964, Paris, n° 8.
Bibliographie : Haug (H.), 1964, ill. p. 109 ; Haug (H.), 1978, n° 60.
Inv. XXXVIII.25
Inscriptions : le dessous en argent est gravé des armoiries de la ville de Ribeauvillé, de la date 1689 et d'un tore de lauriers qui les encercle (*cf.* double-page suivante).

Gobelet cylindrique, bords supérieur et inférieur à bande unie moulurée de filets, corps amati.

Achat, Colmar, 1938.

8. GOBELET DE MAGISTRAT

Vers 1690
Johann Daniel Kaufman (maître en 1682)
Argent partiellement doré
H. 9,1 cm ; Ø 7,2 cm
Poinçons : 13 à fleur de lis ; poinçon du maître.

Exposition : 1964, Paris, n° 4.
Bibliographie : *Compte-rendu 1945-1955*, p. 190 ; Haug (H.), 1978, n° 46.
Inv. LII.24
Inscriptions : le dessous est gravé des armoiries de la ville de Heiligenstein. Monogramme IL gravé ultérieurement.

Gobelet cylindrique, bords supérieur et inférieur à bande unie moulurée de filets, corps amati. Dorure très usée à l'intérieur du gobelet.

Achat, 1952.

I·C·L
16·92

9. GOBELET COUVERT DE MAGISTRAT

1692
Argent doré
H. 14,9 cm ; Ø 8,4 cm
Poinçon : 13 à fleur de lis.

Expositions : 1926, Paris, n° 624 ; 1948, Paris, n° 242 ; 1964, Paris, n° 15.
Bibliographie : *Compte-rendu 1923-1926*, p. 13 ; Riff, 1928, ill. 39, p. 86 ; Dennis, 1960, n° 542 ; Haug (H.), 1964, ill. p. 109 ; Haug (H.), 1978, n° 61.
Inv. XXVI.15 a-b

Inscriptions : sur le corps sont gravées les armoiries de la ville de Wissembourg surmontées des armes de France. Elles sont entourées de l'inscription : *STAT WEISSENBURG. RATS BECHER. 1692*.
Le dessous en argent est gravé des monogrammes superposés : IMF / MEF, encadrés de deux branchages fleuris.

Gobelet cylindrique, bords supérieur et inférieur à bande unie moulurée de filets. Corps amati gravé d'armoiries dans une réserve unie où alternent fonds argent et doré. Intérieur doré. Couvercle surmonté d'une prise en fruit grenu reposant sur une terrasse moulurée à filets et cintrée d'une bande amatie. Gobelet similaire par la forme, le décor et les dimensions au gobelet n° 10 du catalogue portant le poinçon de Michael Widder. Seul le dessin des armoiries de Wissembourg diffère très légèrement.

Achat, Augsbourg, 1926.

10. GOBELET DE MAGISTRAT

1695
Michael Widder (maître en 1689)
Argent partiellement doré
H. 9,6 cm ; Ø 8,2 cm
Poinçons : 13 à fleur de lis ; poinçon du maître.

Expositions : 1948, Strasbourg, n° 711 ; 1964, Paris, n° 14.
Bibliographie : Haug (H.), 1914, ill. 10 ; Haug (H.), 1964, ill. p. 109 ; Haug (H.), 1978, n° 52
Inv. D.33.004.0.1.
Dépôt du Musée alsacien, n° 24.
Inscriptions : sur le corps sont gravées les armoiries de la ville de Wissembourg surmontées des armes de France. Elles sont entourées de l'inscription : *STAT WEISSENBURG. RATS BECHER. 1695.*

Gobelet cylindrique, bords supérieur et inférieur à bande unie moulurée de filets. Corps amati gravé d'armoiries dans une réserve unie. Dorure du corps et de l'intérieur de l'objet très usée.

Achat, Strasbourg, 1911.

11. GOBELET DE MAGISTRAT

1697
Daniel Seuppel (maître en 1691)
Argent partiellement doré
H. 9,3 cm ; Ø 8,1 cm
Poinçons : 13 à fleur de lis ; poinçon du maître.

Expositions : 1948, Strasbourg, n° 701 ; 1964, Paris, n° 16.
Bibliographie : *Compte-rendu 1935-1945*, p. 346 ; Haug (H.), 1978, n° 53 ; Haug (G.), 1984, p. 123.
Inv. XXXVIII.77
Inscriptions : le dessous en argent est gravé des armoiries de la ville de Benfeld, de la date 1697 et du monogramme IGL (*cf.* double-page précédente).

Gobelet cylindrique. Bords supérieur et inférieur à bande unie dorée et moulurée de filets contrastant avec le corps amati en argent. Intérieur doré.

Achat, Colmar, 1938.

12. GOBELET DE MAGISTRAT

1712
Johann Ludwig Imlin
(1663-1720, maître en 1689)
Argent doré
H. 10,1 cm ; Ø 8,5 cm
Poinçons : 13 à fleur de lis ; poinçon du maître.

EXPOSITION : 1964, Paris, n° 10.
BIBLIOGRAPHIE : *Compte-rendu 1945-1950*, p. 190 ; Haug (H.), 1964, ill. p. 109 ; Haug (H.), 1978, n° 49 ; Haug (G.), 1984, p. 121.
Inv. LIII.28
INSCRIPTIONS : sur le corps sont gravées les armoiries de la ville de Fort-Louis. Une inscription gravée court sur le bord supérieur uni : *Gobelet de la ville du Fortlouis. 1712. Pour M.re Jean Marie Magistrat.*

Gobelet cylindrique doré, bords supérieur et inférieur à bande unie moulurée de filets. Corps amati gravé d'armoiries dans une réserve unie de forme circulaire. Sur l'écu, en un et trois du tiercé en fasce, le semis de fleurs de lis a été hachuré postérieurement, ce qui rend les armoiries partiellement méconnaissables. Intérieur doré.

Achat, Paris, 1953.

13. GOBELET DE MAGISTRAT

1714
Johann Ludwig Imlin
(1663-1720, maître en 1689)
Argent doré
H. 10,4 cm ; Ø 8,7 cm
Poinçons : 13 à fleur de lis ; poinçon du maître.

EXPOSITIONS : 1948, Strasbourg, n° 635 ; 1964, Paris, n° 11.
BIBLIOGRAPHIE : Haug (H.), 1964, ill. p. 109 ; Haug (H.), 1978, n° 50 ; Haug (G.), 1984, p. 121.
Inv. 33.004.0.84
INSCRIPTIONS : sur le corps sont gravées les armoiries de la ville de Haguenau surmontées de la date 1714. Une inscription gravée court sur le bord supérieur uni : *Herr Johann Voltz. XXIV.er - Rathsbecher der Statt Hagenau.*

Gobelet cylindrique doré, bords supérieur et inférieur à bande unie moulurée de filets. Corps amati gravé d'armoiries dans une réserve unie de forme circulaire. Intérieur doré. Deux gobelets identiques mais à couvercle, datés respectivement de 1696 et 1706, sont conservés au Musée historique de Haguenau.

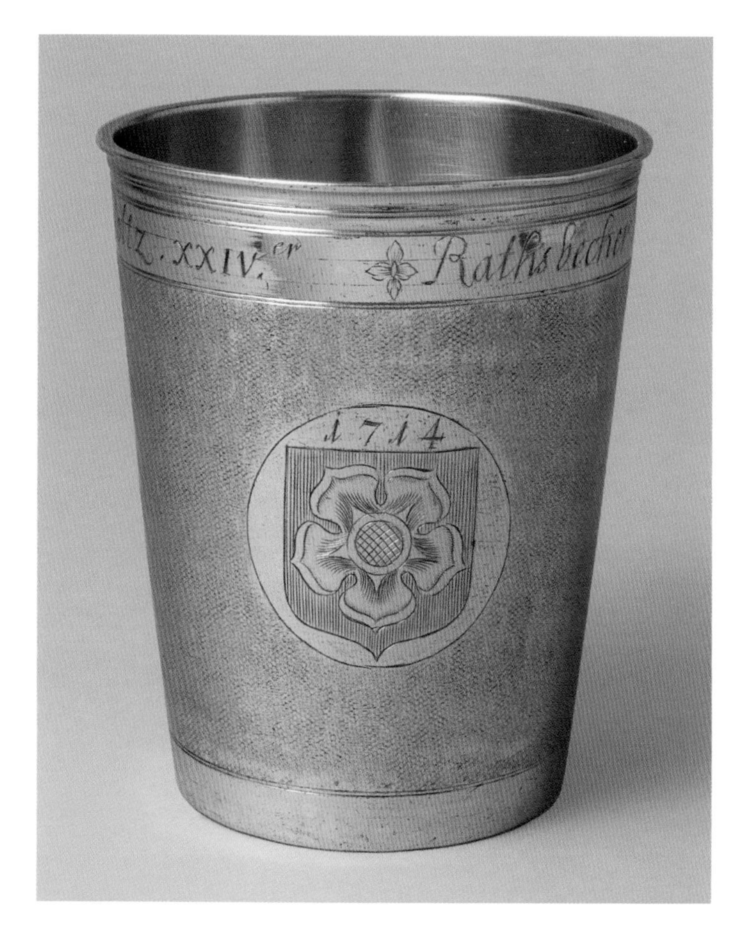

14. GOBELET

1689-1720
Johann Ludwig Imlin
(1663-1720, maître en 1689)
Argent partiellement doré
H. 7,3 cm ; Ø 7,4 cm
Poinçons : 13 à fleur de lis ; poinçon du maître.

EXPOSITION : 1948, Strasbourg, n° 634.
BIBLIOGRAPHIE : Haug (H.), 1978, n° 48 ; Haug (G.), 1984, p. 121.
Inv. XXIX.12

Gobelet à fond plat légèrement arrondi. Bord supérieur mouluré de filets. Traces de dorure à l'extérieur, intérieur doré.

Achat, Strasbourg, 1929.

15. GOBELET À COUVERCLE

1731
Johann Ludwig (II) Imlin
(1694-1764, maître en 1719)
Argent doré
H. 16,3 cm ; Ø 10,5 cm
Poinçons : 13 à fleur de lis ; poinçon du maître ; poinçon de garantie à l'importation (cygne, en usage depuis 1893) associé à un poinçon de bigorne (insecte, en usage à partir de 1838).

EXPOSITIONS : 1936, Paris, n° 352 ; 1938, New York ; 1948, Paris, n° 250 ; 1948, Strasbourg, n° 637 ; 1964, Paris, n° 27 ; 1978, Strasbourg, n° 60, pl. I ; 1981, Strasbourg, n° 176.
BIBLIOGRAPHIE : *Compte-rendu 1927-1931*, p. 18 ; Dennis, 1960, n° 542 ; Haug (H.), 1978, n° 69 ; *Objets civils domestiques*, 1984, p. 186, ill. 951 ; Haug (G.), 1984, p. 123, ill. p. 129 ; Vogler, 1986, ill. p. 14.
Inv. XXIX.81 a-b

INSCRIPTIONS : sur une face du corps sont gravées les armes d'alliance de Jean Dietrich et de sa femme Marie Barbe Kniebs surmontées d'une couronne. Sous les armoiries figure l'inscription : *Der Tucher = Zunfft gibt dieses Pfandt / der Treüe mit verpflichter handt / und wünscht es blüh noch fünffzig Jahr / das Dietrich = Kniebsisch Ehe Paar./ 1731*
(La corporation des Drapiers, en témoignage de fidélité, avec ses souhaits de bonheur pour les cinquante années à venir. 1731)
Sur la face opposée sont gravées les armes de la tribu des Drapiers environnées des armoiries des quatorze échevins de la corporation dont les noms sont gravés au-dessus de chaque écusson : *J. Dietrich ; J. C. Schreiber ; J. Nicke ; J. F. Städel ; G. Plarr ; J. G. Thaller ; T. Huck ; J. Dürninger. J. ; J. W. Reichardt ; J. J. Spielman ; J. Matt ; J. Dürninger.s ; J. G. Schertz J. U. D. & Phil. Proc P. ; J. J. Dorsner.*

54

Gobelet de forme tulipe reposant sur un piédouche orné d'une frise de rais-de-cœur. Gravée sous le bord supérieur mouluré, une frise de style Régence constituée de lambrequins à coquilles et quartefeuilles sur fond en partie amati. Le couvercle comprend un bouton de prise en forme de fleur reposant sur une terrasse de feuilles d'eau ciselées cerclée d'une frise de lambrequins sur fond amati. Bord du couvercle godronné. Dessous doré. La forme Renaissance du gobelet droit est progressivement abandonnée au profit du modèle parisien en tulipe sur piédouche à partir des années 1730.
Cadeau de la corporation des Drapiers à Jean Dietrich (1651-1740) et Marie-Barbe Kniebs (1665-1747) à l'occasion de leurs noces d'or, le 15 décembre 1731. Jean Dietrich, marchand, membre des différents conseils de la ville, fermier de la Monnaie à Strasbourg (1682-1687), banquier, achète en 1684 les forges et mines du Jaegerthal. Il est le fondateur de la dynastie de maîtres de forge qui porte son nom.
Cet objet commémoratif fait perdurer la tradition remontant au Moyen Âge et à la Renaissance des cadeaux honorifiques offerts par le magistrat strasbourgeois sous forme de coupes ou de hanaps.

Achat, Worms, 1929.

16. GOBELET DE MAGISTRAT

1734
Johann Stahl (maître en 1718)
Argent doré
H. 8,8 cm ; Ø 7,8 cm
Poinçons : 13 à fleur de lis ; poinçon du maître.

EXPOSITIONS : 1948, Paris, n° 247 ; 1948, Strasbourg, n° 702 ;1964, Paris, n° 25.
BIBLIOGRAPHIE : *Tiré à part du compte-rendu 1935-1945*, p. 346 ; Haug (H.), 1978, n° 66 ; Haug (G.), 1984, p. 123.
Inv. XXXIX.5
INSCRIPTIONS : le dessous en argent est gravé des armoiries de la ville de Saverne surmontées de la date 1734.

Gobelet reposant sur un piédouche godronné. Le bord supérieur mouluré est gravé d'une frise de lambrequins à treillis et coquilles sur fond en partie amati. Dorure extérieure usée. Acquis auprès de l'antiquaire David Bloch avec le gobelet à deux anses et le gobelet de magistrat de Daniel Seuppel figurant aux n°s 3 et 11 du catalogue.

Achat, Colmar, 1939.

17. GOBELET DE MAGISTRAT

1736
Johann Stahl (maître en 1718)
Argent doré
H. 9,4 cm ; Ø 8,1 cm
Poinçons : 13 à fleur de lis ; poinçon du maître.

Exposition : 1964, Paris, n° 25 a.
Bibliographie : Haug (H.), 1978, n° 67 ; Haug (G.), 1984, p. 123.
Inv. LVIII.5
Inscriptions : le dessous en argent est gravé des armoiries de la ville de Saverne encadrées de la date 1736. Numéro 183 gravé postérieurement sur le corps.

Gobelet de forme tulipe reposant sur un piédouche godronné. Le bord supérieur mouluré est gravé d'une frise de lambrequins à treillis et coquilles sur fond en partie amati, identique à celle du gobelet de Johann Stahl (cat. 16). Dorure usée.

Don Weyl, Strasbourg, 1958.

18. GOBELET DE MAGISTRAT

1738
Johann Jacob Ehrlen
(né en 1700, maître en 1728)
Argent partiellement doré
H. 10,3 cm ; Ø 8 cm
Poinçons : 13 à fleur de lis ; poinçon du maître.

Expositions : 1964, Paris, n° 35 ; 1978, Strasbourg, n° 62.
Bibliographie : Haug (H.), 1978, n° 72 ; Fritz, 1976, ill. p. 66.
Inv. LVIII.4
Inscriptions : sur le corps sont gravées les armoiries de la ville de Lahr et la date de 1738, encerclées d'un tore de laurier.

Gobelet de forme tulipe reposant sur un piédouche godronné. Bord supérieur gravé d'une frise de lambrequins et treillis sur fond en partie amati. Intérieur doré.

Achat, Paris, 1958.

19. GOBELET

Vers 1740
Tobias Ludwig Krug
(maître en 1705)
Argent
H. 8,3 cm ; Ø 6,8 cm
Poinçons : 13 à fleur de lis ; poinçon du maître ; poinçon de garantie (tête de sanglier, en usage à partir de 1838), associé à un poinçon de bigorne de contremarque (insecte, en usage à partir de 1838).

Expositions : 1948, Strasbourg, n° 245 ; 1978, Strasbourg, n° 68.
Bibliographie : Haug (H.), 1978, n° 84.
Inv. LVIII.67
Inscription : sur le corps, monogramme PR gravé postérieurement.

Gobelet de forme tulipe reposant sur un piédouche godronné. Sous le bord supérieur mouluré, frise de lambrequins à volutes feuillagées et croisillons à quartefeuilles gravés sur fond en partie amati.

Achat, Paris, 1958.

20. GOBELET DE MAGISTRAT

1740
Johann Eberhart Pick
(maître en 1734)
Argent partiellement doré
H. 9,8 cm ; Ø 8,4 cm
Poinçons : 13 à fleur de lis ; poinçon du maître.

Expositions : 1948, Strasbourg, n° 696 ; 1964, Paris, n° 56.
Bibliographie : Haug (H.), 1914, ill. 10 ; Haug, (H.), 1978, n° 81.
Inv. D.33.004.0.2
Inscriptions : sur le corps sont gravées les armoiries de la ville d'Obernai. Une inscription gravée court sur le bord supérieur : *Herr Andres Uhlman . Rathsherr . Ano 1740 - Raths becher der Statt Oberehnheim . Herr Andres Uhlman . Rathsherr . Ano 1740.*

Gobelet cylindrique. Bords supérieur et inférieur à bande unie moulurée de filets conservant des restes de dorure. Celle-ci étant extrêmement usée, il n'est pas exclu que le corps de l'objet ait été initialement entièrement doré. Corps uni gravé d'armoiries. Intérieur doré.

Achat, 1911.

21. GOBELET

Vers 1740
Johann Jacob Ehrlen
(né en 1700, maître en 1728)
Argent doré
H. 8,3 cm ; Ø 7 cm
Poinçons : poinçon du maître ; poinçon 13 à fleur de lis ; poinçon de garantie à l'importation (cygne, en usage depuis 1893), associé à un poinçon de bigorne de contremarque (insecte, en usage à partir de 1838).

EXPOSITIONS : 1964, Paris, n° 37 ; 1978, Strasbourg, n° 63.
BIBLIOGRAPHIE : *Compte-rendu 1922*, pp. 7-8, ill. 6 ; Haug (H.), 1978, n° 73 ; Haug (G.), 1984, p. 126 ; Martin, 1998, ill. p. 64.
Inv. XXII.1

Gobelet de forme tulipe reposant sur un piédouche godronné. Sous le bord supérieur mouluré, lambrequins de style Bérain se détachant entièrement sur un fond amati. Dessous également doré.

Achat, 1922.

22. GOBELET

Vers 1730-1750
Joachim Friedrich Kirstein
(1701-1770, maître en 1729)
Argent doré
H. 9,3 cm ; Ø 8 cm
Poinçons : 13 à fleur de lis ; poinçon du maître ; poinçon de garantie à l'importation (cygne, en usage depuis 1893), associé au poinçon de petite bigorne de contremarque (libellule, bureau de Paris, en usage à partir de 1838).

EXPOSITIONS : 1948, Strasbourg, n° 650 ; 1964, Paris, n° 49 ; 1978, Strasbourg, n° 65.
BIBLIOGRAPHIE : Haug (H.), 1978, n° 78.
Inv. XXVIII.19

Gobelet de forme tulipe reposant sur un piédouche godronné. Sous le bord supérieur mouluré, frise de rinceaux et de coquilles rocaille, gravée en réserve sur un fond amati épousant le mouvement du motif. Dorure très usée. Dessous également doré.

Achat, Paris, 1928.

23. GOBELET OVALE

Milieu du XVIIIe siècle
Johann Jacob Vierling
(maître en 1745)
Argent doré
H. 9 cm ; l. 8,5 cm ; P. 6,8 cm
Poinçons : 13 à fleur de lis ;
poinçon du maître.

EXPOSITIONS : 1926, Paris, n° 635 ; 1948, Strasbourg, n° 707 ; 1964, Paris, n° 68 a ; 1964, Strasbourg, n° 73.
BIBLIOGRAPHIE : Haug (H.), 1978, n° 99 ; Haug (G.), 1984, p. 127.
Inv. XXIII.44

Gobelet ovale à côtes pincées reposant sur un piédouche godronné. Sous le bord supérieur mouluré de filets, frise de volutes et coquilles rocaille, gravée en réserve sur un fond amati épousant le mouvement du motif interrompu par les quatre côtes pincées.
Le gobelet ovale à côtes pincées, avec ou sans piédouche, apparaît dans le second quart du XVIIIe siècle à Strasbourg, où il connaîtra une grande faveur.

Achat, Nancy, 1923.

24. GOBELET

1752-1780
Johann Friderich Fritz
(maître en 1752, mort en 1780)
Argent doré
H. 5,6 cm ; Ø 6,4 cm
Poinçons : poinçon du maître répété trois fois, à savoir : un poinçon complet du maître (son nom s'inscrit en lettres majuscules dans un rectangle) et deux poinçons incomplets laissant apparaître l'un la lettre F, le second la lettre Z. Ces lettres correspondent aux deux extrémités du poinçon du maître. L'application du poinçon, par martelage à froid, a vraisemblablement été répétée trois fois jusqu'à l'obtention d'une frappe lisible.
Exposition : 1964, Paris, n° 79.
Bibliographie : Haug (H.), 1978, n° 114.
Inv. LI.25 f

Petit gobelet à liqueur à fond plat légèrement arrondi. Bord supérieur mouluré de filets. Objet acquis avec le bouillon d'accouchée (1771-1772) de Jacques Henri Alberti (cat. 40).

Achat, Paris, 1951.

25. GOBELET

1758
Abraham Wenck ou Wenckert
(maître en 1739)
Argent
H. 5,9 cm ; Ø 6,6 cm
Poinçons : poinçon 11/12 à fleur de lis (titre de Paris insculpé en 1754) ; poinçon du maître ; lettre d'année G à fleur de lis (1758) ; poinçon de garantie (crabe, en usage à partir de 1838), associé à un poinçon de bigorne (insecte, en usage à partir de 1838).
Bibliographie : Haug (H.), 1978, n° 85.
Inv. LVIII.68

Gobelet à fond plat légèrement arrondi. Bord supérieur mouluré de filets. À partir du rattachement de Strasbourg à la France en 1681, lorsque les orfèvres strasbourgeois travaillent exceptionnellement au titre de Paris, le 13 est remplacé par les chiffres 11/12 (11 deniers, 12 grains), règle observée dans les provinces réputées « étrangères au royaume » – Alsace, Flandre, Hainaut, Franche-Comté, Roussillon – et dans les villes classées de même, telles Mulhouse, enclave de la Confédération helvétique, et Montbéliard, capitale de la principauté appartenant aux Wurtemberg.

Achat, Paris, 1958.

26. GOBELET OVALE

1761
Johann Georg Pick (maître en 1739, attesté jusqu'en 1785)
Argent partiellement doré
H. 7,5 cm ; l. 8,5 cm ; P. 7 cm
Poinçons : poinçon du maître ; 13 couronné ; lettre d'année K couronnée (1761) ; poinçon de garantie à l'importation (cygne, en usage depuis 1893); poinçon de contremarque générale (chaussure, en usage de 1775 à 1781).

BIBLIOGRAPHIE : *Compte-rendu 1923-1926*, p. 13 ; Haug (H.), 1978, n° 88.
Inv. XXV.63

Gobelet de forme ovale à fond plat et bord supérieur légèrement évasé. Intérieur doré. Pourrait provenir d'un nécessaire de voyage.

Achat, Paris, 1925.

27. GOBELET OVALE

1773
Jacques Henri Alberti (1730-1795, maître en 1764)
Argent doré
H. 7,9 cm ; l. 8,4 cm ; P. 6,5 cm
Poinçons : 13 couronné ; poinçon du maître ; lettre d'année X couronnée (1773).

EXPOSITIONS : 1936, Paris, n° 372 ; 1948, Strasbourg, n° 604 ; 1964, Paris, n° 128.
BIBLIOGRAPHIE : *Jahresbericht*, 1909, p. 10 ; Haug (H.), 1978, n° 131 ; Haug (G.), 1984, ill. p. 10 ; Alemany-Dessaint, 1988, p. 164.
Inv. 33.004.0.85

Gobelet ovale à côtes pincées et à fond plat légèrement arrondi. Bord supérieur mouluré de filets.

Achat, 1909 ou 1910.

28. GOBELET OVALE

Dernier quart du XVIIIe siècle
François Daniel Imlin
(1757-1827, maître en 1780)
Argent doré
H. 9,6 cm ; l. 8,7 cm ; P. 6,8 cm
Poinçons : 13 dans un ovale ; poinçon du maître ; poinçon de garantie à l'importation (cygne, en usage depuis 1893), associé à un poinçon de bigorne de contremarque (anthia, en usage à partir de 1838).

EXPOSITIONS : 1926, Paris, n° 652 ; 1948, Strasbourg, n° 646 ; 1964, Paris, n° 149.
BIBLIOGRAPHIE : *Compte-rendu 1922*, pp. 7-8, ill. 6 ; Haug (H.), 1978, n° 149.
Inv. XXIII.20

Gobelet ovale à côtes pincées reposant sur un piédouche mouluré. Sous le bord supérieur mouluré de filets est gravée une guirlande de fleurs reprise par des nœuds de ruban à l'aplomb des côtes pincées. Le traitement du motif en guilloché sur fond uni permet une opposition de tons mat et brillant.

Achat, 1922.

29. GOBELET OVALE

1776
Johann Friderich Fritz
(maître en 1752, mort en 1780)
Argent doré
H. 10,4 cm ; l. 9,1 cm ; P. 7,2 cm
Poinçons : poinçon du maître ; 13 couronné (1750-1789) ; lettre d'année A couronnée (1776).

EXPOSITIONS : 1964, Paris, n° 87 ; 1978, Strasbourg, ill. 15.
BIBLIOGRAPHIE : Forrer, 1906, p. 39, n° 560 ; Haug (H.), 1914, ill. 15 ; Haug (H.), 1964, ill. p. 109 ; Haug (H.), 1978, n° 115.
HISTORIQUE : acquis à la vente de la collection Alfred Ritleng, Strasbourg, 1906.
Dans les publications précédentes, faussement attribué à Catherine Marguerite Vogt, veuve de Johann Friderich Fritz.
Inv. 6467

Gobelet ovale à côtes pincées reposant sur un piédouche à canaux sur fond guilloché. Sous le bord supérieur mouluré de filets court une guirlande de laurier maintenue par des agrafes feuillagées à l'aplomb des pinces et par des patères au centre des quatre faces. Y sont suspendus par des nœuds de ruban, sur les faces avant et arrière, des médaillons ovales encadrés de chutes de fleurs. L'intérieur des médaillons est agrémenté respectivement d'un vase et d'une urne se détachant sur fond guilloché. L'ensemble de ce décor, en léger relief, est finement ciselé. Cinq ans après sa création, le gobelet a été gravé d'une inscription commémorative conçue selon le mode de l'air à boire pour être offert, le 3 avril 1781, à Diebold Nord, agriculteur de Furdenheim, village situé dans les proches environs de Strasbourg.

5. Offert à Diebold Nord de Furdenheim en reconnaissance de son ardeur au travail et de sa fidélité, de la part de ses amis agriculteurs, le 3 avril 1781. Qui me déshonore en buvant par excès déshonore par là même le vin source de paix. Si s'enivrer se révélait être une vertu plutôt que l'honnêteté et le zèle, et que j'en serais l'instrument, oh ! de combien de braves Nord serions-nous privés sur terre. Ami, verse-toi à boire et sois heureux.

Inscription : sur la moitié inférieure du corps de l'objet court en continu l'inscription gravée, *Dem Diebold Nord von Vürdenheim / zum Lohn der arbeitsamkeit / und der Treue begeben / Von Freunden des Ackerbaues. 3 APR.1781 // Wer mich entehret / durch Saufen, dem Wehret / den Wein / woraus Friede soll seÿn // Wäre, statt Redlichkeit und fleis / das saufen eine Tugend / und ich ihr Preiss / O! wie viele wackere Norden / gäb es nicht an allen Orten // Freund! schencke ein / wenn du willst / lustig sein*[5].

Le gobelet est cité et décrit par Robert Forrer dans l'ouvrage qu'il a consacré à l'inventaire de la collection du notaire strasbourgeois Alfred Ritleng (1829-1905), avant que celle-ci ne soit dispersée du 14 au 18 mai 1906.

Achat, Strasbourg, 1906.

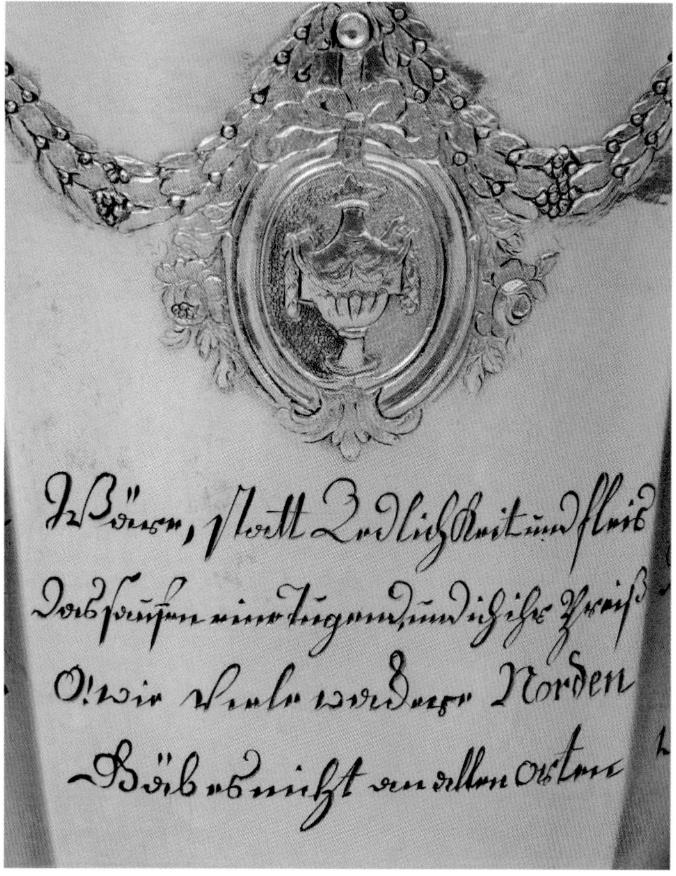

30. GOBELET

1786
Jean Jacques Letz
(maître en 1780)
Argent partiellement doré
H. 6,5 cm ; Ø 6,3 cm
Poinçons : 13 couronné ;
poinçon du maître ;
chiffre d'année 2 sous casque
à panache (1786).

Bibliographie : Haug (H.), 1978,
n° 146.
Inv. 33.004.0.86
Inscriptions : monogramme WL,
gravé sur le corps de l'objet.
Chiffre de la baronne Wilhelmine
de Legner (1763-1819).
Elle épouse en 1787 le comte
Auguste Frédéric de Lewenhaupt
(1752-1809). Sous le gobelet
est gravée l'inscription *4 l. 10½ d:*,
indiquant le poids de l'objet selon
les mesures en vigueur pour
les métaux précieux, à savoir loth
et denier.

Gobelet droit à fond plat. Intérieur doré.

Legs Claparède, Argenteuil, 1925.

31. GOBELET

1809-1819
Jean Louis Buttner
(1769[6]-1840, maître en 1786)
Argent doré
H. 7,3 cm ; Ø 7,2 cm
Poinçons : poinçon de moyenne
garantie ; poinçon du maître ;
poinçon de second titre.

Exposition : 1964, Paris, n° 167.
Bibliographie : Haug (H.), 1978,
n° 155.
Inv. 33.004.0.87
Inscription : monogramme AACS
environnant un motif décoratif,
le tout gravé sur le corps de l'objet.

6. Archives municipales de Strasbourg, Mariages, 1808, n° 324. Apparaît comme témoin âgé de 39 ans, en compagnie de Fr. Dan. Imlin, le 1er octobre 1808. Est donc né en 1769.

Gobelet droit à base arrondie et bord supérieur légèrement évasé souligné d'un filet. Sur le corps figure une fleur à caractère allégorique, une pensée, inscrite dans un médaillon ovale environné du chiffre AACS. Celui-ci se poursuit sur la partie inférieure du médaillon par des volutes prenant naissance dans un petit ovale couché, dont la moitié inférieure est usée suite au dégravement d'un numéro à trois chiffres, probablement un matricule de pensionnaire. Ce numéro a pu être rapporté postérieurement sur l'objet. Intérieur doré. Extérieur conservant quelques traces de dorure.

Legs Hans Haug, 1964.

32. GOBELET

1819-1838
Jean Chrétien Kruger (1795-1870)
Argent doré
H. 10,7 cm ; Ø 9,7 cm
Poinçons : les deux poinçons du maître ; poinçon de second titre (1819-1838).

Expositions : 1948, Strasbourg, n° 692 ; 1964, Paris, n° 168.
Bibliographie : *Compte-rendu 1945-1950*, p. 190 ; Haug (H.), 1978, n° 178 ; Haug (G.), 1984, p. 137.
Inv. XXVIII.67
Inscription : Monogramme FC gravé sur le corps de l'objet.

Gobelet de forme tulipe à bord supérieur très évasé et partie inférieure godronnée délimitée par un anneau en ressaut finement gravé d'un motif de postes. Piédouche gravé à la roulette d'un motif de stries.

Achat, Strasbourg, 1928.

33. GOBELET

Vers 1832
Jean Chrétien Kruger (1795-1870)
Argent doré à l'intérieur
H. 11,8 cm ; Ø 9,8 cm
Poinçons : les deux poinçons du maître ; poinçon de second titre (1819-1838).

Exposition : 1948, Strasbourg, n° 692.
Bibliographie : Haug (H.), 1978, n° 179 ; Haug (G.), 1984, p. 137
Inv. L.81.
Inscriptions : monogramme GK gravé sur une face du corps de l'objet ; sur la face opposée lui répond l'inscription : *den 26 März 1832.* Gravé postérieurement sous le chiffre : *Le 14 Mai 1878 ? Mon Julo !*

Gobelet de forme tulipe à bord supérieur très évasé et partie inférieure godronnée délimitée par un anneau en ressaut finement gravé d'un motif de treillage sur fond amati. Piédouche gravé d'une frise à motif de chevrons. Intérieur doré.

Don, Société des amis des musées de Strasbourg, 1950.

34. COUPE COUVERTE AVEC PRÉSENTOIR

1814-1815
Jacques Frédéric Kirstein
(1765-1838, établi en 1795)
Argent doré
Coupe : H. 25,5 cm ; Ø 12 cm
Présentoir : Ø 22,8 cm
Poinçons : poinçon du maître ; poinçons de second titre et de moyenne garantie (années 1809-1819).

EXPOSITIONS : 1964, Strasbourg, p. 22, ill. 3 ; 1969, Strasbourg, n° 270.
BIBLIOGRAPHIE : Haug (H.), 1978, n° 162 ; Klein, 1980, ill. p. 94 ; Haug (G.), 1984, p. 137.
HISTORIQUE : offert par la bourgeoisie strasbourgeoise au préfet A. de Lezay-Marnésia à l'issue du blocus de 1814.
Strasbourg, Musée historique, Inv. MH 2625

INSCRIPTIONS :
– sur la base du piétement est gravé : *Strassburger aus dem Bürgerstand veihten dem Bürgerfreund diesen Becher am Befreyungstag 16 April 1814* (La bourgeoisie strasbourgeoise en reconnaissance de la libération de sa ville le 16 avril 1814.)
– sur la coupe : *Adriano de Lezay-Marnesia Als. Inf. Praef. Grati. Urbis Servatae. Cives. D. D.*
– sur le présentoir : monogramme gravé LM, répété deux fois.

Coupe à pied en forme de vase Médicis. Base du piétement ornée d'une frise de perles en applique rivetée. Piédouche à canaux surmonté d'une collerette de feuilles d'acanthe. La partie inférieure de la coupe est godronnée et le bord supérieur évasé et lisse est, quant à lui, finement gravé d'une frise de pampres. Entre les deux, sur le corps de la coupe, un décor en frise partiellement figuré se détache en relief sur fond amati. Sur une des faces, un groupe constitué d'une femme et de deux enfants dépose des guirlandes de roses en offrande sur un autel où apparaît l'inscription : *ADRIANO / DE LEZAY / MARNESIA / ALS. INF. PRAEF. / GRATI. URBIS / SERVATAE. CIVES. / D. D.*. Sur la face opposée, une figure féminine dansante en tunique à la grecque, rappelant un motif de bas-relief antique, tient une coupe à la main. Elle évolue sur un léger tertre portant la signature gravée : *Kirstein orf. a Strasbourg*. Entre ces deux scènes se place, de part et d'autre de la coupe, un même motif de rinceaux de feuilles d'acanthe d'où émerge une corbeille de fleurs et de fruits symbolisant la prospérité. Ces rinceaux donnent également naissance à de délicats branchages de lierre gravés qui envahissent et recouvrent la totalité du fond amati.
Le couvercle à bord extérieur orné d'une moulure à double frise, d'oves et dards et de perles, est couronné d'un bouton orné de graines et de feuilles d'acanthe posé sur une terrasse de palmettes.
Le présentoir de forme circulaire est orné d'une bordure extérieure moulurée d'un rang d'oves suivi d'un rang de perles. Le marli est finement gravé de palmettes et de couronnes de laurier se répétant alternativement à rythme régulier. Elles sont reliées entre elles par des guirlandes de lierre. Deux monogrammes gravés au chiffre du marquis Adrien de Lezay-Marnésia se font face de part et d'autre du marli, dont le bord intérieur est délimité par un tore de guirlandes de fleurs, de fruits et d'épis de blé. Cette couronne en relief, symbolisant l'abondance, est fixée au présentoir à l'aide d'écrous.
Kirstein joue habilement sur des oppositions de tons d'or rouge et jaune et sur des contrastes de surfaces mates et brillantes. Digne des grands orfèvres parisiens, tels Odiot ou Biennais, la qualité d'exécution égale celle de l'invention. La ciselure, parfaite, confère à chaque motif une étonnante précision qui caractérise toute la production de Jacques Frédéric Kirstein.
Cet objet perpétue une tradition strasbourgeoise et rhénane remontant au Moyen Âge, celle des gobelets et coupes commémoratifs que l'on offrait à des personnalités distinguées par leur rang ou leurs actions. Une souscription réunissant 392 signatures de citoyens strasbourgeois permit de commander deux coupes à Jacques F. Kirstein. L'une était destinée au préfet Adrien de Lezay-Marnésia, l'autre au maire Jean Frédéric Brackenhoffer (cat. 35) en reconnaissance des services rendus à la population strasbourgeoise pendant le blocus de 1814.

Achat, Châteauroux, 1949.

35. COUPE COUVERTE AVEC PRÉSENTOIR

1815
Jacques Frédéric Kirstein
(1765-1838, établi en 1795)
Argent doré
Coupe : H. 26,4 cm ; Ø 12,1 cm
Présentoir : Ø 22,8 cm
Poinçons : poinçon du maître ; poinçons de second titre et de moyenne garantie (années 1809-1819).

EXPOSITIONS : 1948, Paris, n° 313 ; 1948, Strasbourg, n° 674 ; 1964, Paris, n° 159.
BIBLIOGRAPHIE : *Compte-rendu 1919-1921*, pp. 18 et 30, ill. 20 ; Haug (H.), 1978, n° 161.
HISTORIQUE : offert par la bourgeoisie strasbourgeoise au maire J. F. Brackenhoffer à l'issue du blocus de 1814.
Inv. D.33.004.0.3 ; Strasbourg, Musée historique, Inv. MH 720
INSCRIPTIONS :
– sur la base du piétement est gravé : *Zugedacht am Befreyungstage 16. April. 1814 Überreicht am Friedrichstage 5. Märtz 1815.*

(Coupe offerte le 5 mars 1815, jour de la Saint-Frédéric, en commémoration de la libération de la ville le 16 avril 1814.)
– sur la coupe : *Memoriam tranquillae in obsidione civitatis curante Jo. Frid. Brackenhoffer Praef. Urbi numquam deponent civ. Arg.*

Coupe à pied en forme de vase Médicis. Base du piétement ornée d'une frise de perles en applique rivetée. Piédouche à canaux surmonté d'une collerette de palmettes. La partie inférieure de la coupe est godronnée et le bord supérieur évasé et lisse est, quant à lui, finement gravé d'une frise de lierre. Entre les deux, un décor ajouré est appliqué sur le corps de la coupe. Il comporte sur l'une de ses faces un médaillon ovale en bas-relief à fond amati sur lequel se détache une allégorie féminine vêtue à l'antique et tenant un serpent s'abreuvant dans une coupe, symbole de paix. En pendant sur la face opposée, un second médaillon ovale environné d'une couronne de fleurs porte l'inscription : *MEMORIAM / TRANQUILLAE / IN OBSIDIONE / CIVITATIS / CURANTE / JO. FRID. / BRACKENHOFFER / PRAEF. URBI / NUMQUAM / DEPONENT / CIV. ARG.* Entre ces deux médaillons s'inscrit, de part et d'autre de la coupe, un même motif de rinceaux de feuilles d'acanthe d'où émerge une coupe de fleurs et de fruits symbolisant la prospérité. Ces rinceaux donnent également naissance à des branchages de vigne rappelant que ce type d'objet, dérivé des hanaps du XVIe siècle, était initialement une coupe à boire.
Le couvercle à bord extérieur orné d'une moulure à double frise, d'oves et dards et de perles, est couronné d'un bouton orné d'une flamme et posé sur une terrasse de palmettes et de branches de vigne.
Le présentoir de forme circulaire est orné d'une bordure extérieure moulurée d'un rang d'oves suivi d'un rang de perles. Le marli est finement gravé d'une frise de lierre. Une couronne de fleurs et de fruits nouée d'acanthes, symbolisant l'Abondance, est appliquée au présentoir et fixée à l'aide d'écrous. Sous le présentoir est gravée la signature : *Kirstein orfevre a Strasbourg*.
La coupe est conservée avec son coffret en maroquin rouge doublé de velours de soie vert.
Une souscription réunissant 392 signatures de citoyens strasbourgeois permit de commander deux coupes à J. F. Kirstein. L'une était destinée au préfet Adrien de Lezay-Marnésia (cat. 34), l'autre au maire Jean Frédéric Brackenhoffer en reconnaissance

Jacques Frédéric Kirstein (1765-1838), *Élévation d'un vase et de son plateau, plan partiel du plateau*, vers 1815-1820, crayon et encre sur papier-calque, 34,6 x 31,5 cm, Strasbourg, Cabinet des estampes et des dessins. Inv. LXVI.122

des services rendus à la population strasbourgeoise pendant le blocus de 1814. Cette dernière fut offerte au récipiendaire le jour de sa fête, le 5 mars 1815.
Le musée des Beaux-Arts d'Angers conserve une coupe non couverte de forme Médicis et son présentoir en argent et argent doré, de Jacques Frédéric Kirstein, offerts par la ville de Strasbourg en 1840 au sculpteur David d'Angers, auteur de la statue de Gutenberg érigée la même année à Strasbourg au centre de la place éponyme[7].

Legs Eléonore Lehr-Brackenhoffer, Lausanne.
Entrée au musée en 1920.

7. Angers, musée des Beaux-Arts, Inv. MBA 31 MS.

36. COUPE COUVERTE AVEC PRÉSENTOIR

1821
Jacques Frédéric Kirstein
(1765-1838, établi en 1795)
Argent et argent doré
Coupe : H. 30,4 cm ; Ø 13,8 cm
Présentoir : H. 6,5 cm ; l. 19,8 cm ; P. 19,8 cm
Poinçons : poinçon du maître ; poinçons de second titre et de grosse garantie (années 1819-1838).

Expositions : 1948, Paris, n° 314 ; 1948, Strasbourg, n° 676 ; 1964, Paris, n° 215 ; 1969, Strasbourg, n° 272.
Bibliographie : Haug (H.), 1978, n° 163 ; Haug (G.), 1984, p. 137.
Inv. 5502
Inscription : *Composé et exécuté par Kirstein Orfèvre à Strasbourg. 1821*, gravé sur la base du piétement de la coupe.

Coupe à pied en forme de vase Médicis[8]. Base du piétement à moulure de fleurs et de feuillages. Piédouche à canaux surmontés d'une collerette de palmettes. La partie inférieure de la coupe est ornée de godrons, palmettes et rinceaux. Le bord supérieur évasé et lisse est, quant à lui, finement ciselé d'un délicat rinceau de feuillages. Entre les deux, sur le corps du vase, prend place une importante frise en argent fondu. Elle met en scène, dans un paysage panoramique, les deux chasses de grand gibier pratiquées en Alsace : la chasse au cerf et la chasse au sanglier. La richesse dans le rendu des plus infimes détails, tant dans le traitement des animaux, des personnages vêtus de costumes d'époque Empire, que dans celui du paysage arboré dévoilant au loin un château fort en ruine, témoigne de l'extraordinaire talent de modeleur de Kirstein et de sa maîtrise de la technique de la fonte à la cire perdue. Dans la partie supérieure, sur fond de ciel uni, est gravée la signature : *Kirstein orfevre*. Le bord extérieur du couvercle est orné d'une moulure à double frise, d'oves et dards et de perles. Le bouton en forme de pomme de pin émergeant d'un panache de palmes antiques est posé sur une terrasse de rinceaux de feuilles d'acanthe et de chêne en argent fondu, repercé et ciselé.
La coupe est maintenue par emboîtage sur une base en terrasse de section carrée à piétement composé de quatre chimères ailées à tête de griffon et patte de lion posée sur une boule. La moulure extérieure de la terrasse, à frises de palmettes et de perles, encadre quatre écoinçons à motif d'écailles qui enserrent un ombilic en argent fondu de forme circulaire. Il est orné d'un haut-relief en argent fondu et ciselé où court un motif de rinceaux feuillagés dans lesquels sont enchevêtrées toutes sortes d'animaux à poils et à plumes appuyant le thème cynégétique développé par Kirstein, lui-même chasseur. Cette coupe est en effet un véritable hymne à la chasse[9].
Le coffret d'origine est conservé. Il s'agit d'un écrin en maroquin rouge, rehaussé de bordures dorées au petit fer, doublé intérieurement de velours de soie vert souligné de fins galons en fil de métal doré.

Don Mgr Muller-Simonis, Strasbourg, 1897.

8. Le mode de fabrication et de construction de cette coupe figure au glossaire du catalogue.

9. Une coupe semblable mais sur le thème de la chasse aux lions a été réalisée par Kirstein. Elle est reproduite dans le catalogue de l'exposition *Le Siècle d'or de l'orfèvrerie à Strasbourg* (Paris, 1964, p. 95, n° 160, coll. Koelher-Schlumberger). La même coupe figure au catalogue de la vente Ader-Picard-Tajan, Drouot-Montaigne, Paris, 21 novembre 1987, p. 40, n° 144. L'album de dessins de Jacques Frédéric Kirstein conservé au Cabinet des estampes et des dessins de Strasbourg (Inv. XXXII. 91), contient les dessins de la coupe, de la frise et du dessus du piètement, au crayon et à l'encre rehaussés de gouache (ill. 12, p. 22).

37. VASE

1825
Jacques Frédéric Kirstein
(1765-1838, établi en 1795)
Argent et argent doré
H. 75 cm ; l. 35 cm ; P. 23,5 cm
Poinçons : les deux poinçons du maître (*KIRSTEIN* en toutes lettres dans un rectangle et poinçon losangique) ; poinçons de second titre et de grosse garantie (années 1819-1838).

EXPOSITIONS : 1834, Paris ; 1948, Paris, n° 314 ; 1948, Strasbourg, n° 678 ; 1964, Paris, n° 161 ; 1972, Londres, n° 1723 ; 1994, Paris, n° 104.
BIBLIOGRAPHIE : Haug (H.), 1964, ill. p. 111 ; Ménard, 1876, pp. 172-174 et planche ; Haug (H.), 1978, n° 164 ; Hernmarck, 1978, p. 213 et ill. 543 ; Alemany-Dessaint, 1988, ill. 2, p. 88.
HISTORIQUE : présenté à l'Exposition des produits de l'industrie à Paris en 1834. Acquis auprès des héritiers de l'artiste par la ville de Strasbourg en 1842.
Transféré à une date inconnue dans les collections du musée des Arts décoratifs.
Inv. 33.004.0.88
INSCRIPTIONS :
– gravé sur la base circulaire du piédouche : *Composé et exécuté par Kirstein Orfèvre à Strasbourg 1825.*
– gravé sur la frise : *par Kirstein d'après Thorwaldson*.

Vase monumental de forme balustre à piédouche circulaire reposant sur une base carrée. La naissance du piédouche est ornée d'une moulure en tore noué de laurier et de chêne en alternance, puis de canaux auxquels succède une collerette moulurée d'oves, de rais-de-cœur et de perles. L'amorce du corps du vase en amphore est constituée d'une frise de grandes feuilles d'eau d'où émergent quatre rinceaux verticaux en applique mêlant feuilles d'acanthe, palmettes, rosaces, cygnes adossés et coupe de fleurs et de fruits. Ces motifs sont reliés entre eux par des guirlandes de fleurs et de fruits nouées en argent ciselé, survolées de chimères ailées à tête de griffon. La partie haute de la panse du vase est cerclée d'un haut-relief, en argent finement ciselé, représentant le *Triomphe d'Alexandre le Grand à Babylone* d'après la frise exécutée en 1812 par Thorvaldsen (1770-1844) pour l'appartement de Napoléon au palais du Quirinal à Rome. Le dessus de l'urne est agrémenté d'une frise de palmettes et de guirlandes de branchages de chêne et surmonté d'un rang de perles, le tout en applique. Le col est orné d'écailles ciselées interrompues par une bande circulaire unie. Y est fixé un élégant motif en argent constitué de rinceaux de feuilles d'acanthe d'où surgissent deux *putti* ailés, l'un tenant une guirlande de laurier, l'autre une corne d'abondance. Deux masques de Méduse complètent cette frise au droit des anses. Le bord supérieur évasé du col est mouluré de godrons. Les deux anses sont composées de têtes de griffon, particulièrement spectaculaires, surgissant de volutes de feuilles d'acanthe et fixées au vase par des attaches unies autour desquelles s'enroulent des serpents.
Le couvercle plat, ajusté dans le col du vase, est muni d'un bouton de feuilles d'acanthe et rinceaux posé sur une terrasse à canaux unis se détachant en relief sur fond amati.
Cet ouvrage est exceptionnel tant par la virtuosité de l'exécution, proprement éblouissante, que par l'inventivité décorative. Celle-ci trouve sa source dans le *Recueil de décorations intérieures* des architectes Percier et Fontaine publié en 1812, auquel puisent notamment les orfèvres parisiens Odiot, Auguste et Biennais, témoignant de l'attachement de Jacques F. Kirstein au répertoire ornemental d'époque Empire et ceci jusque sous la Restauration. L'effet de polychromie est obtenu par de savantes oppositions de tons d'or rouge ou jaune, de contrastes de dorure brunie ou matée, ciselée ou gravée et par l'introduction d'ornements en argent fondu et ciselé renforçant l'éclat chatoyant de la dorure.
L'importante frise circulaire décorant le vase rappelle celle des céramiques peintes antiques. Son sujet, métaphore des campagnes napoléoniennes, et son origine, le décor de Thorvaldsen pour la résidence romaine de Napoléon, roi d'Italie depuis 1805, permet de croire que l'orfèvre est resté fidèle à l'Empire. Dès son accession au trône, Napoléon affirme sa volonté de faire renaître l'industrie du luxe et favorise particulièrement l'essor de l'orfèvrerie au travers de prestigieuses commandes. Deux dessins sur papier-calque, provenant du fonds Kirstein conservé au Cabinet des estampes et des dessins de Strasbourg, illustrent cette fidélité à l'Empire. Ils représentent une aiguière et son bassin ornés tous deux d'un décor en frise reproduisant le sacre de Napoléon et le couronnement de Joséphine d'après David.
Kirstein est le plus grand orfèvre provincial de la première moitié du XIXe siècle. Ce vase, prouesse technique et artistique, devait poser l'orfèvre au milieu de ses confrères parisiens lors de la 8e Exposition des produits de l'industrie à Paris, place de la Concorde, en 1834. Il y expose deux vases, dont celui-ci, et des médaillons, probablement des scènes de chasse.
Sur proposition du comité de la Société des amis des arts, le vase est acquis par la ville de Strasbourg en 1842 auprès des héritiers de Jacques Frédéric Kirstein[10].

10. Archives municipales de Strasbourg, registre des séances du conseil municipal, séance du 14 janvier 1842, n° 13 – Acquisition du vase de Kirstein.

Jacques Frédéric Kirstein (1765-1838),
Élévation d'une aiguière et élévation partielle de son bassin, vers 1805-1810,
crayon sur papier-calque, 42,7 x 32,6 cm,
Strasbourg, Cabinet des estampes et des dessins. Inv. LXVI. 138
Le corps du vase est orné d'une frise reproduisant la scène du couronnement de l'impératrice Joséphine par Napoléon Ier, d'après David.

par Kirstein d'après Thorwaldson

Autour de la table

38. ÉCUELLE COUVERTE

1756
Johann Ludwig (III) Imlin
(1722-1768, maître en 1746)
Argent doré
H. 13 cm ; l. 32,5 cm ; Ø 18,2 cm
Poinçons : 13 couronné ;
poinçon du maître ; lettre d'année E couronnée (1756).

EXPOSITIONS : 1936, Paris, n° 361 ; 1948, Strasbourg, n° 639 ; 1964, Paris, n° 70 ; 1978, Strasbourg, n° 76, pl. 10.
BIBLIOGRAPHIE : Haug (H.), 1964, ill. p. 107 ; Haug (H.), 1978, n° 102 ; Haug (G.), 1984, p. 127.
Inv. XXXV.8

Écuelle unie à deux oreilles soudées au bord supérieur mouluré. Leur décor rocaille asymétrique est composé de volutes, de palmes et de feuilles d'acanthe en relief finement ciselées sur le contour ; au centre apparaît un piédestal mouvementé d'où émerge un branchage fleuri se détachant sur fond amati. Ce type de motif s'inspire de gravures d'ornements réalisées notamment d'après des dessins de Boucher ou de Meissonnier.
Le couvercle à doucine est bordé d'une moulure d'entrelacs à oves et perles qui se répète à la naissance de la terrasse. La doucine est ciselée d'une frise de volutes rocaille et de guirlandes de fleurs et, sur la terrasse servant de base à la prise en forme de bouton de fleur, d'un rinceau de feuilles d'acanthe amati, de volutes et de guirlandes de fleurs amaties d'un dessin ample et dynamique tirant profit de la forme arrondie du couvercle.
À Strasbourg, de même que pour les gobelets, la typologie Renaissance du bouillon cède la place à la forme parisienne entre 1730 et 1740. Ce récipient, généralement accompagné d'un présentoir et d'un couvert, servait à consommer le bouillon à l'heure du déjeuner, terme qui désignait au XVIIIe siècle le premier repas de la journée. Le bouillon était habituellement pris dans la chambre. Suivaient le dîner en milieu de journée puis le souper le soir.

Achat, Paris, 1935.

39. ÉCUELLE COUVERTE AVEC PRÉSENTOIR

1767
Johann Ludwig (III) Imlin
(1722-1768, maître en 1746)
Argent doré
Écuelle : H. 14,5 cm ; l. 31,3 cm ; Ø 19,1 cm
Présentoir : Ø 26,5 cm
Poinçons : 13 couronné ; poinçon du maître ; lettre d'année Q couronnée (1767).

BIBLIOGRAPHIE : Ludmann, 1982, n° 16, non paginé ; Haug (G.), 1984, p. 127.
Inv. 33.982.1.1(1-3)

Écuelle à deux oreilles à motif de volutes et de coquilles rocaillées encadrant une corbeille d'où jaillissent diverses sortes de fleurs, le tout finement ciselé et gravé dans un style très naturaliste. Deux cartouches gravés, placés sur les faces avant et arrière de l'écuelle, sont reliés aux oreilles par des guirlandes de fleurs en léger relief (roses, lis, campanules, tournesols, marguerites et pivoines), gravées et ciselées, se détachant sur fond amati.
Le couvercle à doucine, à bordure extérieure moulurée de joncs enrubannés, est souligné d'une frise en relief circulaire constituée de quatre branchages de fleurs noués de ruban, deux par deux, se détachant sur une bande amatie à contours déchiquetés. Prise en artichaut sur une terrasse de feuilles d'acanthe particulièrement mouvementées.
Le marli du présentoir se caractérise par un bord extérieur chantourné et mouluré, souligné d'une bordure de joncs enrubannés rehaussés d'agrafes. Une guirlande de fleurs relie les cartouches rocaille disposés au centre de chacun des cinq lobes du marli.

Les zones en argent dédoré sur le couvercle, sur le corps de l'écuelle et sur le présentoir correspondent aux armoiries dégravées.
Cet ensemble était initialement accompagné d'un couvert comprenant une cuiller et une fourchette.
Une écuelle couverte et son présentoir de Johann Ludwig (III) Imlin de 1768 et de même modèle, à quelques infimes détails près, sont conservés au Metropolitan Museum of Art de New York[11]. Postérieure d'un an à l'ensemble strasbourgeois, l'écuelle est gravée aux armes du Bourg ; elle est accompagnée de son couvert gravé aux mêmes armes au dos de la spatule. Il s'agit d'une cuiller et d'une fourchette à filets, ornées sur la face avant de la spatule d'un branchage fleuri en relief se détachant sur une réserve à fond amati de contour irrégulier rappelant le décor du couvercle de l'écuelle.

Don, Strasbourg, 1982.

Strasbourg, *Dessin d'un pot à oille rocaille*, vers 1750, crayon noir, encre et lavis sur papier, 37,9 x 49,7 cm, Strasbourg, Cabinet des estampes et des dessins. Inv. LXV.1

11. Dennis (F.), 1960, p. 342, ill. 544 et p. 349, ill. 557.

40. ÉCUELLE COUVERTE AVEC PRÉSENTOIR ET COUVERT

1771 et 1772
Jacques Henri Alberti
(1730-1795, maître en 1764)
Argent doré
Écuelle : H. 15,3 cm ; l. 29,3 cm ; Ø 18 cm
Présentoir : Ø 25,4 cm
Fourchette : L. 19,9 cm
Cuiller : L. 20,8 cm

Poinçons :
– écuelle et présentoir : petit 13 couronné (gros ouvrage 1750-1789) ; poinçon du maître ; lettre d'année V couronnée (1772) ;
– couvert : 13 à fleur de lis (menus ouvrages, 1750-1789) ; poinçon du maître ; lettre d'année U à fleur de lis (menus ouvrages, 1771).

EXPOSITIONS : 1936, Paris, n° 371 ; 1938, New York, n° 351 ; 1964, Paris, n° 126 ; 1978, Strasbourg, n° 93, pl. IV.
BIBLIOGRAPHIE : *Compte-rendu 1945-1950*, p. 190 ; Haug (H.), 1952, ill. p. 3 ; Haug (H.), 1964, ill. p. 107 ; Haug (H.), 1978, n° 129 ; Livet/Rapp, 1981, ill. 86c, p. 504 ; *Objets civils domestiques*, 1984, p. 105, ill. 530 ; Haug (G.), 1984, p. 134, ill. 130 ; Martin, 1998, ill. p. 63.
Inv. LI.25 a-g

Sous une couronne comtale, armes d'alliance gravées réunissant les armoiries de la famille Châtelard à celles d'une famille non identifiée. Ce motif héraldique est répété sur le corps de l'écuelle, sur le couvercle, sur le marli du présentoir et au dos de la spatule de la cuiller et de la fourchette.
Écuelle à deux oreilles ajourées au décor en fort relief, finement gravé et ciselé, constitué d'une bordure moulurée de filets enrichie de feuilles d'acanthe et d'une élégante agrafe en panache, le tout enserrant une corbeille débordant de roses. Sous le bord extérieur de l'écuelle court une guirlande gravée et ciselée de branches de rosiers fleuris, prenant naissance au niveau des anses horizontales. La guirlande est relevée au centre de la face avant, afin de dégager les armoiries gravées, et suspendue au centre de la face arrière par un nœud de ruban.
Le couvercle, à doucine et bordure extérieure moulurée de filets interrompue par des agrafes et des feuillages, est souligné d'un décor floral repoussé, ciselé et délicatement gravé. Il s'agit d'une guirlande de branchages fleuris en trois festons suspendus par des nœuds de ruban au bouton de prise. Ce dernier, en forme d'artichaut, repose sur une terrasse de feuilles d'acanthe très animées, l'ensemble étant fixé au revers du couvercle par un écrou en forme de bouton de fleur.
Le présentoir contourné, à cinq accolades et bord extérieur mouluré de filets, est orné sur le marli d'une guirlande de branchages fleuris rattachés alternativement au bord extérieur par des nœuds de ruban et des agrafes. Au centre de l'un des lobes, le nœud est remplacé par les armoiries gravées.
Le couvert est de modèle violon à filets. La spatule est enrichie sur les deux faces d'un décor de coquilles, d'agrafes et de feuillages.
Cet ensemble est conservé avec son écrin d'origine en maroquin rouge, partiellement décoloré, doublé de chamois. Des rosaces et des frises dorées de fleurs et de palmes, exécutées à la roulette et au petit fer, agrémentent les contours du couvercle en deux parties à charnière.

Achat, Paris, 1951.

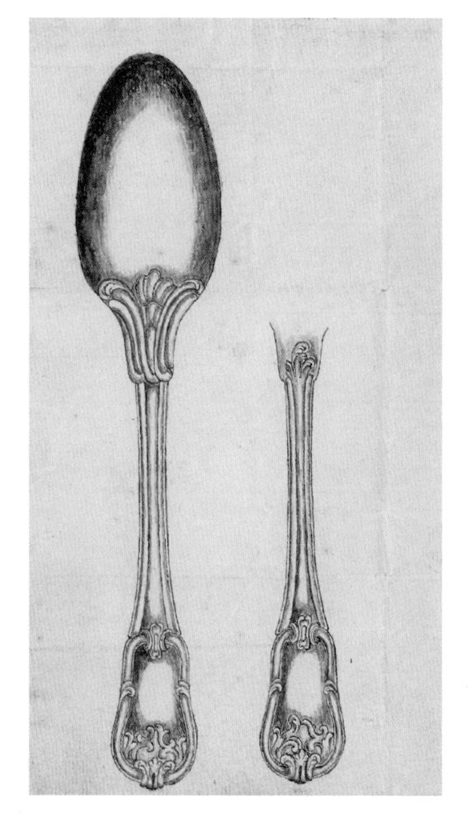

Strasbourg, *Dessin d'une cuiller, modèle violon à filets, assortie d'une variante*, vers 1760-1770, encre et lavis sur papier, 23,4 x 13,9 cm, Strasbourg, Cabinet des estampes et des dessins. Inv. LXV.74

41. ÉCUELLE COUVERTE

1772
Jacques Henri Alberti
(1730-1795, maître en 1764)
Argent
H. 14,8 cm ; l. 28,5 cm ; Ø 17,2 cm
Poinçons : poinçon au titre de Paris 11/12 couronné ; poinçon du maître ; lettre d'année V couronnée (1772).

EXPOSITIONS : 1936, Paris, n° 371 ; 1948, Paris, n° 302 ; 1948, Strasbourg, n° 602 ; 1978, Strasbourg, n° 94.
BIBLIOGRAPHIE : *Compte-rendu 1923-1926*, p. 14, ill. 13 ; Haug (H.), 1978, n° 130.
Inv. XXVI.23

Écuelle unie à deux oreilles ciselées de volutes et coquilles et centrées d'une rose. Couvercle à moulure de filets et à prise en artichaut sur une terrasse de feuilles d'acanthe. Une écuelle couverte en argent doré (1772-1774), du même auteur et d'un modèle très similaire, à décor identique pour les anses et le bouton de prise, mais ayant conservé son présentoir, figure au n° 90 du catalogue Sotheby's, Paris, vente du 18 décembre 2002.

Achat, Strasbourg, 1926.

42. ÉCUELLE COUVERTE AVEC PRÉSENTOIR

1784
François Daniel Imlin
(1757-1827, maître en 1780)
Argent doré
Écuelle : H. 13,2 cm ; l. 29,2 cm ; Ø 17,2 cm
Présentoir : Ø 24,5 cm
Poinçons : 13 couronné ; poinçon du maître ; lettre d'année I couronnée (1784).

EXPOSITIONS : 1938, New York, n° 25 (sous n° d'inventaire S.L. 2846-27 a et b et S.L. 2846-28) ; 1948, Paris, n° 274 ; 1964, Paris, n° 151 ; 1978, Strasbourg, n° 99.
BIBLIOGRAPHIE : Dennis, 1960, n° 540 ; Haug (H.), 1964, ill. p. 107 ; Haug (H.), 1978, n° 147 ; Haug (G.), 1984, p. 133 ; Alemany-Dessaint, 1988, ill. 3, p. 78.
Inv. XLVII.8 a et b, pour l'écuelle couverte.
Inv. XLVII.9, pour le présentoir.

Écuelle unie à bord supérieur mouluré de filets et à deux oreilles horizontales légèrement relevées aux extrémités. Ces anses, ajourées d'entrelacs de feuilles d'acanthe et de chutes de laurier, sont traitées en opposition de métal mat et brillant grâce à un délicat travail de ciselure sur les éléments feuillagés.
La terrasse est séparée de la doucine par un ressaut contre lequel est rivetée une torsade constituée de deux tiges annelées et tressées. La prise en forme d'urne à l'antique, avec guirlande de draperies sur le pourtour, repose sur une base carrée.
Le bord extérieur du présentoir circulaire est orné de la même torsade, posée et rivetée, que celle qui figure sur le couvercle.
Cette écuelle contraste par son style Louis XVI avec la production de l'époque Louis XV qui perdure tard dans le siècle. François Daniel Imlin sait habilement se servir du répertoire ornemental néoclassique pour créer des pièces d'orfèvrerie dans un style sans sécheresse et d'une grande originalité, comme en témoignent les flambeaux figurant aux n°s 96 et 97 du catalogue.

Achat, 1947.

43. FOURCHETTE

Vers 1750
Joachim Friedrich Kirstein
(1701-1770, maître en 1729)
Argent
L. 18 cm
Poinçons : 13 à fleur de lis ; poinçon du maître.

Bibliographie : Haug (H.), 1978, n° 186.
Inv. 33.004.0.89

Aux armes des comtes de Linange, timbrées de trois cimiers, gravées au dos de la spatule.
Modèle à filets.

Legs Claparède, Argenteuil, 1925.

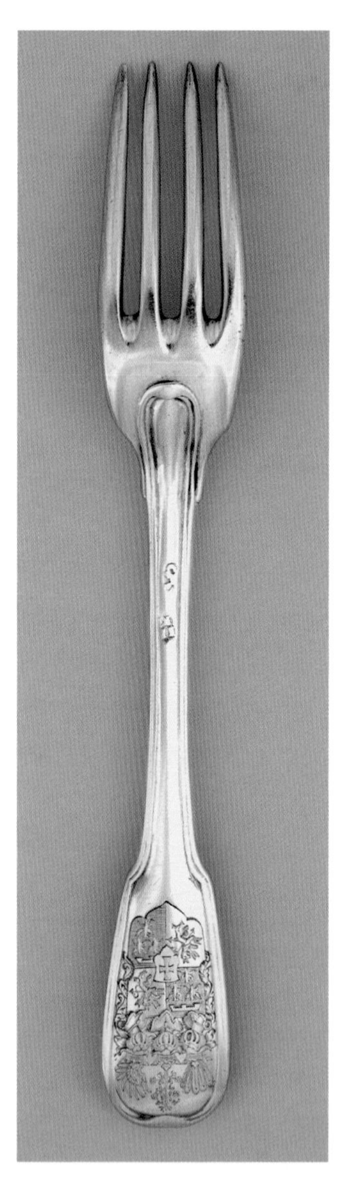

44. DEUX COUVERTS

1753
Joachim Friedrich Kirstein
(1701-1770, maître en 1729)
Argent
Cuillers : L. 20 cm
Fourchettes : L. 18,9 cm
Poinçons :
– Inv. 33.004.0.90 (1 et 2) : lettre d'année B à fleur de lis (1753) ; 13 à fleur de lis ; poinçon du maître ;
– Inv. 33.004.0.90 (3 et 4) : lettre d'année B à fleur de lis (1753) ; 13 à fleur de lis.

Exposition : 1978, Strasbourg, n° 69.
Bibliographie : Haug (H.), 1978, n° 187.
Historique : dans les publications précédentes, couverts faussement attribués à Johann Friderich Krug.
Inv. 33.004.0.90(1-4)

Sous une couronne comtale, armes d'alliance de la famille de Lewenhaupt et d'une famille non identifiée gravées au dos de la spatule.
Modèle à filets.

Legs Claparède, Argenteuil, 1925.

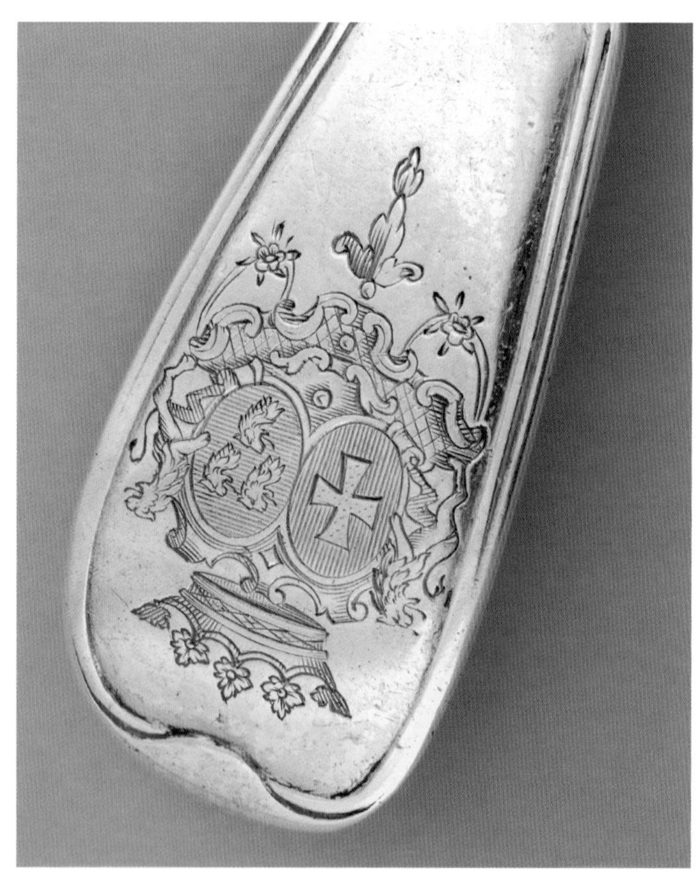

45. FOURCHETTE

1761
Argent
L. 21 cm
Poinçons : 13 à fleur de lis ; lettre d'année K à fleur de lis (1761).
Inv. 33.004.0.91

Sous une couronne comtale, armes d'alliance de la famille de Lewenhaupt et de la famille de Sinclair, réunies dans un cartouche symétrique à coquille, palmes et cul-de-lampe à fleuron, gravées au dos de la spatule. Modèle à filets.

Legs Claparède, Argenteuil, 1925.

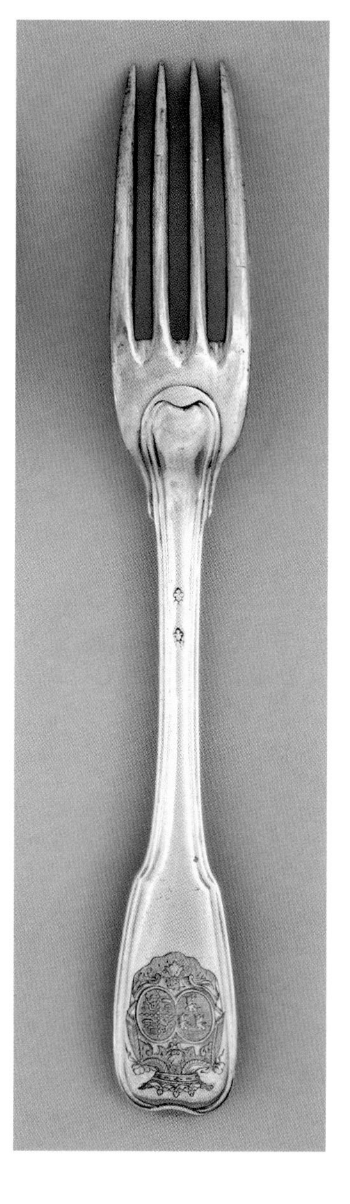

46. DEUX CUILLERS

1767
Argent
L. 19,7 cm
Poinçons :
– Inv. 33.004.0.92 (1) :
13 à fleur de lis ; lettre d'année Q
à fleur de lis (1767) ;
– Inv. 33.004.0.92 (2) : 13
couronné ; lettre d'année Q
couronnée (1767).
Inv. 33.004.0.92 (1 et 2)

Sous une couronne comtale, armes d'alliance de la famille Hamilton de Preston et de la famille de Lewenhaupt gravées au dos de la spatule.
Modèle à filets. Bien que comprenant des variantes dans les poinçons, ces deux cuillers sont rigoureusement identiques, tant pour le modèle que pour les armoiries. Leur a été assorti un couvert (cat. 47).

Legs Claparède, Argenteuil, 1925.

47. COUVERT

1774
Daniel Hermann Meyer
(maître en 1770)
Argent
Cuiller : L. 19,7 cm
Fourchette : L. 18,7 cm
Poinçons : 13 à fleur de lis ;
poinçon du maître ;
lettre d'année Y à fleur de lis
(1774).
Inv. 33.004.0.93 (1 et 2)

Sous une couronne comtale, armes d'alliance de la famille Hamilton de Preston et de la famille de Lewenhaupt.
Modèle à filets. Ce couvert est assorti, avec sept années d'écart, aux deux cuillers figurant au n° 46 du catalogue. On peut noter que les couronnes comtales y sont légèrement plus petites et que les ornements des cartouches présentant les armoiries comportent d'infimes différences.

Legs Claparède, Argenteuil, 1925.

48. CUILLER

1779
Johann Jacob Kirstein
(1733-1816, maître en 1760)
Argent
L. 20,1 cm
Poinçons : lettre d'année D couronnée (1779) ; 13 à fleur de lis ; poinçon du maître.
Inv. 33.004.0.94

Sous une couronne comtale, armes d'alliance de la famille de Lewenhaupt et de Sinclair réunies dans un cartouche asymétrique et gravées au dos de la spatule.
Modèle à filets.

Legs Claparède, Argenteuil, 1925.

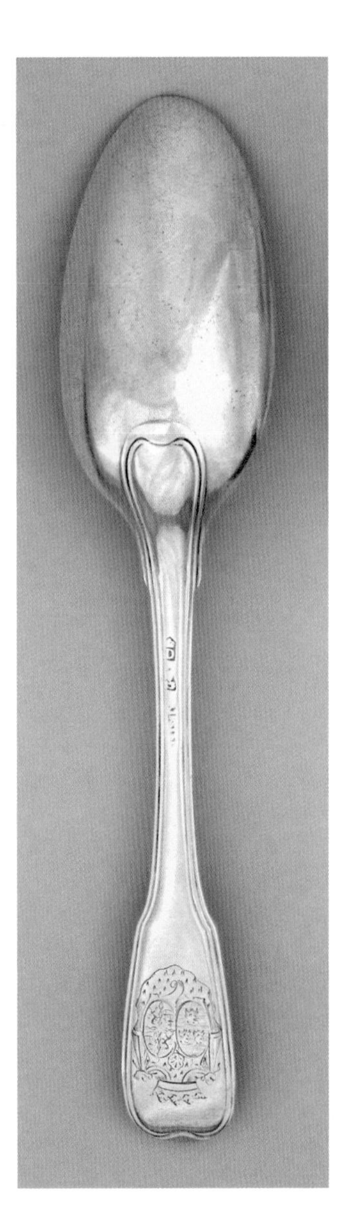

49. COUVERTS À ENTREMETS

1772-1773
Johann Heinrich Oertel
(1717-1796, maître en 1749)
Argent doré
Cuiller : L. 19 cm
Fourchette : L. 18,3 cm

Poinçons : 13 couronné ou à fleur de lis ; poinçon du maître ; lettre d'année V à fleur de lis (1772) ou X à fleur de lis (1773) ; poinçon de décharge des ouvrages venant de l'étranger (pied, 1775-1781) ; poinçon de garantie (tête de sanglier, en usage à partir de 1838), assorti d'un poinçon de bigorne (insecte, en usage à partir de 1838).
HISTORIQUE : Christie's, New York, vente Patino, 1986, n° 134.
Inv. 33.986.9.1-36

Sous une couronne comtale ou ducale, écu de femme aux armes non identifiées gravées au dos de la spatule. Il s'agit d'un ensemble de dix-huit cuillers et dix-huit fourchettes de modèle violon à filets. La spatule est enrichie sur les deux faces d'un même décor de feuilles d'acanthe et de branchages fleuris.

Achat, New York, 1986.

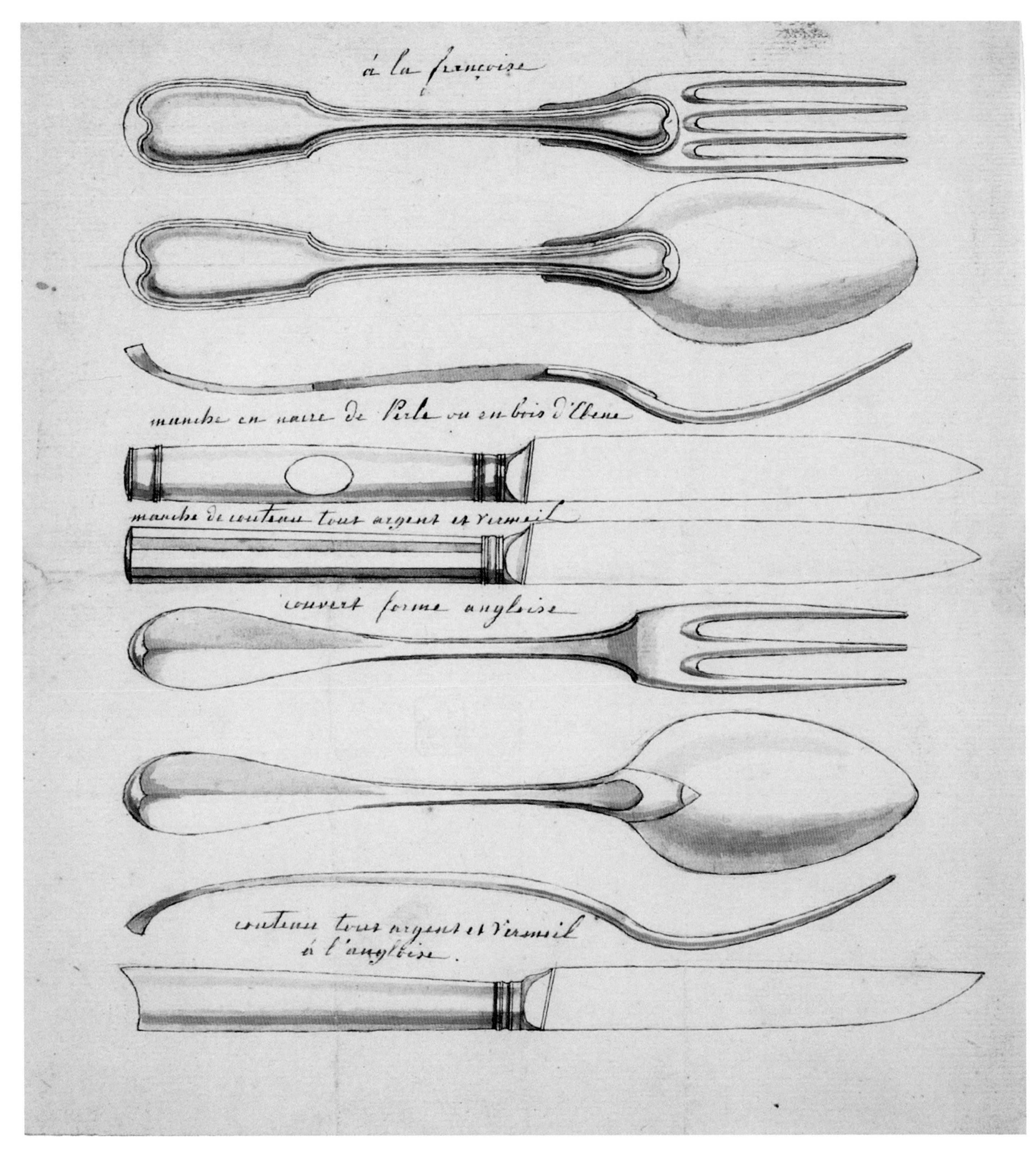

Strasbourg, *Dessin de couverts à la française et à l'anglaise et de trois couteaux*, premier quart du XIXe siècle, encre et lavis sur papier, 24,3 x 26,4 cm, Strasbourg, Cabinet des estampes et des dessins. Inv. LXV.77

50. CUILLER À ENTREMETS

1775
Johann Georg Pick (maître en 1739, attesté jusqu'en 1785)
Argent doré
L. 17,9 cm
Poinçons : 13 à fleur de lis ; poinçon du maître ; lettre d'année Z à fleur de lis (1775) ; poinçon de garantie (tête de sanglier, en usage à partir de 1838), associé à un poinçon de bigorne (insecte, en usage à partir de 1838).

EXPOSITION : 1948, Strasbourg, n° 699.
BIBLIOGRAPHIE : Haug (H.), 1978, n° 189.
Inv. XXVI.22

Modèle à filets et coquilles, à ourlet, sans épaulement.

Achat, Paris, 1926.

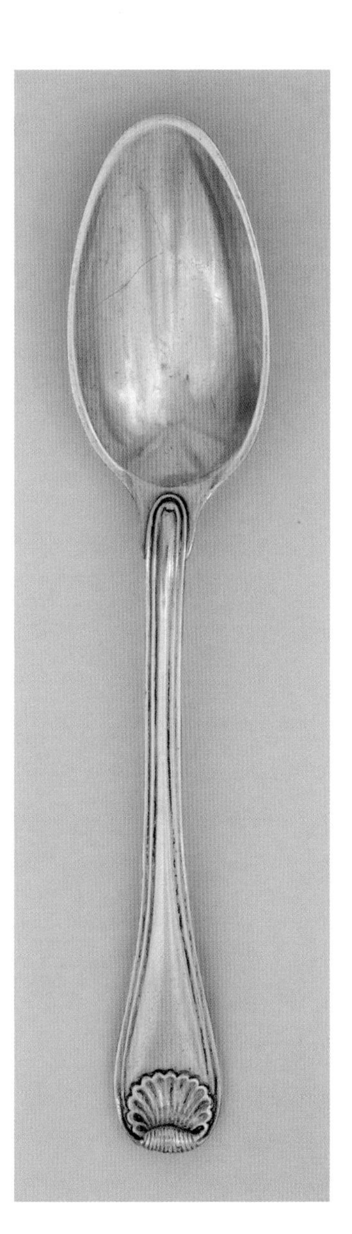

51. CUILLER

1784
Veuve Fritz
(dirige l'atelier de 1780 à 1789)
Argent doré
L. 18,4 cm
Poinçons : lettre d'année I à fleur de lis (1784) ; petit 13 à fleur de lis ; poinçon du maître.

EXPOSITION : 1948, Strasbourg, n° 624.
BIBLIOGRAPHIE : Haug (H.), 1978, n° 199.
Inv. XXX.71
INSCRIPTION : monogramme CH gravé au dos de la spatule.

Modèle à filets.

Don Fernand Blum, 1930.

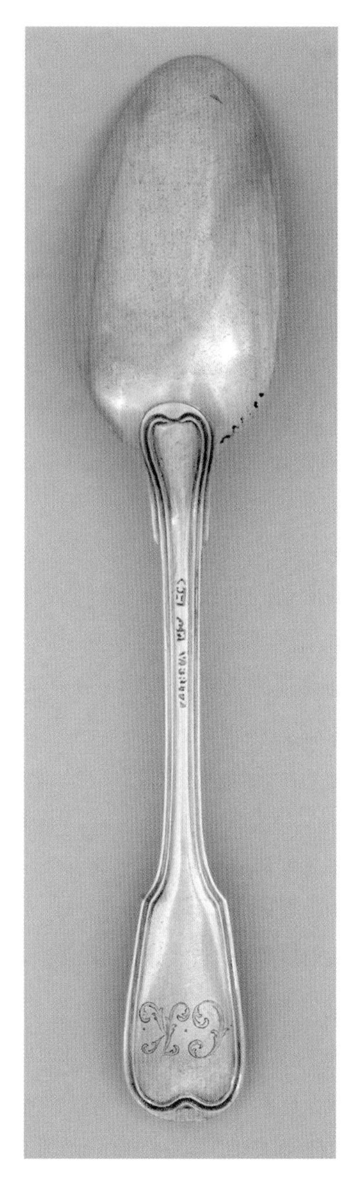

52. DEUX CUILLERS

1791-1797
Johann Jacob Kirstein
(1733-1816, maître en 1760)
Argent
L. 19,8 cm
Poinçons : 13 dans un ovale (1791-1797) ; poinçon du maître.
Bibliographie : Haug (H.), 1978, n° 202.
Inv. LXV.106 et 107
Inscription : monogramme PFB, gravé postérieurement au dos de la spatule.

Modèle uniplat. Attache sur le cuilleron sans épaulement.

Achat, 1965.

53. CUILLER

1791-1797
Johann Heinrich Oertel
(1717-1796, maître en 1749)
Argent
L. 20,7 cm
Poinçons : 13 dans un ovale (1791-1797) ; poinçon du maître.
Bibliographie : Haug (H.), 1978, n° 194.
Inv. LXV.108
Inscription : monogramme RG gravé sur la face de la spatule.

Modèle uniplat, spatule sans épaulement et à l'extrémité effilée. Attache sur le cuilleron sans épaulement.

Achat, 1965.

54. COUTEAU À DESSERT

1752-1780
Johann Friderich Fritz
(maître en 1752, mort en 1780)
Argent doré et porcelaine
L. 22,2 cm
Poinçons : 13 à fleur de lis ; poinçon du maître ; poinçon d'importation ET (en usage de 1864 à 1893).
Exposition : 1964, Paris, n° 80.
Bibliographie : Haug (H.), 1978, n° 196.
Inv. LXII.98

Sous une couronne de marquis, armes de la famille de Rechignevoisin de Guron gravées sur un côté de la lame. Manche en porcelaine de Meissen, à décor de bouquets de fleurs polychrome, retenu à la lame par un bouton en forme de rosette en argent doré. Ce couteau provient d'un ensemble de onze couteaux ayant appartenu à la collection Bernheim. Il a été offert en 1962 au musée des Arts décoratifs de Strasbourg par Rose Bernheim (†1967), veuve de Georges Bernheim (†1949)[12].

Don Rose Bernheim, 1962.

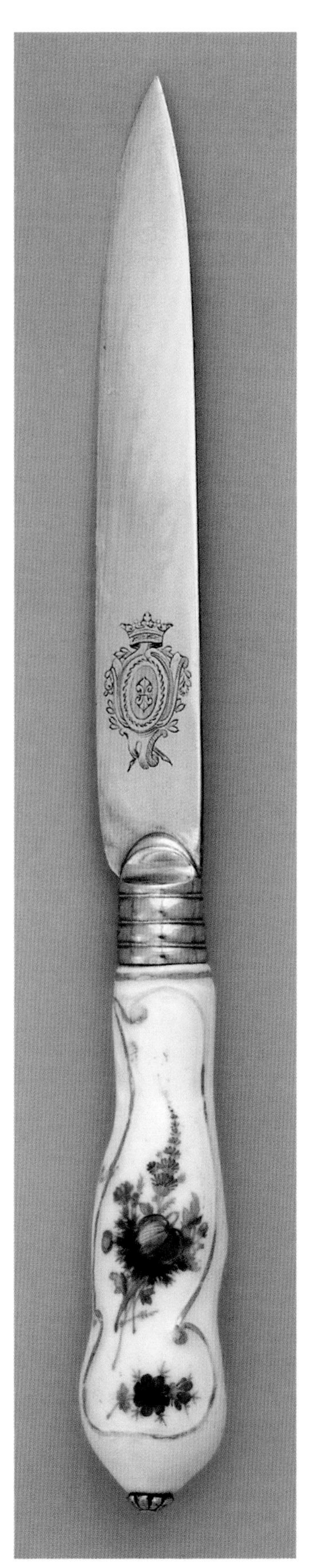

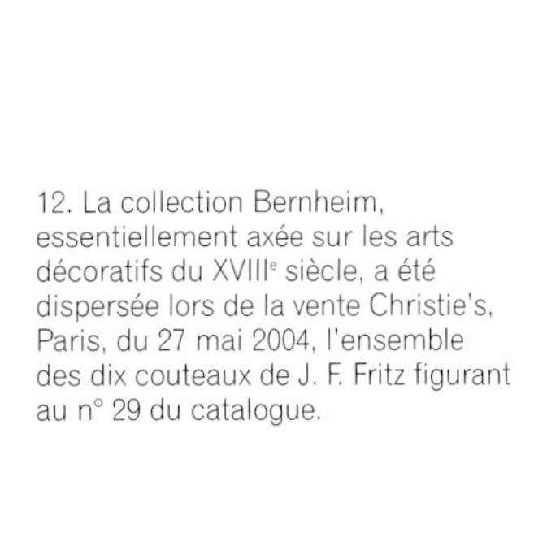

12. La collection Bernheim, essentiellement axée sur les arts décoratifs du XVIIIe siècle, a été dispersée lors de la vente Christie's, Paris, du 27 mai 2004, l'ensemble des dix couteaux de J. F. Fritz figurant au n° 29 du catalogue.

55. CUILLER À SUCRE

1754
Johann Friderich Fritz
(maître en 1752, mort en 1780)
Argent doré
L. 21,2 cm ; Ø 7,1 cm
Poinçons : 13 à fleur de lis ; lettre d'année C couronnée (1754) ; poinçon du maître ; poinçon de garantie à l'importation (cygne, en usage depuis 1893), poinçon de garantie (insecte, en usage à partir de 1838).

Expositions : 1964, Paris, n° 81 ; 1978, Strasbourg, n° 80.
Bibliographie : *Compte-rendu 1923-1926*, p. 13 ; Haug (H.), 1978, n° 197.
Inv. XXV.55

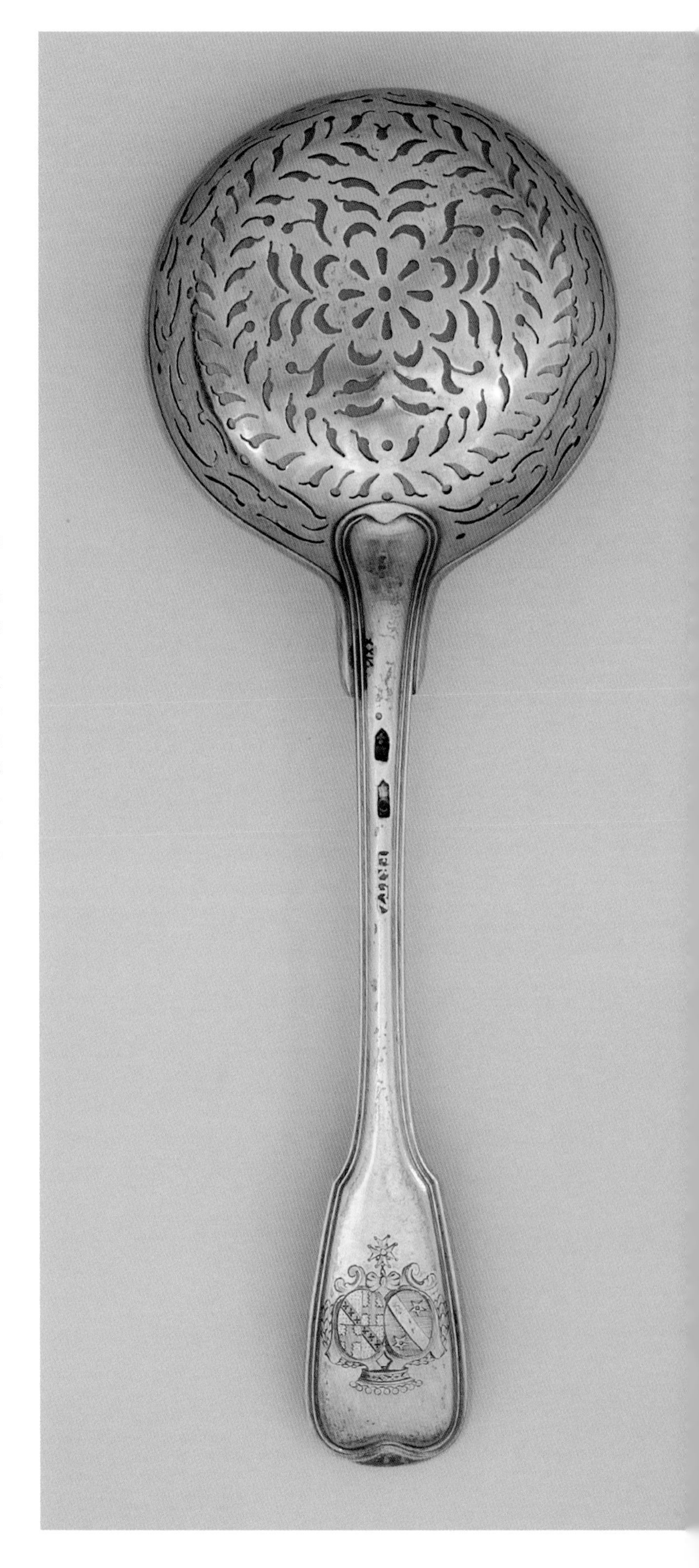

Sous une couronne comtale, armes d'alliance non identifiées gravées au dos de la spatule.
Modèle à filets. Cuilleron à simple filet, orné d'un décor de repercé. Il s'organise, autour d'une marguerite centrale, en motifs rayonnants puis de frises de feuilles à fourche et de fleurs.
Les cuillers à sucre apparaissent vers 1735-1740 et supplantent progressivement les sucriers en balustre – constituée d'un corps cylindrique, sommé d'un couvercle à baïonnette en forme de dôme repercé – à l'utilisation malaisée. La « cuiller à sucre repercée » se répand avec l'apparition des pots à sucre, généralement en porcelaine ou en faïence, et est liée au développement de la consommation de boissons nouvelles : le thé, le chocolat et le café.

Achat, Paris, 1925.

56. CUILLER À SUCRE

1772
Argent doré
L. 21,1 cm ; Ø 6,6 cm
Poinçons : petit 13 à fleur de lis ; lettre d'année V à fleur de lis (1772) ; poinçon du maître illisible ; poinçon de garantie (crabe, en usage à partir de 1838), associé à un poinçon de bigorne (anthia, en usage à partir de 1838).

Bibliographie : Haug (H.), 1978, n° 209.
Inv. LXVI.24

Modèle à filets et coquilles, à ourlet. Cuilleron à filets, orné d'un décor de repercé. Il s'organise autour d'une rosace tournante et d'une frise de feuilles à laquelle succède une frise d'acanthe.

Achat, Zurich, 1966.

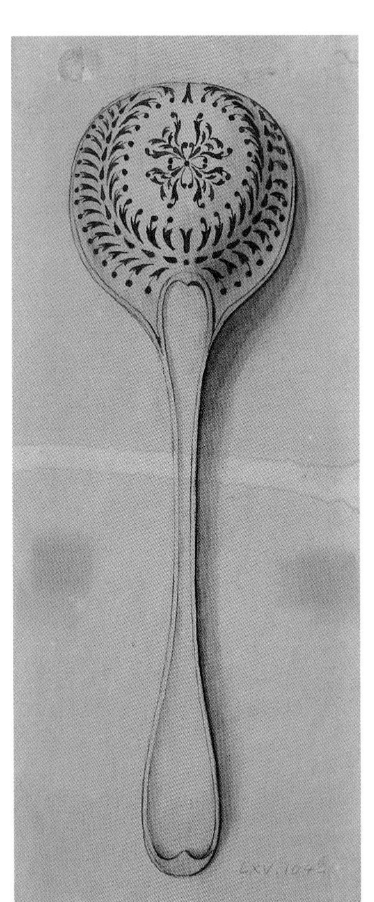

Strasbourg, *Dessin d'une cuiller à sucre, modèle à simple filet*, vers 1770-1780, encre et lavis sur papier, 26 x 20,9 cm, Strasbourg, Cabinet des estampes et des dessins, Inv. LXV.75

57. CUILLER À SUCRE

1759-1789
Johann Gottfried Stahl
(maître en 1759)
Argent
L. 22,6 cm ; Ø 7 cm
Poinçons : petit 13 à fleur de lis ; double B couronné ; poinçon du maître ; poinçon de garantie (tête de sanglier, en usage à partir de 1838), associé à un poinçon de bigorne (insecte, en usage à partir de 1838).

EXPOSITION : 1948, Strasbourg, n° 705.
BIBLIOGRAPHIE : *Compte-rendu 1923-1926*, pp. 13-14 ; Haug (H.), 1978, n° 200.
Inv. XXV.56

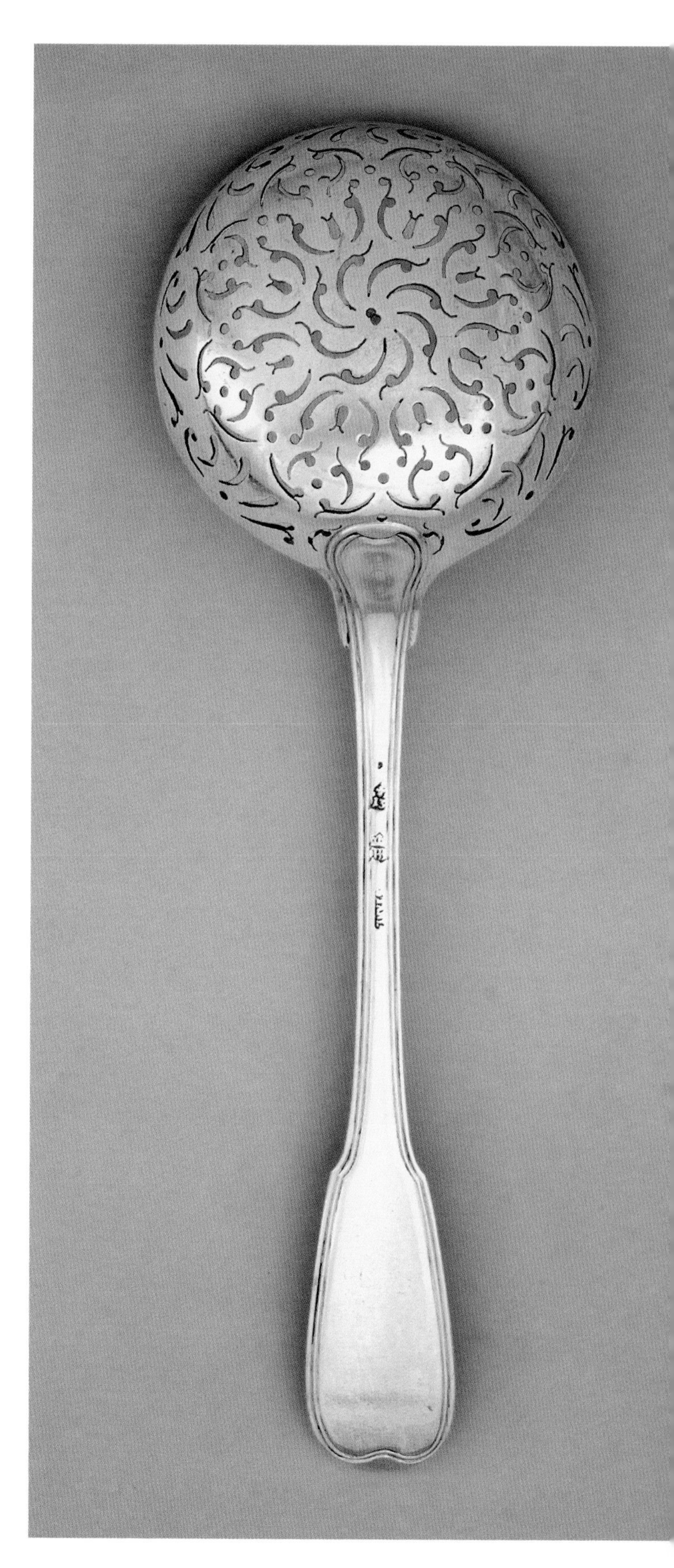

Modèle à filets. Cuilleron sans filet, orné d'un décor reprenant l'organisation traditionnelle du repercé avec rosace tournante, axes et rinceaux à motifs de feuilles et de perles.
Le poinçon double B est exceptionnel. Il correspond à une innovation mentionnée dans *l'Almanach Royal* de 1756 qui prévoyait l'apposition d'un poinçon correspondant au sigle de la Monnaie de Strasbourg.
Cette cuiller à sucre ainsi que celle figurant au n° 55 du catalogue ont été acquises chez l'antiquaire Pagenet, 95, rue des Petits-Champs, à Paris.

Achat, Paris, 1925.

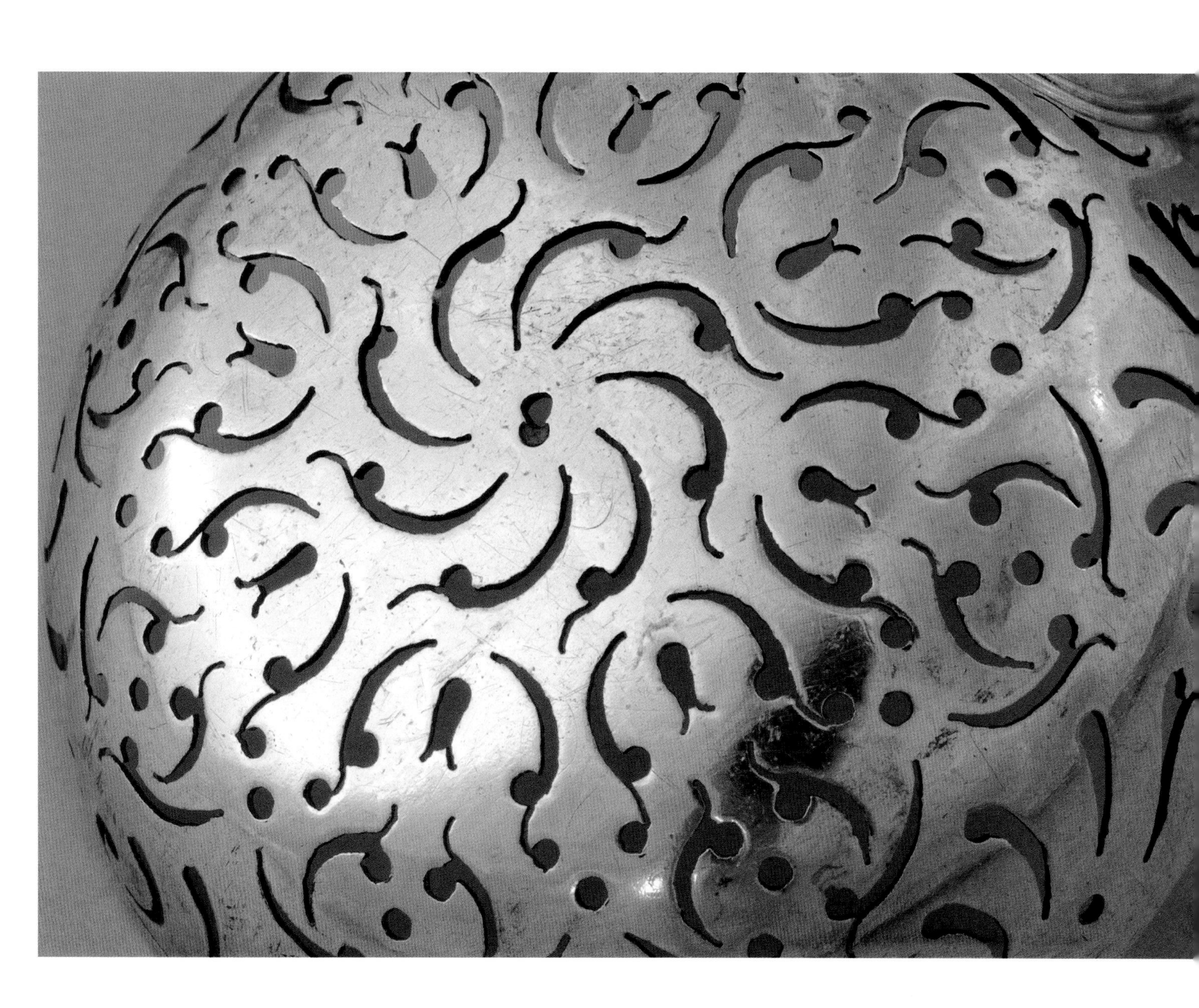

58. PINCE À SUCRE

1750-1789
Johann Heinrich Oertel
(1717-1796, maître en 1749)
Argent doré
L. 14,2 cm ; l. 2,2 cm ; P. 3,7 cm
Poinçons : 13 à fleur de lis
(menus ouvrages 1750-1789) ;
poinçon du maître ; poinçon
de garantie à l'importation (cygne,
en usage depuis 1893), assorti
d'un poinçon de bigorne (insecte,
en usage à partir de 1838).

EXPOSITION : 1964, Paris, n° 74.
BIBLIOGRAPHIE : Haug (H.), 1978,
n° 193 ; *Objets civils domestiques*,
1984, p. 271, ill. 1356.
Inv. LXVI.11

Pince à sucre ajourée de motifs d'écailles entrelacées et de quartefeuilles rehaussés de gravures. Les côtés ondoyants des bras, soulignés d'une frise de vagues gravée, se terminent par des coquilles. L'ensemble a été vraisemblablement coulé à plat puis ajouré, repercé, gravé et, dans un dernier temps, progressivement plié dans sa forme définitive de pince à deux bras.

Le pain de sucre – ou casson – nécessite, une fois broyé, l'utilisation du sucrier à dôme ou de la cuiller à sucre. Lorsque le casson est simplement fragmenté à l'aide de petites haches, la pince à sucre permet de se servir de sucre en morceaux. Son usage se généralise au XIXe siècle.

Legs Hans Haug, 1966.

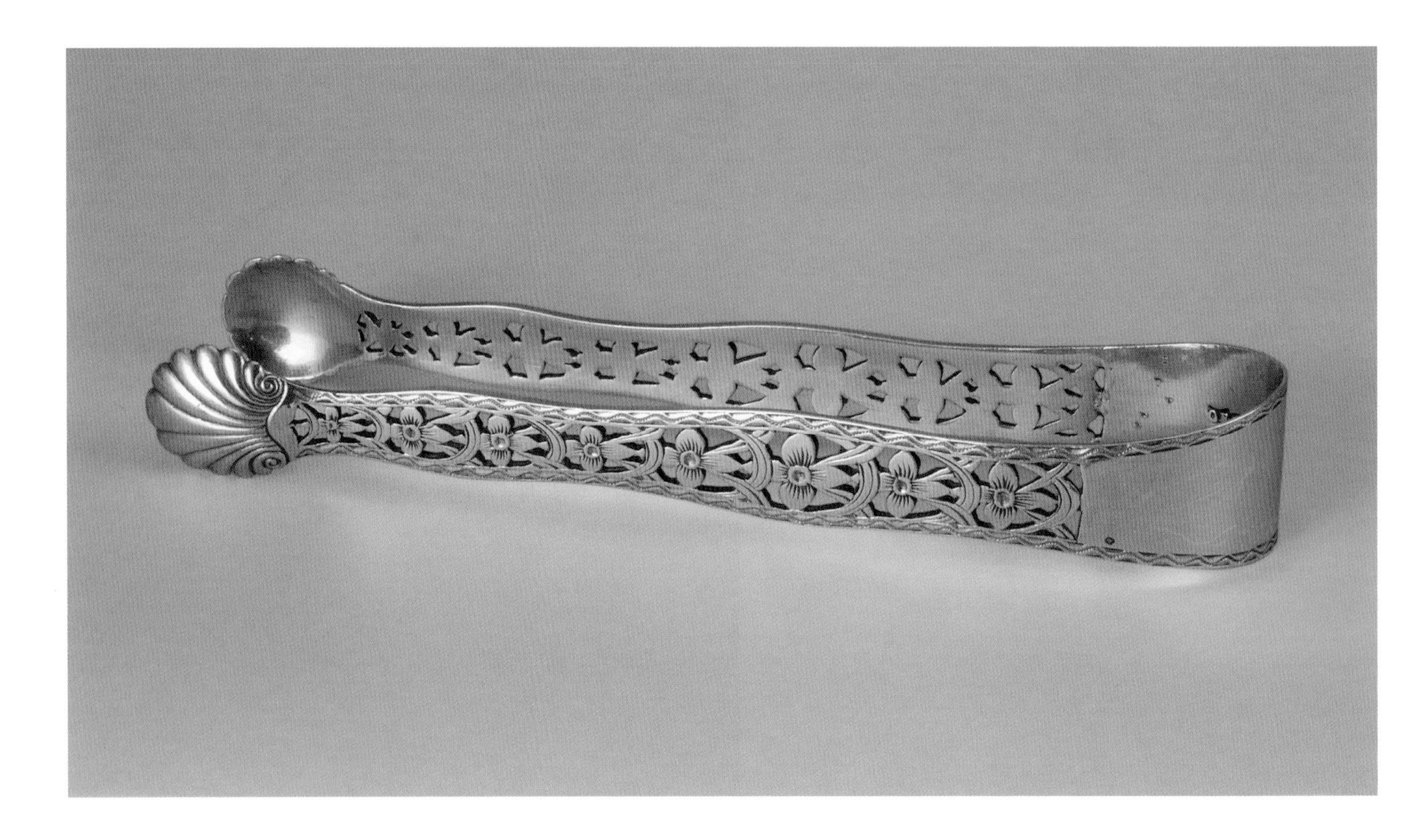

59. PINCE À SUCRE

1809-1819
Jean Louis Buttner (1769-1840, maître en 1786)
Argent doré
L. 13,6 cm ; l. 1,9 cm ; P. 5,2 cm
Poinçons : poinçons de second titre et de moyenne garantie (années 1809-1819) ; poinçon du maître.

Bibliographie : Haug (H.), 1978, n° 206.
Inv. 33.004.0.95

Pince à sucre ajourée de rinceaux entrelacés. Les bras se terminent par des spatules circulaires. Palmes, filets et frise de vagues gravés accentuent la simplicité du parti décoratif également adopté pour la pelle à tarte du même auteur (cat. 61).

Legs Claparède, Argenteuil, 1925.

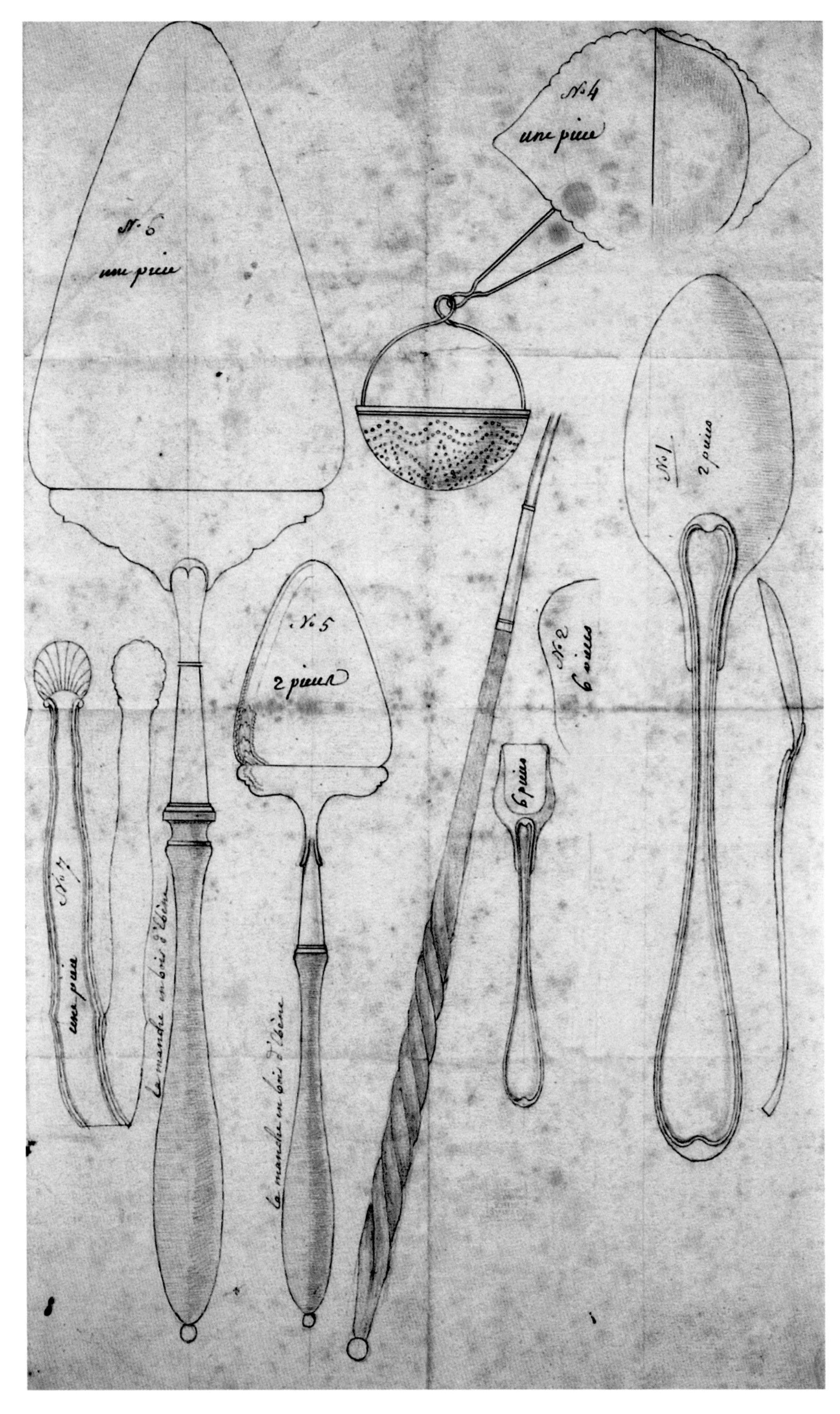

Strasbourg, *Dessin représentant divers couverts à servir : pince à sucre, pelle à tarte, pelle à beurre, passoire à thé, cuiller à punch, pelle à sel, pelle à glace vue de dos et de profil, cuiller de service*, dernier quart du XVIIIe siècle, encre et crayon noir, 40 x 24,5 cm, Strasbourg, Cabinet des estampes et des dessins. Inv. LXV.76

60. PINCE À GÂTEAU

1809-1819
Jacques Frédéric Kirstein
(1765-1838, établi en 1795)
Argent doré
L. 25,7 cm ; l. 7,3 cm ; P. 2,3 cm
Poinçons : poinçon du maître ; poinçons de second titre et de moyenne garantie (années 1809-1819).

EXPOSITIONS : 1948, Paris, n° 312 ; 1948, Strasbourg, n° 673 ; 1964, Paris, n° 156.
BIBLIOGRAPHIE : *Compte-rendu 1945-1950*, p. 190 ; Haug (H.), 1978, n° 207.
Inv. LII.47

Pince en forme de ciseaux composée de deux spatules dentelées sur les faces internes et plates sur les faces externes. Ces dernières reçoivent un décor de feuilles d'acanthe et de mandorles fondues et rapportées. Un fin décor de palmettes et de rinceaux gravé guilloché prolonge ces motifs. Le pourtour des spatules est souligné d'un filet guilloché, celui des prises en anneaux d'une frise de perles. La charnière des deux branches est ornée d'une rosace ciselée sur fond guilloché. La mandorle, à l'élégant motif de tête de Méduse entourée d'une gloire rayonnante délimitée par un filet et une frise de perles, est reprise à l'identique sur le piètement ajouré des flambeaux en argent de François Daniel Imlin (cat. 97), contemporains de la pince à gâteau.

Achat Strasbourg, 1952.

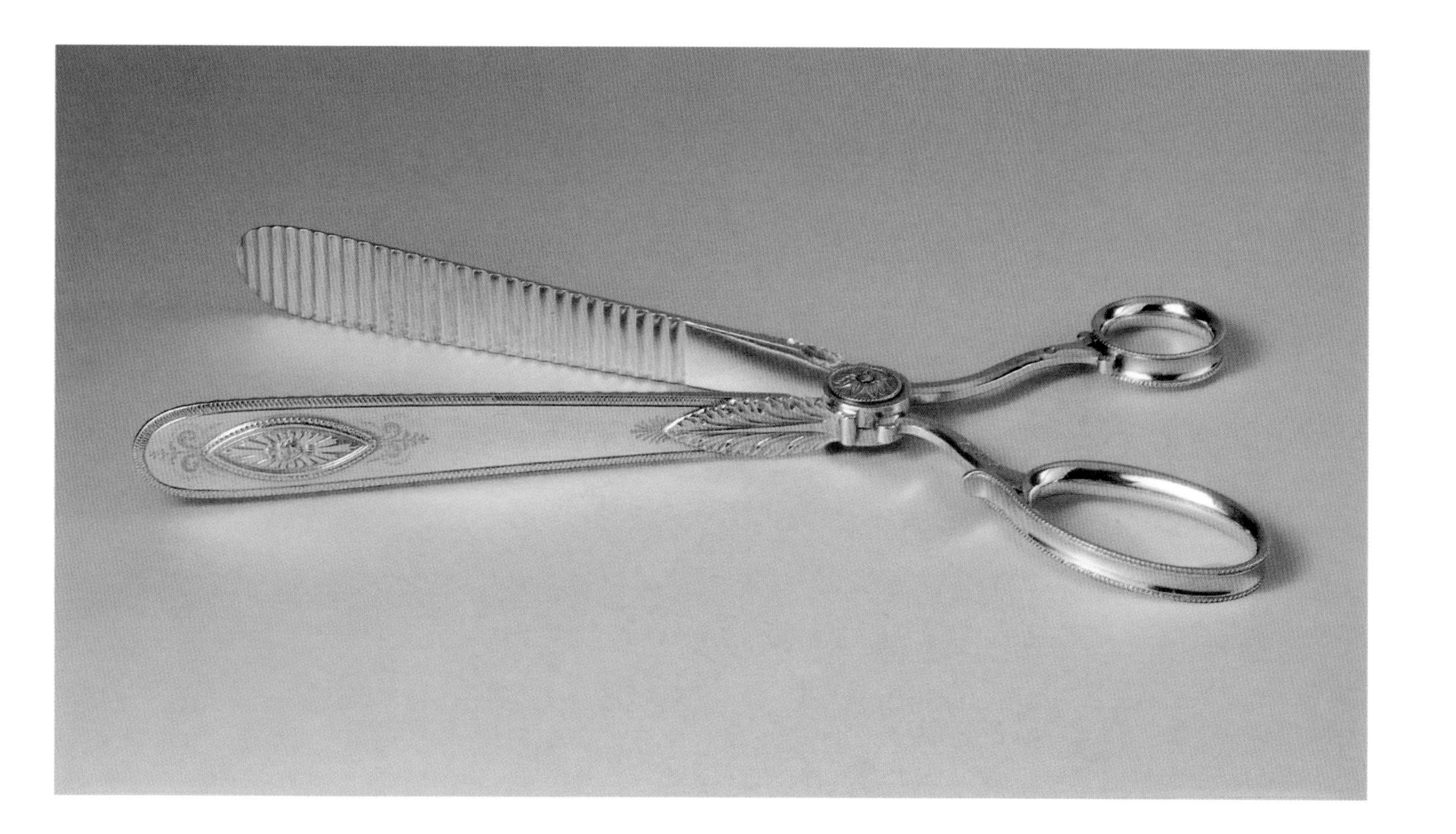

61. PELLE À TARTE

1809-1819
Jean Louis Buttner (1769-1840, maître en 1786)
Argent doré, ébène et ivoire
L. 37 cm ; l. 8,5 cm ; P. 7,5 cm
Poinçons : poinçons de second titre et de moyenne garantie (années 1809-1819) ; poinçon du maître.

BIBLIOGRAPHIE : Haug (H.), 1978, n° 205.
Inv. 33.004.0.96

Courtot, *Étiquette de firme de l'orfèvre Jean Louis Buttner*, second quart du XIXe siècle, gravure, 6,8 x 9,2 cm, Strasbourg, Cabinet des estampes et des dessins.
Inv. 77.004.0.20

Pelle à tarte avec manche en ébène tourné et terminé par une petite boule d'ivoire. La pelle est ajourée en forme de palmette agrémentée de joncs dont les bourgeons feuillagés sont traités dans un ton d'or jaune contrastant avec le ton dominant d'or rouge. L'ensemble est rehaussé de gravures et d'incisions à la molette, notamment sur le pourtour où court une frise de vagues entre deux rangs de pointillé. Le raccordement de la pelle au manche est constitué d'un cul-de-lampe convexe animé par un décor gravé de tiges sinueuses perlées prenant naissance à la base du manche.

Le poinçon de maître losangique, comprenant la lettre B surmontée d'une cigogne, évoque l'enseigne de la boutique de « Jean Louis Buttner cadet » dont une étiquette de firme est conservée au Cabinet des estampes et des dessins de Strasbourg : « AUX DEUX CIGOGNES, Rue des Orfèvres, vis-à-vis celle du Chaudron, n° 10. Buttner le Jne Md Orfèvre Bijoutier. Fabrique et vend tout ce qui concerne son Etat en Ouvrages d'or, d'argent et de Vermeil. A STRASBOURG. »

Legs Claparède, Argenteuil, 1925.

62. PELLE À BEURRE

1773
Johann Friderich Fritz
(maître en 1752, mort en 1780)
Argent doré, ébène et ivoire
L. 18,7 cm ; l. 4,6 cm
Poinçons : poinçon du maître ;
13 à fleur de lis ; lettre d'année X
à fleur de lis (1773).

EXPOSITIONS : 1948, Strasbourg, n° 620 ; 1964, Paris, n° 86 (l'illustration ne correspond pas à l'objet).
BIBLIOGRAPHIE : *Compte-rendu 1927-1931*, p. 18 ; Haug (H.), 1978, n° 198 ; *Objets civils domestiques*, 1984, p. 269, ill. 1346.
HISTORIQUE : dans les publications précédentes, faussement attribué à Catherine Marguerite Vogt, veuve de Johann Friderich Fritz.
Inv. XXX.10

Sous leurs cimiers respectifs, armes d'alliance de François Jean Henri Nicolas de Bodeck d'Elgau, lieutenant-colonel, directeur de la noblesse de Basse-Alsace, et de Marie Euphémie Boecklin de Boecklinsau.
Pelle à beurre de forme triangulaire aux angles arrondis, le bord gravé d'une frise composée d'un branchage feuillagé et d'un filet entrelacés, le centre gravé d'armoiries. Manche en ébène tourné se terminant par un bouton d'ivoire tourné en balustre.

Achat, Strasbourg, 1930.

63. PELLE À BEURRE

Seconde moitié du XVIIIe siècle
Argent doré et ébène
L. 21,7 cm ; l. 4,6 cm
Inv. 33.004.0.97

Sous une couronne comtale, armoiries de la famille de Lewenhaupt gravées sur le dessus de la pelle.
Pelle à beurre de forme triangulaire aux angles arrondis, se raccordant par une découpe en accolade à l'attache ouvragée du manche. Motif central armorié. Manche en ébène tourné.
La provenance de l'objet ainsi que ses caractéristiques stylistiques et techniques permettent de le situer dans le contexte de la production strasbourgeoise. Deux pelles à beurre de Jean Louis (III) Imlin et deux autres d'un modèle similaire, non poinçonnées, figurent au n° 62 du catalogue Sotheby's, Paris, vente du 18 décembre 2002.

Legs Claparède, Argenteuil, 1925.

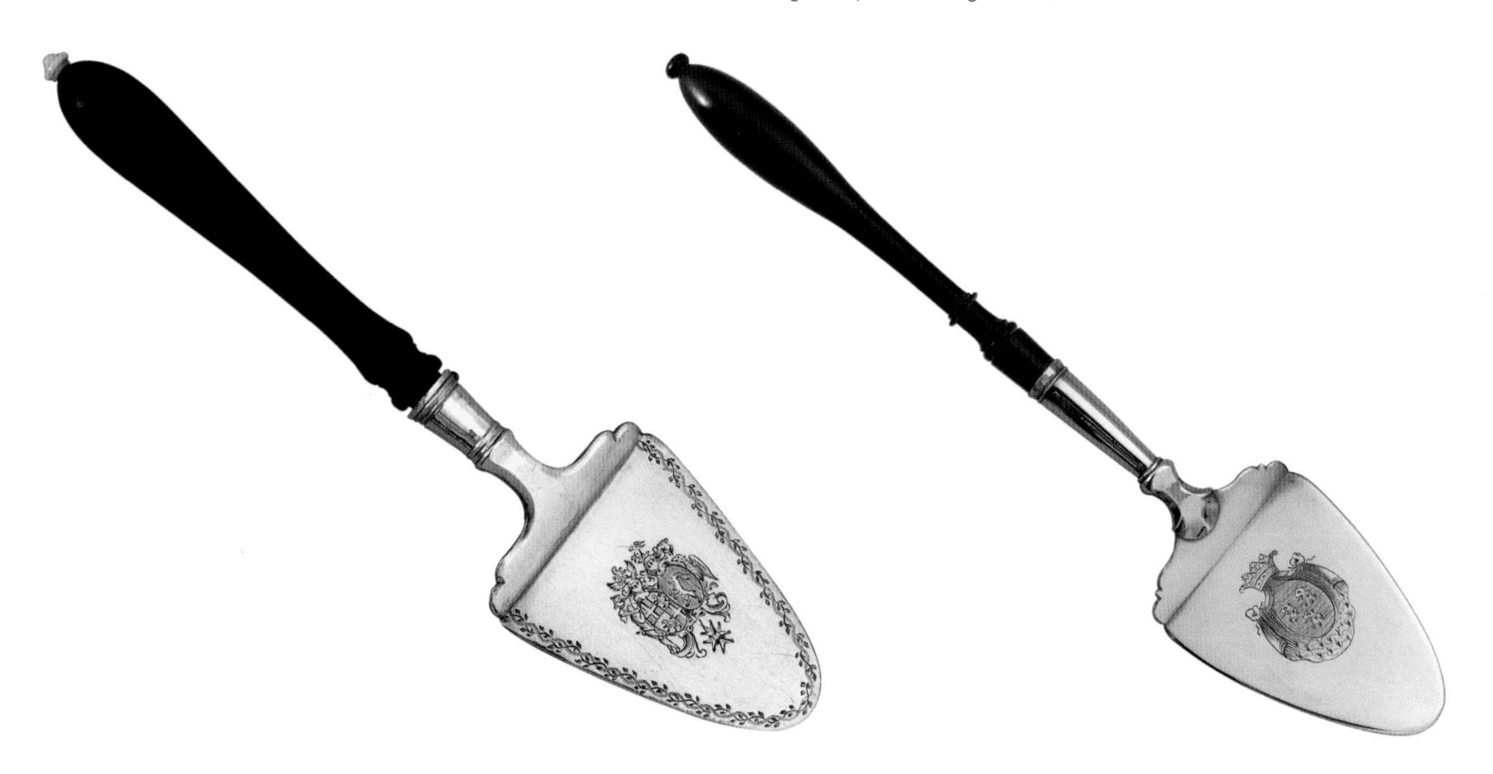

64. AIGUIÈRE ET BASSIN

Deuxième quart du XVIIIe siècle
Johann Jacob Ehrlen
(né en 1700, maître en 1728)
Argent partiellement doré
Aiguière : H. 27 cm ; l. 12,5 cm ; P. 17,3 cm
Bassin : P. 3,5 cm ; Ø 39,6 cm
Poinçons : 13 à fleur de lis (1736-1750) ; poinçon du maître.

EXPOSITIONS : 1948, Paris, n° 252 ; 1948, Strasbourg, n° 612 ; 1964, Paris, n° 34 ; 1978, Strasbourg, n° 61, pl. II ; 1981, Strasbourg, n° 299.
BIBLIOGRAPHIE : *Compte-rendu 1945-1950*, p. 190 ; Haug (H.), 1978, n° 71 ; Haug (G.), 1984, p. 126.
HISTORIQUE : acquis avec le concours financier du collectionneur parisien D. David-Weil.
Inv. IL.70 a et b

Aiguière de forme balustre reposant sur un piédouche à godrons dorés. Le corps de l'objet est divisé en trois registres par deux ressauts moulurés et dorés. Toute la décoration ciselée est rehaussée de dorure de même que le bec verseur et l'anse. La partie inférieure du corps de l'aiguière est ornée de feuilles d'eau alternant avec des entrelacs en applique de style Bérain. Deux frises de lambrequins à décor d'arabesques sur fond amati ceinturent le col et attirent l'attention sur le verseur agrémenté d'un mascaron en relief représentant un sauvage portant une couronne de plumes. L'ouverture du verseur en bec-de-canard, l'enroulement de l'appui-pouce et l'anse en forme de volutes enchaînent une succession de courbes et de contre-courbes qui viennent animer de façon dynamique la partie supérieure de l'objet. Le couvercle bordé de godrons dorés, en rappel du piédouche, est orné d'une frise de lambrequins et comporte un bouton de prise en forme de fleur, reposant sur une terrasse ciselée d'un motif de rosace. Le décor de ce couvercle est à mettre en parallèle avec celui du gobelet de Johann Ludwig (II) Imlin daté de 1731 (cat. 15). L'aiguière est d'un modèle répandu des années 1720 aux années 1740 en France[13].

Le bassin circulaire à bord godronné est décoré de deux lambrequins de feuillages, d'entrelacs et de treillis ciselés et dorés : l'un sur le bord extérieur du marli et l'autre à la naissance du bassin. Le centre de la cuvette comporte un ombilic en forme de terrasse dont le talus est orné d'une frise de rais-de-cœur. Une rosace d'arabesques en agrémente le centre. Le piédouche de l'aiguière vient se caler sur la terrasse de ce piédestal.

La répartition des surfaces unies, en argent, et des parties ornementales, dorées, est savamment équilibrée et confère un caractère à la fois précieux et élégant à l'ensemble qui se distingue aussi par la grande finesse du travail de ciselure.

L'aiguière sert au lavage des mains avant et après le repas ; elle est aussi un objet très apprécié pour son aspect décoratif dans l'ordonnancement des buffets installés à l'entrée de la salle où la table est dressée pour les convives, ou dans son antichambre. Sur ces buffets à gradins se mêlent objets utilitaires et décoratifs, vins et victuailles, dans des compositions souvent très élaborées qui se doivent d'arrêter l'œil par la présence de riches pièces d'orfèvrerie et de fruits frais ou confits dont les couleurs vives répondent à l'éclat de l'argent et de l'or. Les peintres, tels Jean Siméon Chardin, François Desportes ou Jean-Baptiste Oudry, en ont laissé des représentations qui permettent d'apprécier le caractère spectaculaire de ces mises en scène.

Achat, Strasbourg, 1949.

13. Un modèle identique mais sans ornementation ciselée, œuvre de l'orfèvre parisien Claude Alexis Moulineau (1732-1733) est conservé au Metropolitan Museum of Art de New York (Dennis (F.), 1960, p.175, ill. p. 174).

65. SURTOUT DE TABLE

1711-1751
Wilhelm Schmit (maître en 1711)
Argent et fer
H. 5,5 cm ; l. 48 cm ; P. 38,5 cm
Poinçons : 13 à fleur de lis ; poinçon du maître ; plusieurs poinçons de garantie à l'importation (cygne, en usage depuis 1893), certains associés au poinçon de bigorne (insecte, en usage à partir de 1838).

Bibliographie : Ludmann, 1982, n° 14, non paginé.
Inv. 33.981.2.1

Surtout de table de format rectangulaire à côtés légèrement concaves et aux angles coupés reposant sur quatre pieds en forme de lions accroupis. La bordure extérieure est constituée d'une alternance de ressauts, de frise d'oves et de frise de perles. Le plateau est gravé en son centre d'un important décor armorié environné d'arabesques dans le style de Jean Bérain, comprenant guirlandes, feuilles d'acanthe, sphinges et écureuils accostés d'un panier de noisettes. Le travail de gravure est particulièrement élaboré. Vissée sous le revers, une structure en fer découpé vient rigidifier le plateau.

Le surtout est disposé au centre de la table pour l'orner. Il peut être constitué d'un simple plateau appelé à recevoir des objets fonctionnels tels que salières, sucriers à poudre, boîtes à épices et huiliers, ou bien se présenter sous une forme plus élaborée avec bras de lumière, pyramide pour la présentation de fruits et de confiseries, jardinières ou terrines, associés à des éléments purement décoratifs évoquant le thème du repas, des motifs cynégétiques par exemple.

Achat, Paris, 1981.

66. HUILIER

1767
Johann Jacob Kirstein
(1733-1816, maître en 1760)
Argent partiellement doré et cristal
H. 22 cm ; l. 24,4 cm ; P. 15,8 cm
Poinçons : 13 couronné ; poinçon du maître ; lettre d'année Q couronnée (1767) ; poinçon de garantie à l'importation (cygne, en usage depuis 1893), assorti d'un poinçon de bigorne (insecte, en usage à partir de 1838).

EXPOSITIONS : 1964, Strasbourg, n° 112 ; 1978, Strasbourg, n° 85.
BIBLIOGRAPHIE : *Compte-rendu 1945-1950*, p. 190 ; Haug (H.), 1978, n° 121.
HISTORIQUE : achat par la Société des amis des musées, Paris, 1949.
Inv. IL.1

Armoiries non identifiées surmontées d'une couronne de baron, gravées sous l'Empire aux deux extrémités de la nacelle. Jusque vers 1725, les huiliers affectent la forme d'une cuvette ovale couverte, percée d'ouvertures dans lesquelles s'insèrent les flacons. L'huilier de Kirstein est représentatif du nouveau type qui s'impose après cette date. Sur un plateau en gondole aux bords contournés de volutes et moulurés, soutenu par de petits pieds feuillagés caractéristiques du style rocaille, sont fixés deux porte-flacons cylindriques ajourés qui maintiennent les carafons, tandis que deux supports plus petits, en forme d'anneaux, sont destinés à recevoir les bouchons lorsque l'on se sert des bouteilles. Ces supports, ainsi que les flacons en cristal gravé et taillé, sont décorés – comme c'est presque toujours le cas sur les huiliers d'époque Louis XV – de rameaux d'olivier et de pampres. En effet, l'huile est à l'époque tirée de l'olive et le vinaigre du vin. L'intérieur des bouchons est doré afin de protéger l'argent de l'oxydation aux endroits où il est en contact avec le contenu des carafons.
Kirstein s'inspire vraisemblablement ici d'un modèle parisien[14].

Don de la Société des amis des musées de Strasbourg, 1949.

14. Un huilier de même modèle, œuvre de l'orfèvre bâlois Johann Ulrich (III) Fechter (vers 1770), est conservé au Musée national de Zurich (LM 30004). Figurant au catalogue de la vente Sotheby's, Paris, 18 décembre 2002 (n° 70, ill. p. 32), un huilier de Jean Henri Oertel de 1756-1757 comporte une nacelle similaire.

67. HUILIER

1774
Nathanaël Jacob Horning (maître en 1774, attesté jusqu'en 1787)
Argent et verre
H. 22 cm ; l. 31 cm ; P. 14,2 cm
Poinçons : poinçon du maître ; lettre d'année Y couronnée (1774) ; 13 couronné.

Expositions : 1926, Paris, n° 650 ; 1948, Paris, n° 307 ; 1948, Strasbourg, n° 630.
Bibliographie : *Compte-rendu 1923-1926*, p. 14, ill. 14 ; Haug (H.), 1978, n° 138 ; Haug (G.), 1984, p. 133 ; Alemany-Dessaint, 1988, p. 144, ill. 1.
Inv. XXIII.58

Huilier constitué d'un plateau à bord mouluré et mouvementé soutenu par quatre pieds en double volute à enroulement intérieur. Ces pieds sont soudés au bord du plateau ainsi que les prises en forme de deux feuilles d'acanthe réunies par une agrafe. Les porte-flacons, entièrement ajourés, sont constitués de volutes et de coquilles rocaille alternant soit avec des branchages d'olivier, soit avec des rameaux de vigne suspendus par des rubans. Ces porte-flacons, réalisés selon la technique de la fonte, ont ensuite été limés, repoussés, ciselés et gravés. Ils sont fixés au plateau par un écrou de même que le porte-bouchons central. Les carafons en verre taillé comportent des bouchons en argent à décor de chicorée surmonté l'un d'une grappe de raisin, l'autre d'une petite branche d'olivier permettant d'en identifier le contenu.
La réalisation de l'objet est contemporaine de l'accession de l'orfèvre à la maîtrise.

Achat, Strasbourg, 1923.

68. HUILIER

1786
Jacques Henri Alberti
(1730-1795, maître en 1764)
Argent
H. 8 cm ; l. 26,5 cm ; P. 11,6 cm
Poinçons : 13 à fleur de lis ;
poinçon du maître ;
chiffre d'année 2 sous casque
à panache (1786).

BIBLIOGRAPHIE : Haug (H.), 1978,
n° 136.
Inv. LI.26

Huilier constitué d'un plateau à bord mouvementé et mouluré de filets, soutenu par quatre petits pieds à double volute rentrante. Ces pieds sont soudés au bord du plateau ainsi que les deux anses moulurées à attaches et sommets de feuillage savamment entrelacés. Les porte-flacons sont en forme de corbeilles cylindro-coniques ajourées et repercées de motifs d'entrelacs réguliers de style néoclassique, contrairement au plateau encore résolument Louis XV. Ces deux réceptacles, ainsi que le porte-bouchons, sont fixés par des écrous au plateau. Flacons manquants.

Entré dans les collections en 1951.

69. HUILIER

1788
Veuve Fritz
(dirige l'atelier de 1780 à 1789)
Argent et verre
H. 24 cm ; l. 23 cm ; P. 12,8 cm
Poinçons : chiffre d'année 4
sous casque à panache (1788) ;
poinçon du maître ;
13 couronné.

EXPOSITIONS : 1948, Paris, n° 272 ;
1948, Strasbourg, n° 628 ; 1978,
Strasbourg, n° 83.
BIBLIOGRAPHIE : *Compte-rendu 1922*,
p. 7 ; Haug (H.), 1978, n° 116.
Inv. 33.004.0.98

Contrairement aux modèles Louis XV, cet huilier, de style résolument néoclassique, se présente sous la forme d'une terrasse à la base ajourée d'une frise de méandres. Elle repose sur quatre pieds en feuilles d'acanthe se terminant par des griffes, tandis que deux mufles de lion mordant un anneau mobile viennent agrémenter les extrémités arrondies de la terrasse. Les porte-flacons de forme cylindrique sont ajourés de motifs d'entrelacs et de méandres repercés. Le bord supérieur de ces porte-flacons est souligné d'une torsade rapportée. Au centre, le système de préhension verticale se compose d'un anneau relié par une tige à une base en forme de colonne tronquée. Des torsades y sont appliquées dans la partie sommitale. Flacons en verre taillé réassortis.

Achat, 1922.

70. SAUCIÈRE AVEC PRÉSENTOIR

1809-1819
Jacques Frédéric Kirstein
(1765-1838, établi en 1795)
Argent partiellement doré
H. 22,2 cm ; l. 25,7 cm ; P. 18 cm
Poinçons :
– saucière : les deux poinçons du maître (poinçon rectangulaire avec le nom *KIRSTEIN* en lettres majuscules et poinçon losangique vertical comprenant l'initiale K surmontée de trois cerises) ; poinçons de moyenne garantie et de second titre (années 1809-1819); poinçon de garantie à l'importation (cygne, en usage depuis 1893), associé à un poinçon de bigorne (insecte, en usage à partir de 1838) ;
– présentoir : les deux poinçons du maître (poinçon rectangulaire avec le nom *KIRSTEIN* en lettres majuscules et poinçon losangique vertical comprenant l'initiale K surmontée de trois cerises); poinçons de moyenne garantie et de second titre (années 1809-1819).

Expositions : 1948, Strasbourg, n° 670 ; 1978, Strasbourg, n° 105.
Bibliographie : Haug (H.), 1914, ill. 12 ; *Jahresbericht 1911*, pp. 10 et 11, ill. 9 ; Haug (H.), 1978, n° 158.
Inv. 7312 a et b

Saucière ovale en forme de nacelle reposant sur un piédouche venant s'emboîter sur le présentoir. Le corps du récipient est uni et le bord extérieur finement mouluré. Intérieur doré. L'ornementation se cantonne au décor du bec verseur agrémenté d'une tête d'homme barbu en relief environnée d'un décor gravé de branches de laurier entrecroisées, le tout surmonté d'une palmette accostée de rinceaux gravés sur fond amati. L'anse est constituée d'une élégante volute à feuilles d'acanthe, dont l'enroulement sommital est raccordé au bord supérieur de la saucière par deux branches de laurier perlées retombant sous la mouluration du bord. Les feuilles d'acanthe et les branches de laurier sont traitées en amati, ce qui accentue leur rendu naturaliste.

Le présentoir ovale repose sur quatre pieds en forme de chimère ailée à pied monopode en griffe. Le bord extérieur plat est ciselé d'une frise de rais-de-cœur. Sur le dessus, le pourtour extérieur comprend des appliques ornées de palmettes, feuillages et rosaces en relief se détachant sur fond amati. Elles sont reliées entre elles par des branches de laurier ciselées. La moulure du ressaut central est agrémentée d'une frise de festons alternativement perlés et feuillagés, ciselée sur fond amati.
Le répertoire ornemental emprunté par Kirstein est semblable à celui utilisé par les orfèvres parisiens sous l'Empire.

Achat, Strasbourg, 1910.

71. PAIRE DE SALIÈRES

1766
Johann Ludwig (III) Imlin
(1722-1768, maître en 1746)
Argent partiellement doré
H. 4,7 cm ; Ø 8,5 cm
Poinçons : 13 couronné ; poinçon du maître ; lettre d'année P couronnée (1766).

EXPOSITIONS : 1926, Paris, n° 633 ; 1948, Strasbourg, n° 641 ; 1978, Strasbourg, n° 77.
BIBLIOGRAPHIE : *Compte-rendu 1923-1926*, p. 13, ill. 14 ; Haug (H.), 1978, n° 104 ; *Objets civils domestiques*, 1984, p. 137, ill. 672.
Inv. XXIII. 92 a et b
INSCRIPTION : monogramme J.C.S. gravé postérieurement sur la face avant du corps de l'objet.

Ce modèle de salière ovale est la parfaite expression du style rocaille puisant son répertoire ornemental dans la nature, en s'inspirant notamment du monde marin, avec ses coquillages et ses coraux, dont les formes contournées correspondent parfaitement à l'esthétique nouvelle. Le corps de l'objet est uni mais animé à la base par un mouvement ondoyant évoquant l'élément aquatique dans un jeu de courbes et contre-courbes. Le couvercle en forme de coquillage au contour irrégulier, fixé par une charnière au bord de la salière, découvre les deux compartiments destinés à recevoir le gros sel et le sel fin ou le sel et le poivre. Ces compartiments ainsi que le revers du couvercle sont dorés afin d'éviter leur corrosion sous l'action du sel.
Ce modèle connaît un grand succès tout au long du siècle tant à Paris qu'en province, des années 1740 jusque dans les années 1770. L'archétype pourrait en être un modèle de l'orfèvre parisien Thomas Germain (1673-1748).

Achat, Strasbourg, 1923.

72. PAIRE DE SALIÈRES

Vers 1763-1789
Georges Frédéric Hubmeyer
(né en 1734, maître après 1762)
Argent doré et verre
H. 4 cm ; Ø 7,7 cm
Poinçons : poinçon du maître ; petit 13 à fleur de lis (petits ouvrages).

Exposition : 1978, Strasbourg n° 97.
Bibliographie : Haug (H.), 1978, n° 140.
Inv. LXV. 103 a et b

Salières tripodes de forme circulaire, à décor ajouré de branchages fleuris. Le dessus est orné d'un anneau biseauté et cannelé recevant la doublure en verre taillé.

Don René Simon, 1965.

73. PAIRE DE SALIÈRES

Vers 1763-1789
Georges Frédéric Hubmeyer
(né en 1734, maître après 1762)
Argent
H. 3,9 cm ; Ø 7,5 cm
Poinçons : poinçon du maître ; petit 13 à fleur de lis (petits ouvrages).

EXPOSITION : 1948, Strasbourg, n° 931.
BIBLIOGRAPHIE : *Compte-rendu 1919-1921*, p. 18 ; Haug (H.), 1978, n° 139.
Inv. XXI. 162

Salières tripodes de forme circulaire, à décor ajouré de branchages fleuris identiques aux salières figurant au n° 72 du catalogue. Seule variante : le dessus du piétement est ajouré de trois nœuds de ruban, au droit de chaque pied, reliés entre eux par un ruban sinueux. Doublures en verre manquantes.

Achat, 1921.

74. PAIRE DE SALIÈRES

1798-1809
Jacques Frédéric Kirstein
(1765-1838, établi en 1795)
Argent et verre
H. 4,2 cm ; Ø 6 cm
Poinçons : poinçon du maître ; poinçon de petite garantie (faisceau de licteur, années 1798-1809).

EXPOSITION : 1978, Strasbourg, n° 103.
BIBLIOGRAPHIE : *Compte-rendu 1945-1950*, p. 190 ; Haug (H.), 1978, n° 160.
Inv. LV.32 a et b

Salière de forme circulaire constituée de deux anneaux moulurés reliés entre eux par trois montants en métal coulé et ciselé formant piétement. Rivetés et soudés sur les anneaux, les montants sont constitués de deux accolades affrontées en V reposant sur un pied feuillagé. Une chaînette est suspendue entre les montants. Doublures en verre bleu cobalt dont l'une est moderne.

Achat, Strasbourg, 1955.

75. ENSEMBLE DE QUATRE SALIÈRES

1798-1809
Jean Louis Buttner
(1769-1840, maître en 1786)
Argent et jaspe
H. 7,5 cm ; Ø 8,6 cm
Poinçons : poinçon du maître ; poinçons de second titre et de grosse garantie (années 1798-1809).

EXPOSITION : 1978, Strasbourg, n° 102.
BIBLIOGRAPHIE : Haug (H.), 1978, n° 154.
Inv. 33.004.0.99 (1-4)

Salière de forme circulaire dont le modèle s'inspire d'un trépied à l'antique. Les pieds en gaine lisse sont ornés à la base d'un sabot et à leur extrémité supérieure d'une tête d'aigle finement gravée. Ils enserrent un anneau dont le rebord est ciselé d'un tore de laurier perlé. La doublure, en jaspe sanguin taillé en facettes à l'extérieur et en arrondi à l'intérieur, est soutenue par l'entretoise. Conservé au Cabinet des estampes et des dessins de Strasbourg, un dessin aquarellé représente un huilier d'un style très proche.

Legs Claparède, Argenteuil, 1925.

76. PAIRE DE SALIÈRES

1798-1809
François Daniel Imlin (1757-1827, maître en 1780)
Argent et verre
– XXXVI.2 a : H. 6,2 cm ; l. 11,5 cm ; P. 8,7 cm
– XXXVI.2 b : H. 5,4 cm ; l. 11,5 cm ; P. 9 cm
Poinçons :
– XXXVI.2 a : les deux poinçons du maître ; poinçons de second titre et de moyenne garantie (années 1798-1809) ; poinçon de garantie (crabe, en usage à partir de 1838), associé à deux poinçons de bigorne (anthia et fourmi, en usage à partir de 1838).
– XXXVI.2 b : poinçon du maître (losangique) ; poinçons de second titre et de moyenne garantie (années 1798-1809) ; poinçon de garantie (crabe, en usage à partir de 1838), associé à un poinçon de bigorne (insecte, en usage à partir de 1838).
Exposition : 1978, Strasbourg, n° 100.
Bibliographie : Haug (H.), 1978, n° 150.
Inv. XXXVI.2 a et b

Salière de forme ovale constituée de deux anneaux ajourés d'un motif d'entrelacs. Ils sont maintenus entre eux par quatre montants en console en forme de grecque formant à la fois prise et piétement. La monture entièrement lisse, hormis la frise d'entrelacs estampée, reçoit une doublure en verre bleu cobalt gravée sous le fond d'une rosace en forme de marguerite.

Achat, Strasbourg, 1936.

Strasbourg, *Dessin d'un huilier*, vers 1800, encre et lavis sur papier, 42,6 x 27,7 cm, Strasbourg, Cabinet des estampes et des dessins. Inv. LXV.39

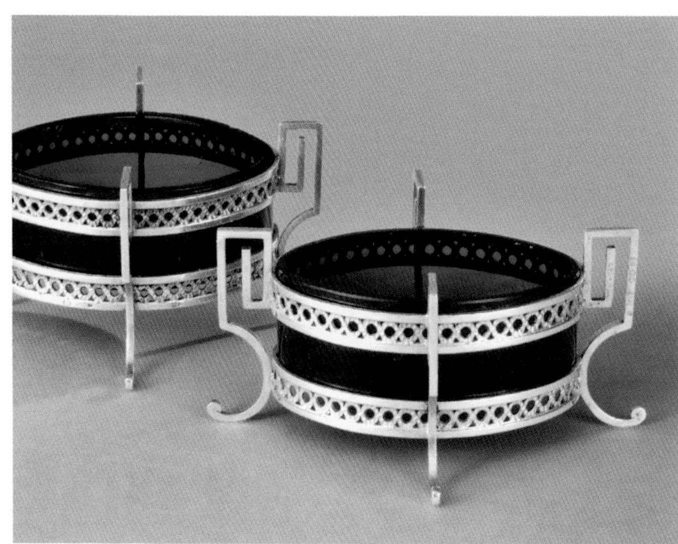

77. ENSEMBLE DE QUATRE PELLES À SEL

1809
Jean Louis Buttner
(1769-1840, maître en 1786)
Argent doré
L. 11 cm
Poinçons :
– 33.004.0.100 (1-3) : poinçon du maître ; poinçon de petite garantie (1798-1809) ; poinçon de recense générale (en usage de 1809 à 1819) ;
– 33.004.0.100 (4) : poinçon du maître ; poinçons de second titre et de moyenne garantie (années 1798-1809) ; poinçon de recense générale (en usage de 1809 à 1819).
BIBLIOGRAPHIE : Haug (H.), 1978, n° 192.
Inv. 33.004.0.100 (1-4)

Modèle uniplat sans épaulement, les cuillerons en forme de pelle se rétrécissant vers l'avant. Spatule lancéolée.

Legs Claparède, Argenteuil, 1925.

78. CUILLER À MOUTARDE

Milieu du XVIIIe siècle
Daniel Philipp Mosseder
(maître en 1744)
Argent doré
L. 12,5 cm
Poinçons : petit 13 à fleur de lis ; poinçon du maître ; poinçon dit « de hasard » (hache, en usage de 1798 à 1809 pour marquer les pièces d'origine inconnue) ; poinçon de garantie à l'importation (cygne, en usage depuis 1893), assorti d'un poinçon de bigorne (insecte, en usage à partir de 1838).

EXPOSITION : 1948, Strasbourg, n° 693.
BIBLIOGRAPHIE : Haug (H.), 1978, n° 191.
Inv. XXVIII.17

Modèle uniplat. Attache du cuilleron hémisphérique sans épaulement. En métal ou en céramique, la cuiller à moutarde peut également comporter une spatule à la place du cuilleron.

Achat, Paris, 1928.

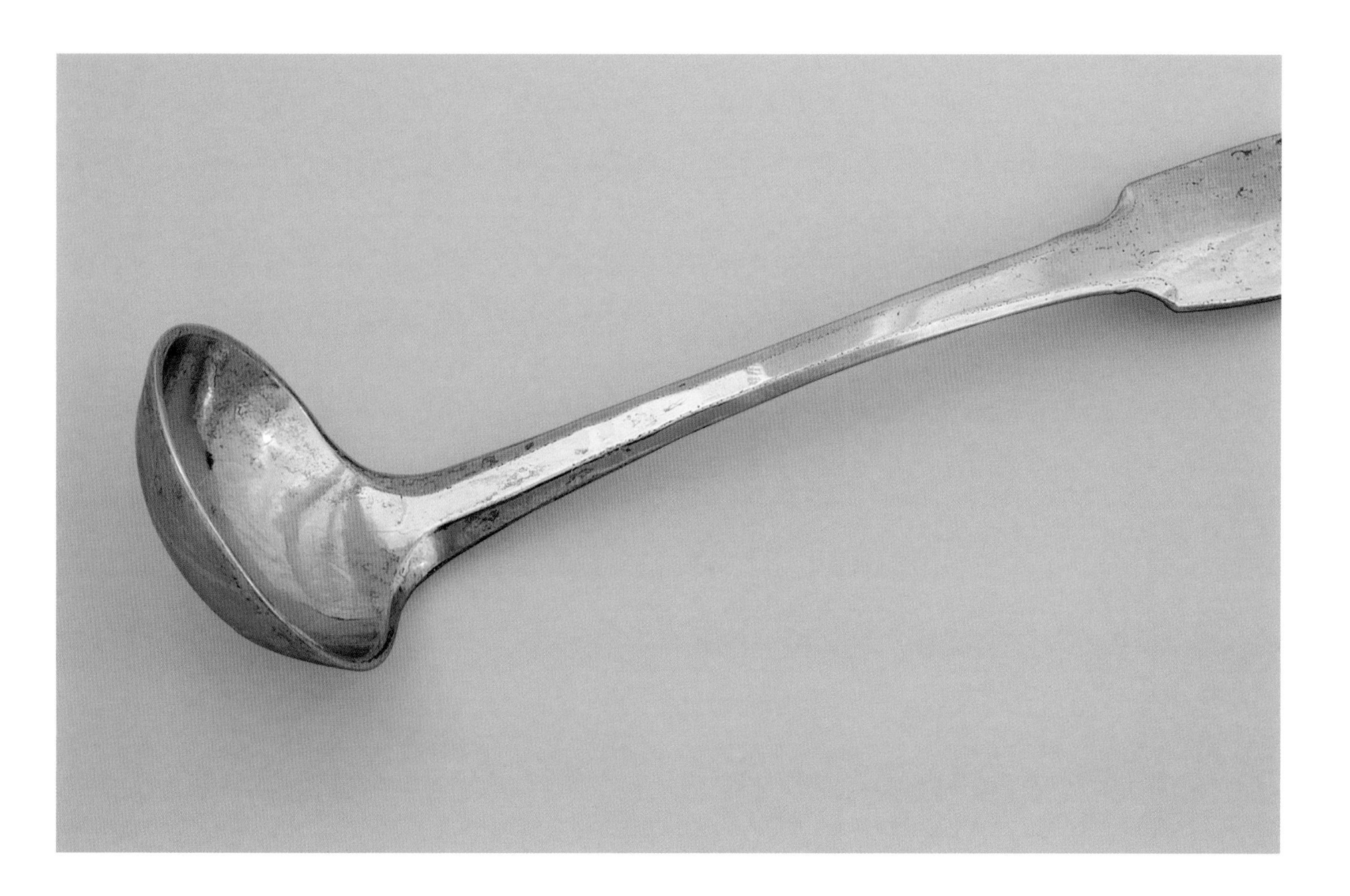

79. ASSIETTE

1769
Johann Jacob Kirstein
(1733-1816, maître en 1760)
Argent doré
Ø 24 cm
Poinçons : 13 couronné ; poinçon du maître ; lettre d'année S couronnée (1769) ; poinçon de format rectangulaire dégravé.
Poinçons russes : poinçon du maître de contrôle ; poinçon de contrôle de la ville de Saint-Pétersbourg (1797).

EXPOSITIONS : 1936, Paris, n° 367 ; 1948, Strasbourg n° 656 ; 1964, Paris, n° 108 ; 1978, Strasbourg, n° 86.
BIBLIOGRAPHIE : Haug (H.), 1978, n° 120 ; Lanz, 2004, n° 221.
HISTORIQUE : assiette provenant des ventes d'objets d'art de l'Union soviétique avant 1935. Acquise par la Société des amis des musées auprès de Siegfried Oppenheimer.
Inv. XXXV.55

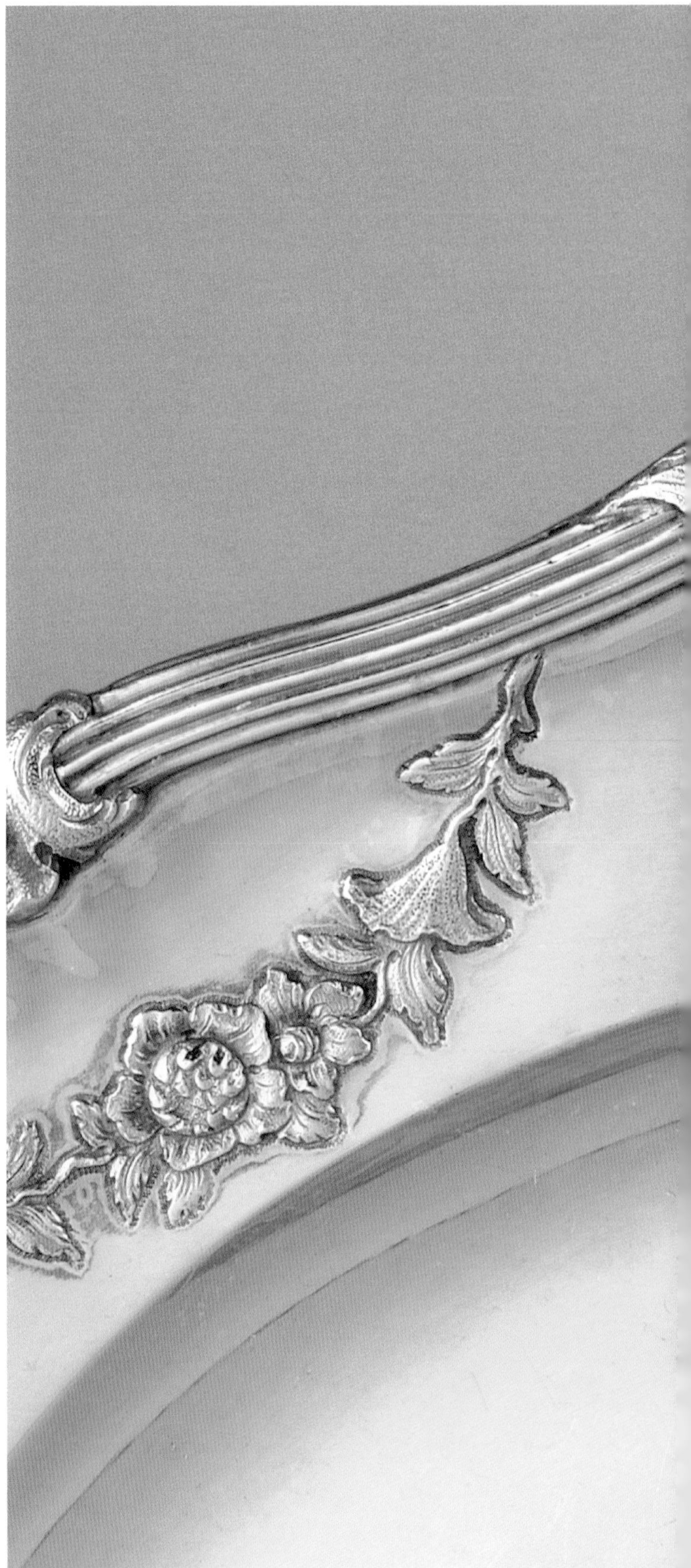

Assiette ou présentoir à marli contourné. Bord extérieur mouluré interrompu par des agrafes. Une guirlande de fleurs en feston passe alternativement par-dessus et par-dessous le bord extérieur.

Don de la Société des amis
des musées de Strasbourg, 1935.

80. DEUX ASSIETTES

1775
Georges Frédéric Imlin
(1727-1782, maître en 1751)
Argent
Ø 25,7 cm
Poinçons : 13 couronné ; poinçon du maître (*IMLIN* en lettres majuscules dans un rectangle) ; lettre d'année Z couronnée (1775).

EXPOSITIONS : 1936, Paris, n° 374 ; 1948, Paris, n° 268 ; 1948, Strasbourg, n° 645 ; 1978, Strasbourg, n° 78.
BIBLIOGRAPHIE : Haug (H.), 1978, n° 105 ; Haug (G.), 1984, p. 127.
Inv. XXXIII.93 a et b

Assiette à marli contourné dont le bord extérieur est sobrement mouluré de filets. Le poinçon de maître ne figure pas sur les plaques d'insculpation. Sur son acte de décès, G. F. Imlin apparaît en tant qu'orfèvre et membre du Grand Sénat[15]. François Daniel, son fils, succède à Jean Louis (III) Imlin, son oncle, mort en 1768 sans postérité. Jusqu'à la majorité de François Daniel et sa réception en tant que maître en 1780, la direction de l'atelier est confiée à Jacques Henri Alberti.

Entrées au musée par voie d'échange, Strasbourg, 1933.

15. Archives municipales de Strasbourg, D 189, Fol. 126 recto, n° 48.

81. BOÎTE À THÉ

1749-1751
Johann Jacob Hitschler
(maître en 1745)
Argent
H. 11,7 cm ; l. 5,7 cm ; P. 4,2 cm
Poinçons : poinçon du maître ; 13
à fleur de lis (années 1749-1751).
Inv. 33.975.11.33

Boîte à thé de forme rectangulaire aux côtés arrondis et aux faces convexes. L'alternance concave-convexe se retrouve dans la partie supérieure mouvementée de la boîte. Ces formes ondoyantes sont soulignées par le décor des bordures, ciselées de volutes et de coquilles rocaille sur fond amati, se détachant sur le corps lisse de l'objet. Le couvercle emboîtant, de forme ovale et bombée, est ciselé de motifs assortis aux bordures de la boîte.
Ce type de récipient, en métal ou en céramique, servait à conserver les feuilles de thé.

Legs Halbwachs-Schindler,
Meudon-Val Fleuri, 1975.

82. SIX CUILLERS À CAFÉ

Deuxième quart du XVIIIe siècle
Johann Remichius Berentz
(maître en 1737)
Johann Jacob Hauser
(maître en 1723)
Argent doré
L. 14,2 cm
Poinçons :
– XXXII.154 (a) : 13 à fleur de lis ; poinçon du maître (Berentz) ;
– XXXII.154 (b-d) : 13 à fleur de lis ; poinçon du maître (Hauser) ;
– XXXII.154 (e) : poinçon du maître (Hauser) ;
– XXXII.154 (f) : 13 à fleur de lis ; poinçon illisible.

EXPOSITIONS : 1948, Strasbourg, n° 611 ; 1964, Paris, n° 66 ; 1978, Strasbourg, n° 72.
BIBLIOGRAPHIE : Haug, (H.), 1978, n° 190.
Inv. XXXII.154 a-g
INSCRIPTION : monogramme MH, gravé postérieurement au dos de la spatule.

Modèle à filets et coquilles, à ourlets ; cuilleron à filet. Écrin d'origine en maroquin fauve gainé de daim rouge recouvert postérieurement d'une feuille d'étain.

Acquisition par voie d'échange, Strasbourg, 1934.

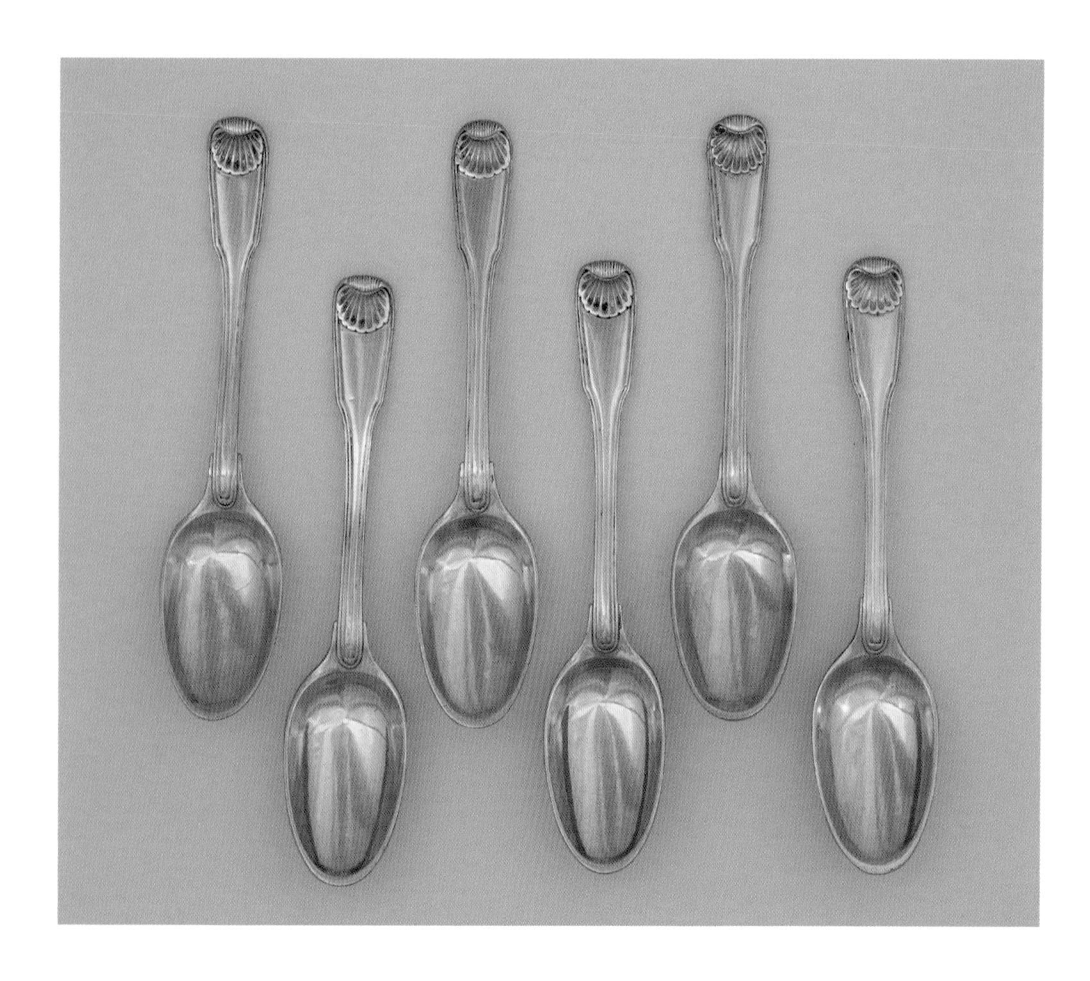

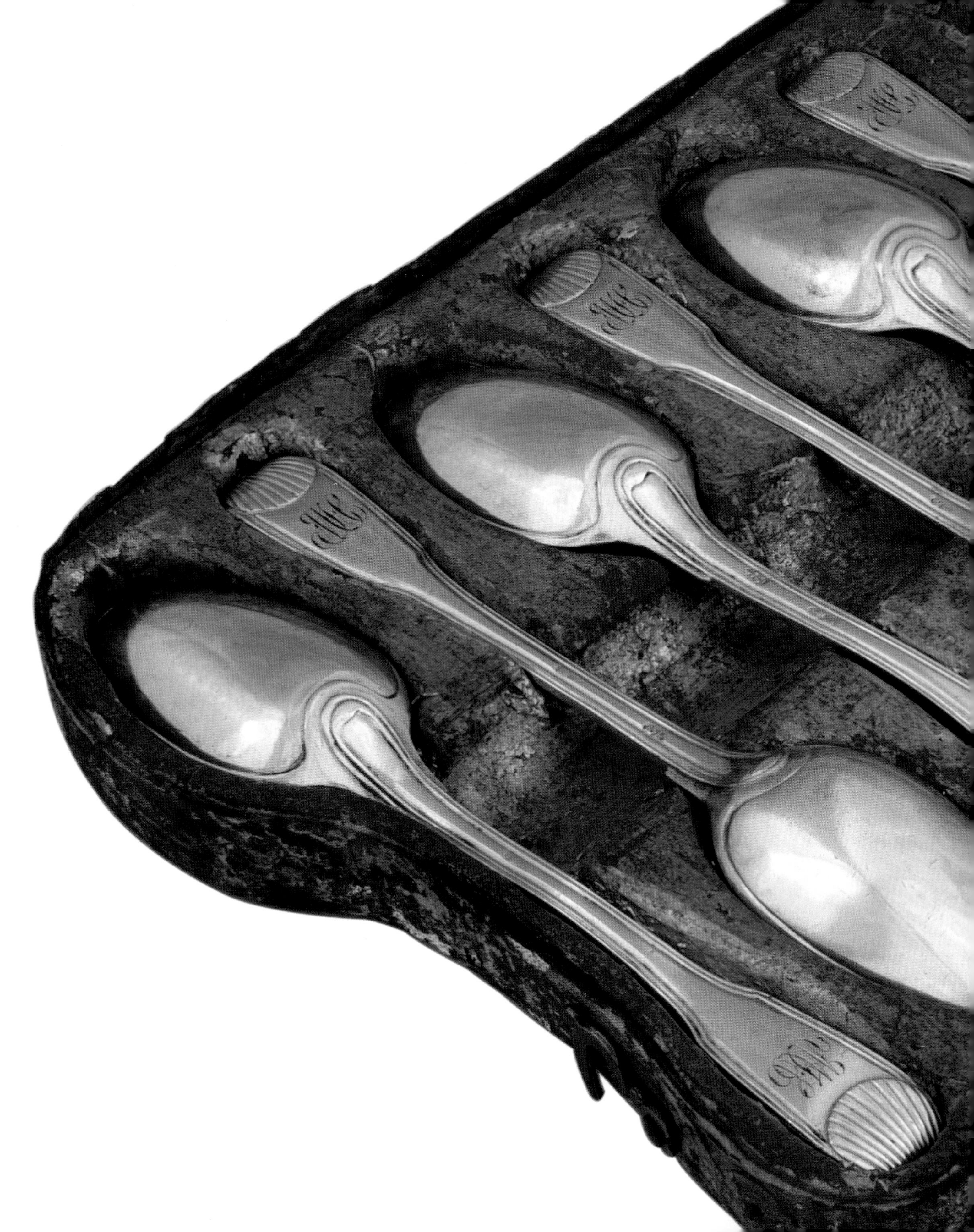

83. PAIRE DE CUILLERS À CAFÉ

Troisième quart du XVIIIe siècle
Argent
L. 14 cm
Inv. 33.004.0.101 (1 et 2)

Au dos de la spatule sont gravées, sous une couronne comtale, les armes d'alliance du baron de Closen et de Louise Caroline d'Esebeck, mariée en secondes noces avec Charles Gustave de Stralenheim-Wasabourg.
Modèle à filets et coquilles. Cuilleron à filet. Ces cuillers sont identiques pour le modèle et les dimensions aux cuillers en argent doré figurant au n° 82 du catalogue.

Legs Claparède, Argenteuil, 1925.

84. CUILLER À THÉ OU À CAFÉ

1738-1840
Jean Louis Buttner (1769-1840, maître en 1786)
Argent
L. 15,4 cm
Poinçons : les deux poinçons du maître (en toutes lettres et losangique) ; poinçon de second titre (de 1838 à nos jours), associé au poinçon de bigorne (staphilin, en usage à partir de 1838).
Inv. 33.004.0.102

INSCRIPTION : monogramme AD gravé sur la face de la spatule.

Modèle à filets. Spatule sans épaulement à l'extrémité effilée. Cuilleron en pointe.

Legs Claparède, Argenteuil, 1925.

85. CAFETIÈRE

1760
Johann Christian Zahrt
(maître en 1755, mort en 1781)
Argent et bois
H. 18,5 cm ; L. 15,5 cm
Poinçons : poinçon du maître ; 13 couronné ; lettre d'année I couronnée (1760).

EXPOSITIONS : 1948, Paris, n° 279 ; 1948, Strasbourg, n° 716 ; 1978, Strasbourg, n° 84.
BIBLIOGRAPHIE : *Compte-rendu 1919-1921*, p. 18, ill. 21 ; Haug (H.), 1978, n° 117 ; Haug (G.), 1984, p. 128.
Inv. XX.48
INSCRIPTION : monogramme JZ gravé sur une des faces latérales du corps de l'objet. Il s'agirait du chiffre d'un membre de la famille Zissig, carrossiers strasbourgeois du XVIIIe siècle.

Le corps balustre repose sur un piédouche bas mouluré de filets. Bec verseur appliqué sommant un cul-de-lampe mouluré. Couvercle à prise en toupie moulurée et appui-pouce à enroulements. L'anse en bois naturel, à mouvement en accolade, est sculptée dans sa partie haute d'une feuille d'acanthe.
La cafetière devient d'un usage courant au XVIIIe siècle. On en trouve de trois types : verseuse à fond plat, verseuse reposant sur un piédouche, toutes deux généralement munies d'une anse en bois, et verseuse tripode à manche latéral en bois, cette dernière étant la plus courante.

Achat, 1920.

86. CAFETIÈRE

1772
Jacques Henri Alberti
(1730-1795, maître en 1764)
Argent et bois
H. 21,7 cm ; L. 16,5 cm
Poinçons : 13 couronné ; lettre d'année V couronnée (1772) ; poinçon du maître.

Expositions : 1926, Paris, n° 646 ; 1948, Paris, n° 303 ; 1948, Strasbourg, n° 603 ; 1978, Strasbourg, n° 95.
Bibliographie : *Compte-rendu 1919-1921*, p. 18, ill. 21 ; Haug (H.), 1978, n° 128 ; Haug (G.), 1984, p. 134 ; Lanz, 2004, n° 223.
Inv. XX.41
Inscription : monogramme JZ gravé sur une des faces latérales du corps de l'objet. Il s'agirait du chiffre d'un membre de la famille Zissig, carrossiers strasbourgeois du XVIIIe siècle.

Le corps balustre repose sur un piédouche mouluré. Bec verseur appliqué rehaussé de deux moulures horizontales gravées de filets. Le couvercle est muni d'une prise en bouton feuillagé et d'un appui-pouce à enroulements. L'anse en bois naturel, à mouvement en S, est rehaussée d'une volute sculptée dans la partie supérieure et d'un enroulement dans la partie inférieure.

Achat, 1920.

87. CAFETIÈRE

1809-1819
Jacques Frédéric Kirstein
(1765-1838, établi en 1795)
Argent et bois
H. 35,4 cm ; l. 13,5 cm ; P. 26,2 cm
Poinçons : les deux poinçons
du maître ; poinçons de moyenne
garantie et de second titre
(années 1809-1819) ; poinçon
de recense générale (tête de lévrier,
en usage de 1819 à 1838), associé
au poinçon de bigorne de grosse
contremarque (conops,
en usage de 1819 à 1838).

EXPOSITION : 1978, Strasbourg, n° 104.
BIBLIOGRAPHIE : *Jahresbericht 1909*, pp. 10-11, ill. 10 ; Haug (H.), 1914, ill. 20 ; Haug (H.), 1978, n° 159.
Inv. 7087

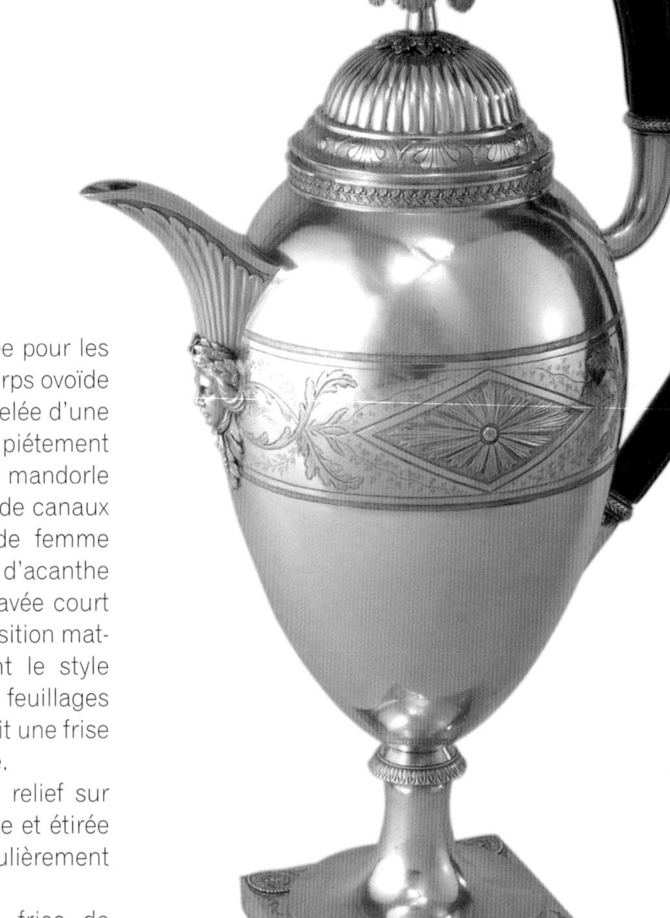

Sa forme est inspirée de celle habituellement utilisée pour les aiguières depuis l'Empire. Elle est constituée d'un corps ovoïde reposant sur un piédouche circulaire à collerette ciselée d'une frise de perles et de rais-de-cœur. La base carrée du piétement est agrémentée, dans les écoinçons, d'appliques en mandorle ornées de têtes de Silène. Le bec verseur est ciselé de canaux sommant un mascaron représentant un visage de femme couronné de laurier et émergeant d'une feuille d'acanthe formant attache. Une importante frise ciselée et gravée court sur le pourtour de la panse où se développe, en opposition mat-brillant, une succession de motifs qui rappellent le style Directoire : losanges enserrant un astre rayonnant, feuillages croisés, branchages de lierre. Le bord supérieur reçoit une frise de feuilles de chêne et glands, ciselée sur fond maté.
L'attache de l'anse est constituée d'une rosace en relief sur réserve festonnée amatie. La forme en courbe brisée et étirée de l'anse en ébène confère un caractère particulièrement original à la cafetière.
Le couvercle, en dôme godronné bordé d'une frise de palmettes, est muni d'une prise en forme de fruit exotique émergeant d'un panache posé sur une terrasse de feuillages.
Une aiguière de Kirstein d'un dessin très proche de celui de la cafetière, avec notamment la même forme d'anse en bois noirci, figure au catalogue de la vente Lempertz du 21 mai 2004 à Cologne[15].
La persistance de certaines formules propres au répertoire décoratif Directoire se retrouve également chez les ébénistes strasbourgeois Kaeshammer et Blumer. Ils livrent en 1805 deux paires de consoles d'entre-fenêtres au palais Rohan, devenu palais impérial, qui mêlent élégamment des formules Louis XVI et Directoire en pleine époque Empire.

Achat, Francfort, 1909.

15. Cat. vente Lempertz, Cologne, 21 mai 2004, p. 125, ill. 482.

88. CAFETIÈRE

1819-1823
Jean Geoffroy Fritz (1768-1823, établi en 1789)
Argent partiellement doré et bois
H. 13,2 cm ; l. 19,9 cm ; P. 12,5 cm
Poinçons : poinçon du maître ; poinçons de second titre et de grosse garantie (années 1819-1838) ; poinçon de recense générale (tête de girafe, en usage à partir de 1838).
Inv. 33.004.0.103

Petite cafetière à fond plat dite « égoïste ». Corps tronconique lisse, à facettes, évasé vers le bas. Couvercle bordé d'une frise de perles doublée d'une frise de palmettes gravées sur fond strié. Bouton en forme de gland partiellement amati reposant sur une terrasse aplatie. Le bec verseur est muni d'un bouchon emboîtant relié au corps de l'objet par une chaînette. Intérieur doré. Manche latéral en bois naturel se terminant par une toupie.

Legs Claparède, Argenteuil, 1925.

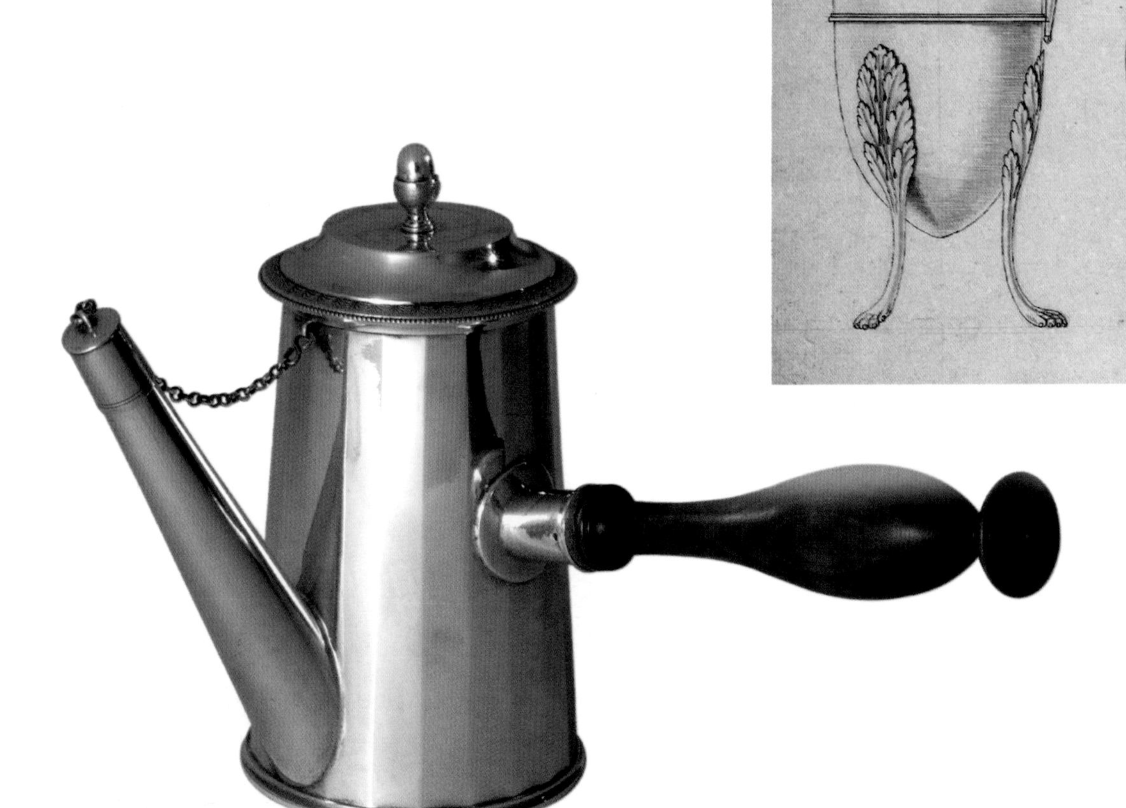

Strasbourg, *Dessin de deux cafetières et d'un pot à lait* (détail), premier quart du XIXe siècle, encre et crayon sur papier, 22 x 35,1 cm, Strasbourg, Cabinet des estampes et des dessins. Inv. LXV.62

89. CHOCOLATIÈRE

Vers 1775
Johann Friderich Fritz
(maître en 1752, mort en 1780)
Argent et bois
H. 15,5 cm ; l. 18,8 cm ; P. 11,3 cm
Poinçons : poinçon 11/12 à fleur de lis (titre de Paris) ; poinçon du maître ; lettre d'année illisible.
Bibliographie : Haug (H.), 1978, n° 113.
Inv. LXIII.2

Corps en balustre reposant sur trois pieds à enroulements et attaches en forme de spatule. Bec verseur appliqué orné d'un tore de laurier noué sommant un cul-de-lampe feuillagé, le tout ciselé. Le couvercle est bordé d'un tore de laurier noué de ruban en rappel du décor du versoir. Boule en guise de prise de couvercle et appui-pouce en double volute stylisée. Manche latéral en bois naturel tourné. La chocolatière se distingue de la cafetière, dont elle reprend généralement la forme, en ce que la graine – ou prise – du couvercle pivote sur elle-même pour dégager une petite ouverture par laquelle on passait un « moussoir » en bois afin de faire mousser le chocolat.

Don Jacques Hatt, Paris, 1963.

90. CHOCOLATIÈRE

1773
Johann Georg Pick (maître en 1739, attesté jusqu'en 1785)
Argent, bois et ivoire
H. 27,5 cm ; l. 27,7 cm ; P. 16 cm
Poinçons : poinçon du maître ; lettre d'année X couronnée (1773) ; 13 couronné.

EXPOSITION : 1948, Strasbourg, n° 698.
BIBLIOGRAPHIE : Haug (H.), 1978, n° 94 ; Haug (G.), 1984, p. 128 ; Martin, 1998, ill. p. 65.
Inv. XXXV.9

Corps en balustre reposant sur trois pieds à enroulements et attaches en forme de spatule. Bec verseur appliqué orné d'un jonc mouluré à filets et d'un fleuron stylisé à la naissance du versoir. Couvercle à terrasse pivotante munie d'un bouton tourné en boule striée de filets. Appui-pouce mouluré à enroulement. Manche latéral en bois noirci se terminant par une petite boule en ivoire.
Cette chocolatière se distingue des deux autres chocolatières de la collection par l'importance de sa taille.

Achat, Paris, 1935.

Johann Jacob Kirstein (1733-1816), *Facture adressée au subdélégué général Desmarais en vue du paiement d'une cafetière armoriée en argent au titre de Paris, Strasbourg, 12 janvier 1777*, Strasbourg, Cabinet des estampes et des dessins. Inv. 77.004.0.24

91. CHOCOLATIÈRE

1776-1789
Geoffroy Schuman
(maître en 1776)
Argent, bois et ivoire
H. 22,7 cm ; l. 26 cm ; P. 14,7 cm
Poinçons : 13 couronné ; double B couronné ; poinçon du maître.

BIBLIOGRAPHIE : *Compte-rendu 1945-1950*, p. 190 ; Haug (H.), 1978, n° 144.
Inv. L.80

Corps en balustre reposant sur trois pieds à attaches en forme de spatule. Bec verseur appliqué orné d'un jonc mouluré à filets et d'un fleuron stylisé à la naissance du versoir. Couvercle à terrasse pivotante munie d'un bouton feuillagé et appui-pouce nervuré à enroulement. Manche latéral en bois anciennement noirci se terminant par une petite boule d'ivoire.
Ce modèle était particulièrement apprécié à Strasbourg ainsi qu'en témoigne la chocolatière de Johann Georg Pick (1773, cat. 90) ou celle de Johann Jacob Kirstein (1775) reproduite dans l'ouvrage de Faith Dennis[16].

Le poinçon double B couronné de la Monnaie de Strasbourg figure très exceptionnellement sur les pièces. La cuiller à sucre de Johann Gottfried Stahl figurant au n° 57 du catalogue, la chocolatière de Geoffroy Schuman et le calice et sa patène de Philipp Koenig au n° 116 sont les trois seuls objets de la collection à en être pourvus.

Don de la Société des amis des musées de Strasbourg, 1950.

16. Dennis (F.), 1960, p. 342, ill. p. 343.

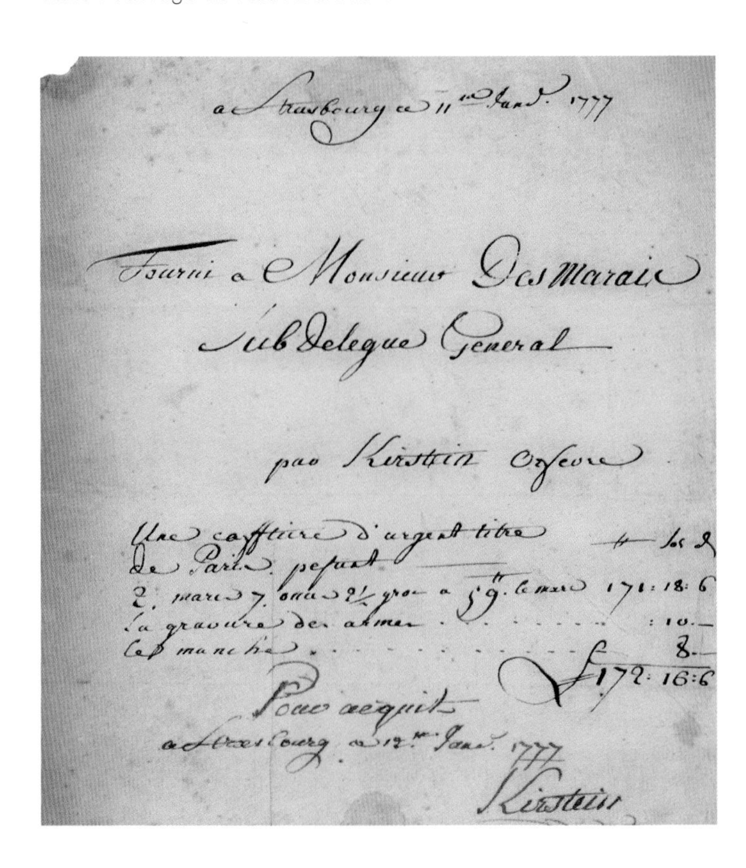

a Strasbourg ce 11e Janv. 1777

Fourni a Monsieur Des Marais
Sub Delegue General

par Kirstein Orfevre

Une caffetiere d'argent titre
de Paris pesant
2 marcs 7 onces 2 1/2 gros a 59 l. le marc 171:18:6
la gravure des armes . . . . :10.—
le manche . . . . 8.—
£ 172:16:6

Pour acquit
a Strasbourg ce 12e Janv. 1777
Kirstein

92. PAIRE DE FLAMBEAUX

1749-1751
Johann Jacob Vierling
(maître en 1745)
Argent
H. 24,4 cm ; Ø 14,5 cm
Poinçons : 13 à fleur de lis (années 1749-1751) ; poinçon du maître ; poinçon de garantie à l'importation (cygne, en usage depuis 1893).

EXPOSITIONS : 1926, Paris, n° 636 ; 1948, Strasbourg, n° 708 ; 1978, Strasbourg, n° 74.
BIBLIOGRAPHIE : *Compte-rendu 1922*, pp. 7-8, ill. 6 ; Haug (H.), 1978, n° 100 ; Haug (G.), 1984, p. 127.
Inv. XXII.95 a et b
INSCRIPTION : sur la base monogramme PT gravé postérieurement.

Strasbourg, *Dessin d'un flambeau à deux girandoles*, troisième quart du XVIIIe siècle, crayon noir sur papier, 33 x 38,2 cm, Strasbourg, Cabinet des estampes et des dessins. Inv. LXV.84

Flambeaux réalisés selon la technique de la fonte. Deux moules étaient nécessaires pour leur fabrication à savoir l'un pour le pied et l'autre pour la tige comprenant le binet.
Base circulaire chantournée avec moulure de joncs qui se répète sur le nœud et à la base du binet. L'ombilic est gravé de filets. Le fût de forme balustre à côtes est renflé dans sa partie haute. Binet cylindrique mouluré. Bobèches mobiles manquantes.
Ce modèle est identique à celui des huit candélabres faisant partie du service de table commandé par Elisabeth Auguste, électrice de Bavière et du Palatinat, aux orfèvres Oertel, Imlin et Alberti pour sa résidence d'Oggersheim (ill. 22, p. 28). Conservé au Kurpfälzisches Museum de Heidelberg, il comprend huit candélabres à piètement de même forme que les flambeaux mais agrémentés de deux bras de lumières amovibles venant se fixer sur le binet, œuvres de Jacques Henri Alberti (1779-80). Un dessin, conservé au Cabinet des estampes et des dessins de Strasbourg, représente ce candélabre et mentionne séparément le poids du flambeau et celui des girandoles.

Achat, 1922.

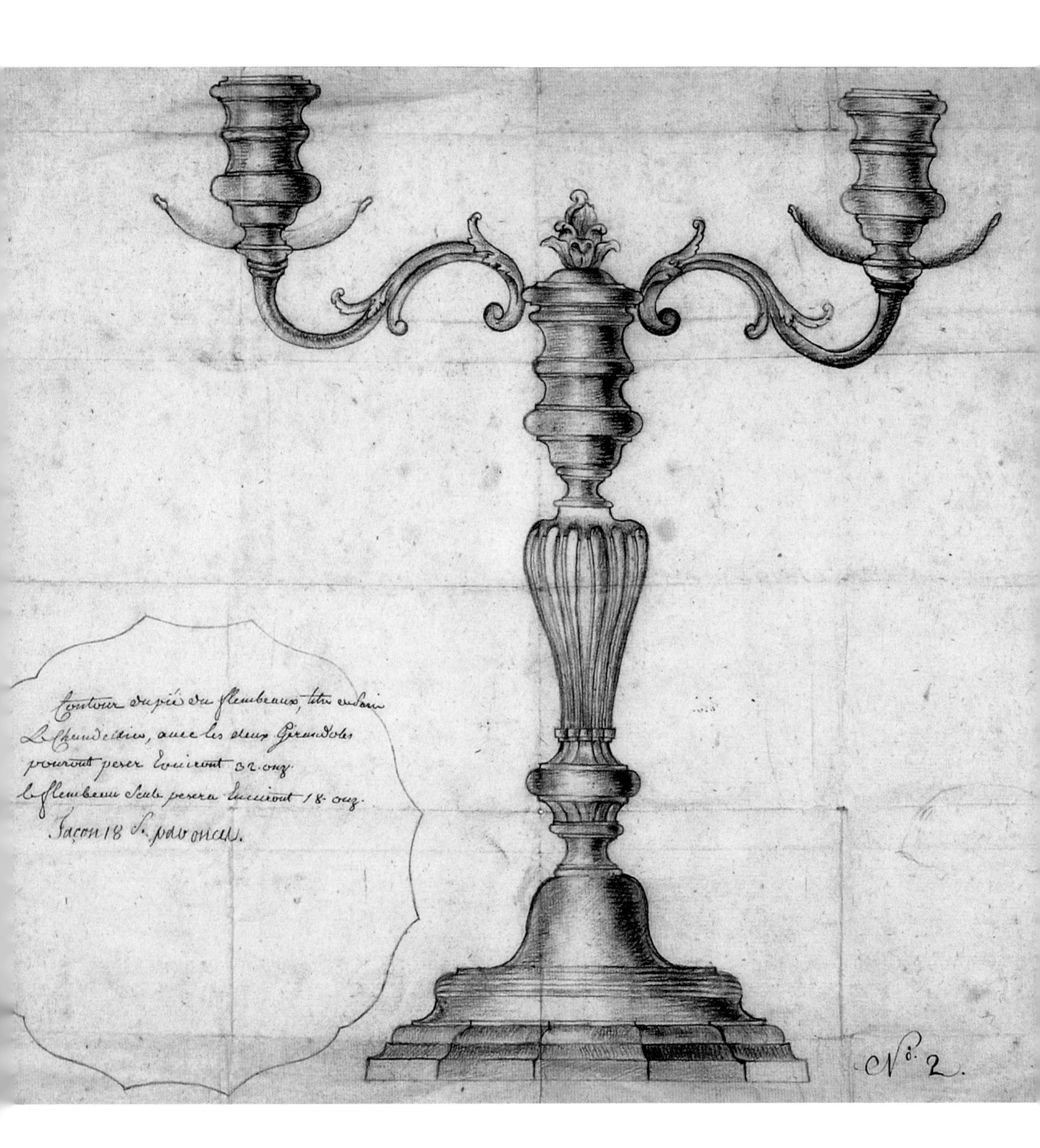
Contour du pié du flembeaux,
Chandelier, avec les deux Girandoles
pourront peser Environt 32. onz.
le flembeau seule pesera Environt 18. onz.
Façon 18 S. par once.
N°. 2.

93. PAIRE DE FLAMBEAUX

1763 et 1784-89
Johann Jacob Kirstein
(1733-1816, maître en 1760)
et Veuve Fritz (dirige l'atelier
de 1780 à 1789)
Argent
H. 27,5 cm ; Ø 15,2 cm
Poinçons :
– Inv. XXXV.69 b (Kirstein) :
13 couronné ; poinçon du maître ;
lettre d'année M couronnée (1763) ;
– Inv. XXXV.69 a (Veuve Fritz) :
petit 13 à fleur de lis ; poinçon
du maître ; chiffre d'année illisible
sous casque à panache (1784-89).

EXPOSITIONS : 1948, Paris, n° 270 ;
1948, Strasbourg, n° 653.
BIBLIOGRAPHIE : Haug (H.), 1978,
n° 119.
HISTORIQUE : acquis en 1935
auprès de Paul Zissig.
Inv. XXXV.69 a et b
INSCRIPTION : monogramme JZ
gravé à la base de l'ombilic.
Chiffre d'un membre de la famille
Zissig, carrossiers strasbourgeois
du XVIIIe siècle.

Le modèle de ce flambeau est rigoureusement identique à celui de Johann Jacob Vierling figurant au n° 92 du catalogue, en dehors de la tige constituée de canaux et de filets torses étranglés à la base et couronnés de feuilles de chicorée de style rocaille. Bobèches circulaires amovibles bordées d'une moulure.
Plus d'une vingtaine d'années séparent la réalisation de ces deux flambeaux réunis en paire.

Achat, Strasbourg, 1935.

94. FLAMBEAU

1765
Johann Heinrich Oertel
(1717-1796, maître en 1749)
Argent
H. 21,5 cm ; Ø 15,7 cm
Poinçons : lettre d'année O couronnée (1765) ; poinçon du maître ; 13 couronné.

EXPOSITION : 1978, Strasbourg, n° 79, pl. 11.
BIBLIOGRAPHIE : Haug (H.), 1978, n° 106 ; Alemany-Dessaint, 1988, ill. 5, p. 187 ; *Objets civils domestiques*, 1984, p. 390, ill. 1880 ; Haug (G.), 1984, p. 127.
Inv. LXVI.10

Chandelier dit « trompette » réalisé d'une seule pièce selon la technique de la fonte, puis ciselé. La base de l'objet est en forme de coupelle festonnée se poursuivant, en se rétrécissant, vers le binet dont elle est séparée par un nœud en boule aplatie striée horizontalement. Le bougeoir est animé sur toute sa hauteur de côtes torses qui évoquent le mouvement dansant d'une flamme. Depuis les années 1730, les flambeaux en forme de trompette sont une spécialité des orfèvres de la ville de Lausanne et pouvaient présenter des variantes. Leur vogue se répand à travers la Suisse au XVIIIe siècle, dans le canton de Vaud, mais aussi à Berne, Bâle, Zurich et Schaffhouse. Une paire de flambeaux de même modèle mais au corps partiellement lisse, œuvre de Philibert Potin, vers 1760, est conservée au Musée national suisse de Zurich (LM 22851 – 22852). Une autre paire a figuré au catalogue de la vente Piasa, Drouot-Richelieu, du 24 juin 2004 à Paris[17].
Cette forme est en revanche inhabituelle à Strasbourg.

Legs Hans Haug, Strasbourg, 1964.
Entré au musée en 1966.

17. Cat. vente Piasa, Drouot-Richelieu, Paris, 24 juin 2004, p. 34, ill. 220.

95. PAIRE DE FLAMBEAUX

1773 et 1784
Johann Friderich Fritz
(maître en 1752, mort en 1780)
Johann Friderich Buob
(né en 1740[18], maître après 1763)
Argent
H. 28 cm ; Ø 15,2 cm
Poinçons :
– Inv. XXVII.12 b (Fritz) : poinçon du maître ; 13 à fleur de lis (années 1750-89) ; lettre d'année X à fleur de lis (1773) ;
– Inv. XXVII.12 a (Buob) : 13 à fleur de lis (années 1750-89) ; poinçon du maître ; chiffre d'année 84 sous casque à panache (1784).

EXPOSITIONS : 1948, Paris, n° 270 ; 1948, Strasbourg, n° 621 ; 1978, Strasbourg, n° 81.
BIBLIOGRAPHIE : *Compte-rendu 1927-1931*, p. 18 ; Haug (H.), 1978, n° 112.
Inv. XXVII.12 a et b

Le pied de ces flambeaux est rigoureusement identique à celui des flambeaux figurant aux n°s 92 et 93 du catalogue. Le fût triangulaire à côtes et cannelures sommant une coquille ainsi que le binet à pans coupés évoquent des modèles d'époque Régence[19]. Le flambeau de Buob a été assorti à celui de la Veuve Fritz onze années après la fabrication de ce dernier.

Achat, Baden-Baden, 1927.

18. Archives municipales de Strasbourg, D. 212. n° 349. J. F. Buob déclare, le 10 mars 1793 à l'âge de 53 ans, le décès de la fille du notaire J.-Nicolas Laquiante. Est donc né en 1740.

19. Un flambeau d'un modèle proche mais plus élaboré, œuvre de l'orfèvre parisien Gilles Claude Gouel (1729-1730), figure dans les collections du Metropolitan Museum of Art de New York, (Dennis (F.), 1960, pp. 132-133, ill. 175) ; une autre paire de flambeaux réalisée en 1757-1758 par l'orfèvre nantais Jean-Baptiste Giraudeau, très similaire à l'exemplaire exécuté par Oertel en 1765, est reproduite au n° 218 du catalogue de la vente Piasa, Drouot-Richelieu, Paris, 24 juin 2004, pp. 33-34.

96. PAIRE DE FLAMBEAUX

1809-1819
François Daniel Imlin
(1757-1827, maître en 1780)
Argent
H. 24 cm ; Ø 12,8 cm
Poinçons : poinçon du maître
(*IMLIN* en lettres majuscules) ;
poinçons de moyenne garantie
et de second titre
(années 1809-1819) ;
poinçon de garantie (crabe,
en usage à partir de 1838), associé
à un poinçon de bigorne
(insecte, à partir de 1838).
Inv. 33.984.3.1 et 33.984.3.2

Strasbourg, *Dessin d'un pot à oille sur son présentoir*, vers 1780, encre et lavis sur papier, 39,4 x 50,6 cm, Strasbourg, Cabinet des estampes et des dessins, Inv. LXV .12

Paire de flambeaux en forme d'athénienne tripode. Le piétement gravé de stries et orné de losanges est surmonté de têtes de bouc gravées au naturel et s'achève aux extrémités inférieures par des pieds de bouc feuillagés reliés par une entretoise circulaire ajourée. Le trépied enserre une amphore ornée de frises de rais-de-cœur, de perles et de laurier se terminant par un gland. L'amphore est rivetée au piétement. La bobèche mobile très évasée, couronnant l'amphore, est délimitée sur le pourtour extérieur par une galerie ajourée d'entrelacs. Le trépied à l'antique est fixé au moyen d'écrous sur une base constituée d'un emmarchement circulaire à trois degrés simulant un appareillage de pierres disjointes et fendillées par endroit, d'où surgissent des touffes d'herbe et de jeunes pousses de lierre. Ce décor finement ciselé et très réaliste, ainsi que la conception d'ensemble de l'objet, évoquent l'apport de peintres, tels Hubert Robert ou Carmontelle, dans la constitution du versant pré-romantique du style Louis XVI qui trouve ici un écho tardif.

Don Jean-Jacques Hatt, Barr, 1984.

A97. PAIRE DE FLAMBEAUX

1809-1819
François Daniel Imlin
(1757-1827, maître en 1780)
Argent
– Inv. XXXV.5 a : H. 29,5 cm ;
Ø 14,8 cm ;
– Inv. XXXV.5 b : H. 29 cm ;
Ø 14,8 cm
Poinçons : les deux poinçons du maître (*IMLIN* en lettres majuscules et poinçon losangique) ; poinçons de moyenne garantie et de second titre (années 1809-1819) ; poinçon de recense générale (tête de lévrier, en usage de 1819 à 1838), associé au poinçon de bigorne de grosse contremarque (notoxe, en usage de 1819 à 1838).
Expositions : 1948, Strasbourg, n° 648 ; 1978, Strasbourg, n° 101.
Bibliographie : Haug (H.), 1978, n° 151 ; Alemany-Dessaint, 1988, ill. 1, p. 188.
Inv. XXXV.5 a et b

Flambeau en forme d'obélisque ajouré de croisillons feuillagés et gravés, agrémenté sur les quatre faces d'une mandorle ornée alternativement d'un rinceau fleuri et d'une tête de Méduse environnée d'une gloire. Ce dernier motif est identique à celui figurant sur la pince à gâteau de Jean Frédéric Kirstein qui lui est contemporaine (cat. 60). Le binet couronnant l'obélisque est constitué d'un vase ovoïde orné d'une torsade sur le piédouche et de frises de perles et de laurier sur la panse. La bobèche mobile, très évasée, est délimitée sur le bord extérieur par une galerie ajourée d'entrelacs. Il s'agit du modèle en tous points similaire à celui qui équipe la paire de flambeaux du même orfèvre figurant au n° 96 du catalogue. Le piétement de l'obélisque, constitué de quatre boules, repose sur une base circulaire en forme de cloche aplatie à doucine et gorge rehaussée par l'application d'une torsade entrelacée d'un ruban.

Achat, Strasbourg, 1935.

Les nécessaires

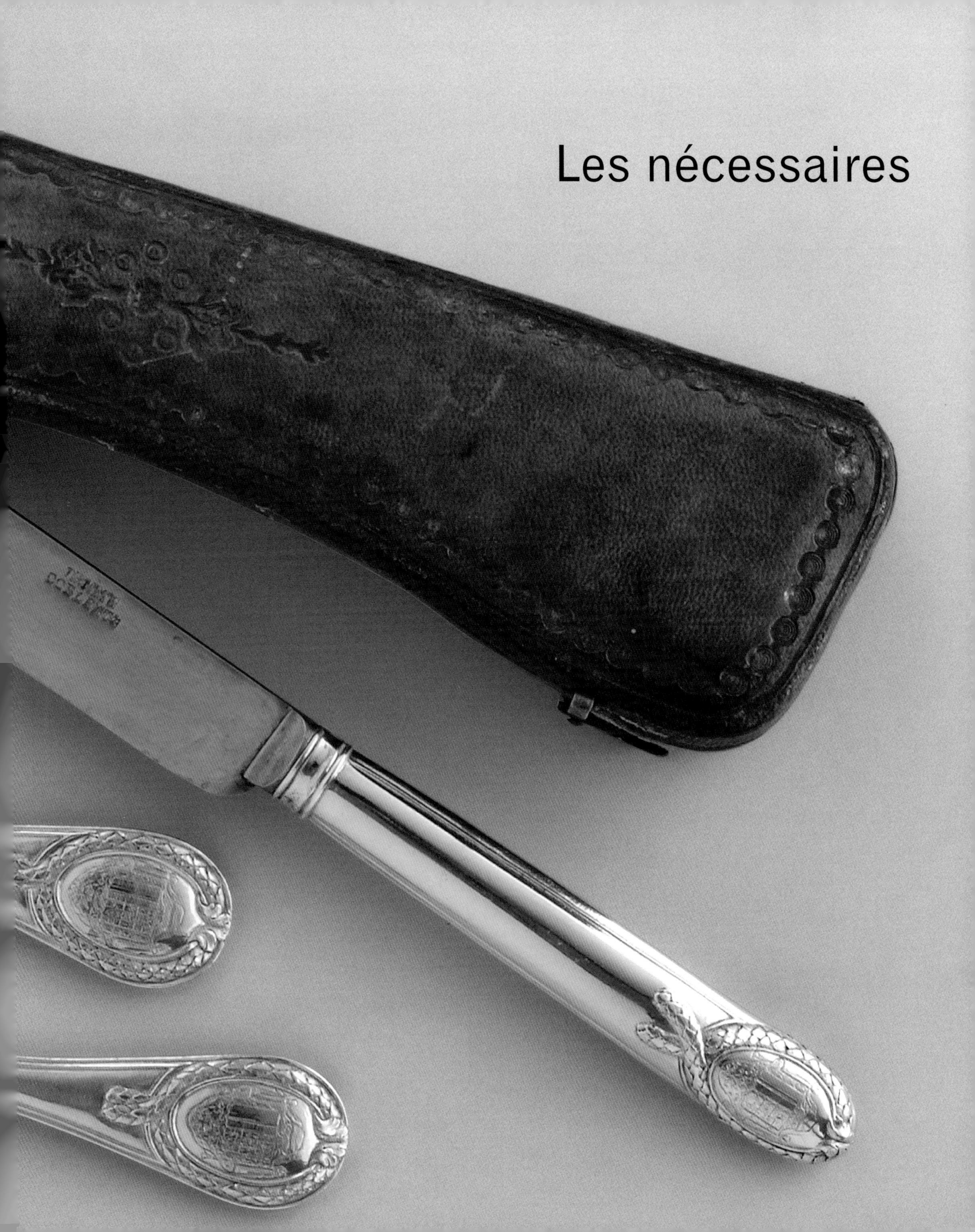

98. NÉCESSAIRE DE CHASSE

1729-1731
Joachim Friedrich Kirstein
(1701-1770, maître en 1729)
Argent doré et acier
Gobelet : H. 7,8 cm ; l. 8,4 cm ; P. 6,1 cm
Cuiller : L. 19,7 cm
Fourchette : L. 18,6 cm
Couteau : L. 18,8 cm
Cuiller à moelle : L. 15,5 cm

Poinçons : 13 à fleur de lis (à partir de 1728) ; poinçon du maître ; poinçon de garantie (tête de sanglier, en usage à partir de 1838), associé à un poinçon de bigorne (insecte, en usage à partir de 1838).
EXPOSITIONS : 1964, Paris, n° 59 ; 1978, Strasbourg, n° 64.
BIBLIOGRAPHIE : Haug (H.), 1978, n° 76 ; *Objets civils domestiques*, 1984, ill. 2328, p. 491.
Inv. XXXV.125, gobelet.
Inv. XXXVI.4 (a-e), étui, couteau, cuiller, fourchette, cuiller à moelle.

Dans un écrin de maroquin fauve décoré au petit fer et gainé intérieurement de velours de soie vert sont regroupés un gobelet, une cuiller, une fourchette, un couteau et une cuiller à moelle en argent doré constituant un nécessaire de chasse.
Le gobelet en argent doré à côtes pincées et à bord supérieur mouluré est gravé d'une bordure de rinceaux et d'entrelacs sur fond amati.
Le modèle de la cuiller et de la fourchette est à filet sans épaulement. Les deux faces de la spatule sont gravées d'entrelacs à motifs de treillage sur fond amati. Ce décor est répété sur le couteau, modèle à bouton, dont la lame en acier comporte une marque de coutelier. Le manche évidé en gouttière de la cuiller à moelle comporte un décor gravé assorti à celui du couvert.
Ces nécessaires pouvaient être complétés par une boîte à sel et un coquetier.
Un compartiment vide du gainage pourrait correspondre au rangement de la boîte à sel.
Un nécessaire de Joachim Friedrich Kirstein figure au catalogue de la vente Sotheby's, Paris, du 18 décembre 2002[20]. Dans un écrin rectangulaire sont notamment disposés un gobelet, un couteau, un couvert et une cuiller à moelle de modèle identique à ceux du nécessaire de chasse du musée des Arts décoratifs.

Achat, Strasbourg, 1935.

20. Cat. vente Sotheby's, Paris, 18 décembre 2002, p. 41, n° 86.

99. PLAT À BARBE

1775
Jacques Henri Alberti
(1730-1795, maître en 1764)
Argent
Bassin : H. 5 cm ; l. 32,8 cm ;
P. 26 cm
Bassin avec mentonnière :
P. 29 cm
Poinçons, sur la cuvette
et sur la mentonnière : 11/12
couronné (titre de Paris) ; poinçon
du maître ; lettre d'année Z
couronnée (1775).

EXPOSITIONS : 1936, Paris, n° 375 ; 1948, Paris, n° 305 ; 1948, Strasbourg, n° 606 ; 1978, Strasbourg, n° 96.
BIBLIOGRAPHIE : Haug (H.), 1978, n° 133 ; *Objets civils domestiques*, 1984, p. 311, ill. 1537 ; Alemany-Dessaint, 1988, ill. 1, p. 182.
Inv. XXXII.161 et 162

Sous une couronne comtale, armoiries non identifiées gravées au centre du bassin et sur l'extrémité gauche de la mentonnière. Bassin ovale au marli mouluré et contourné se relevant vers l'extérieur. Une petite plaque rapportée, la mentonnière, permettait de maintenir le plat sous le menton. Ce plat à barbe adopte la forme en vogue de 1740 jusque dans les années 1770. Il peut être accompagné d'un pot à eau chaude et constitue alors ce qu'il est convenu d'appeler une toilette d'homme. Le Cabinet des estampes et des dessins de Strasbourg conserve un dessin à la sanguine représentant un tel ensemble.
Les nécessaires de voyage ou de campagne comportent inévitablement, à côté des boîtes à poudre, boules à savon et à éponge, flacons et autres ustensiles de toilette, un plat à barbe. Le nécessaire gravé aux armes et exécuté par le même Jacques Henri Alberti, de 1782 à 1784, pour Mgr Raymond de Durfort, archevêque de Besançon et prince du Saint Empire, témoigne de la variété et du nombre de pièces d'un tel ensemble lorsqu'il était assorti d'un nécessaire pour le service du thé, du café et du chocolat, et d'un nécessaire pour le luminaire et pour l'écriture. Il ne comptait pas moins de trente et une pièces. Un coffret compartimenté où les ustensiles étaient soigneusement serrés permettait de les transporter sans encombre.

Achat, Fribourg, 1932.

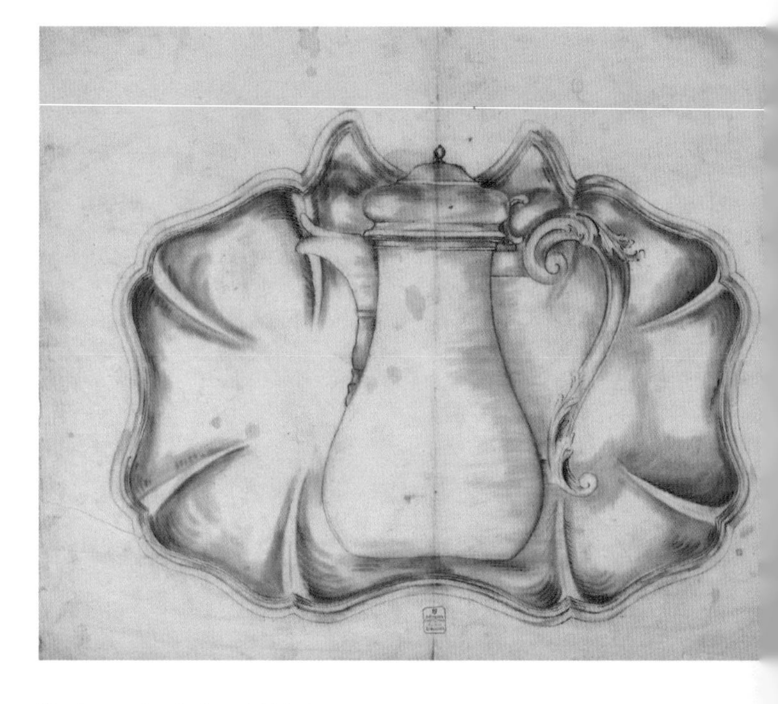

Strasbourg, *Dessin d'un plat à barbe et de son pot à eau chaude*, troisième quart du XVIIIe siècle, sanguine sur papier, 35 x 43,6 cm, Strasbourg, Cabinet des estampes et des dessins. Inv. LXV.78

100. NÉCESSAIRE DE LA COMTESSE VON DER LEYEN

AIGUIÈRE ET BASSIN

1789
Johann Jacob Kirstein
(1733-1816, maître en 1760)
Argent doré
Aiguière : H. 25 cm ; l. 10,9 cm ; P. 16,1 cm
Bassin : H. 5,9 cm ; l. 35,6 cm ; P. 22,9 cm
Poinçons :
– bassin : 13 couronné ; poinçon du maître ; chiffre d'année 5 sous casque à panache (1789) ; poinçon de garantie (crabe, en usage à partir de 1838) ;
– aiguière : poinçon de garantie (crabe, en usage à partir de 1838), associé à un poinçon de bigorne (insecte, en usage à partir de 1838).
EXPOSITIONS : 1936, Paris, n° 387 ; 1978, Strasbourg, n° 89 ; 1991, Blieskastel, n° 54, ill. p. 89.
BIBLIOGRAPHIE : *Compte-rendu 1945-1950*, p. 190 ;
Dahl et Lohmeyer, 1957, p. 614 ;
Haug (H.), 1978, n° 124 ;
Haug (G.), 1984, p. 135 ; Lanz, 2004, n° 222.
HISTORIQUE : offerts à la comtesse Sophia Therese von der Leyen pour la naissance de son fils Erwein en 1789. Collection Roger Ehrhardt, Schiltigheim. Vente Drouot, Paris, *Collection Roger Ehrhardt*, 1939, n° 22. Acquis lors de la vente par Maurice Burrus et offerts en 1946 au musée des Arts décoratifs de Strasbourg.
Inv. XLVII.1 et 2

Armes d'alliance du comte héréditaire Philipp von der Leyen und zu Hohengeroldseck (1766-1829) et de la comtesse Sophia Therese von Schoenborn Wiesentheid (1772-1810), gravées sur la face avant de la panse de l'aiguière et au fond du bassin.
Aiguière piriforme reposant sur un piédouche circulaire mouluré d'une frise de feuilles d'acanthe ciselée sur fond amati. Un motif rectiligne ciselé, en forme de frise de rinceau feuillagé encadrée de filets, cerne en son milieu le corps de la pièce. Cette bande est interrompue sur la face avant par un élégant décor en relief constitué d'un médaillon ovale sommé d'un nœud de ruban d'où s'échappent deux guirlandes de fleurs. Elles sont reprises par un anneau à la base du médaillon gravé aux armes de la comtesse von der Leyen-Schoenborn. Le col est cerné d'un tore de roseaux en relief, ciselé au naturel, évoquant le thème de l'eau lié à la fonction de l'objet. Le couvercle mouvementé en casque est bordé de moulures sinueuses feuillagées. Il est agrémenté sur le dessus d'une rosace et d'une couronne de branchages de laurier entrecroisés en relief, qui délimite la terrasse sur laquelle est posée la graine imitant une rose. L'anse est gracieusement contournée, moulurée et feuillagée d'acanthe. La souplesse ondoyante des lignes de l'aiguière est encore rocaille, mais cette liberté de formes est retenue par l'ornementation empruntée au répertoire néoclassique.
Le pourtour du bassin ovale est mouluré de laurier et interrompu par un nœud de ruban au centre de chacun des quatre côtés. Ces rubans maintiennent de petites guirlandes de fleurs qui viennent interrompre la frise de rinceau feuillagé ciselée courant sur le bord intérieur du bassin dont le fond est gravé des mêmes armes d'alliance. Tous ces motifs sont assortis à ceux de l'aiguière.
Sous le bassin figure l'inscription qui commémore les circonstances de la commande du nécessaire de toilette. Il s'agit du présent effectué par les sujets du comte von der Leyen, seigneur de Blieskastel, à son épouse lors de la naissance de leur fils unique Erwein (1789-1879). Un nécessaire de toilette constitue en effet le cadeau privilégié pour marquer un événement exceptionnel, un mariage ou la naissance d'un premier enfant.

Don Maurice Burrus, Sainte-Croix-aux-Mines, 1946.

INSCRIPTION : *Cette Toilette a été offerte à Madamme La Comtesse de la Leyen née Comtesse de Schönborn, Comme don gratuit, par touts les Sujets du Comte de la Leyen L'an 1789 à l'occasion de Ses premieres couches*, dédicace gravée sous le bassin.

DEUX FLACONS À PARFUM ET LEUR PRÉSENTOIR

1789
Johann Jacob Kirstein
(1733-1816, maître en 1760)
Argent doré, verre et liège
H. 15,3 cm ; l. 27,8 cm ; P. 19,3 cm
Poinçons :
– présentoir : 13 couronné ; poinçon du maître ; chiffre d'année 5 sous casque à panache (1789) ; poinçon de garantie (crabe, en usage à partir de 1838), associé à un poinçon de bigorne (insecte, en usage à partir de 1838) ; poinçon de garantie à l'importation (cygne, en usage depuis 1893), assorti d'un poinçon de bigorne (insecte, en usage à partir de 1838) ;
– bouchons des flacons : poinçon de garantie à l'importation (cygne, en usage depuis 1893), assorti d'un poinçon de bigorne (insecte, en usage à partir de 1838).
EXPOSITIONS : 1936, Paris, n° 387 ; 1978, Strasbourg, n° 91.
BIBLIOGRAPHIE : *Compte-rendu 1945-1950*, p. 190 ; Haug (H.), 1978, n° 126 ; Alemany-Dessaint 1988, p. 181, ill. 7 ; *Objets civils domestiques*, 1984, p. 347, ill. 2092 ; Haug (G.), 1984, p. 135.
HISTORIQUE : offert à la comtesse Sophia Therese von der Leyen pour la naissance de son fils Erwein en 1789. Collection Roger Ehrhardt, Schiltigheim.
Vente Drouot, Paris, *Collection Roger Ehrhardt*, 1939, n° 25.
Acquis lors de la vente par Maurice Burrus et offerts en 1946 au musée des Arts décoratifs de Strasbourg.
Inv. XLVII.5 (a-c)

Présentoir de forme ovale à bordure moulurée de laurier, agrémentée d'un nœud de ruban au milieu de chacun des quatre côtés. Ces rubans maintiennent de discrètes guirlandes de fleurs en léger relief qui viennent interrompre les plates-bandes ciselées cernant le bord intérieur du plateau. Ce dernier repose sur quatre petits pieds fuselés et cannelés. Les ferrières en verre taillé sont maintenues par deux porte-flacons cylindriques en argent doré vissés sur le plateau et délicatement ajourés de frises d'entrelacs et de postes. Leur bord supérieur est cerclé d'une fine torsade, ornement qui se répète sur le bouchon agrémenté de moulures de filets et ciselé d'une rosace sur le dessus. Ces bouchons, vissés sur un col en argent doré, protègent un petit bouchon de liège à monture en argent doré munie d'un annelet de prise. Le liège obstrue hermétiquement le flacon afin de prévenir toute évaporation de son précieux et volatil contenu. Celui-ci est à base d'essences diverses pour les eaux de toilette comme la bergamote, le cédrat, le citron. Les parfumeurs utilisent également de nombreuses espèces de fleurs qu'ils laissent macérer dans des corps gras. La distillation est réservée à la rose, à la fleur d'oranger et à quelques bois odorants.

Don Maurice Burrus, Sainte-Croix-aux-Mines, 1946.

ÉTEIGNOIR

Vers 1789
Johann Jacob Kirstein
(1733-1816, maître en 1760)
Argent doré
H. 6,8 cm ; Ø 2,6 cm ; P. 3,8 cm
Poinçons : poinçon de garantie à l'importation (cygne, en usage depuis 1893), associé à un poinçon de bigorne (insecte, en usage à partir de 1838).

EXPOSITIONS : 1936, Paris, n° 387 ; 1948, Paris, n°s 286-290 ; 1948, Strasbourg, n°s 657-661 ; 1964, Paris, n°s 116-118 a.
BIBLIOGRAPHIE : Haug (H.), 1978, n° 127.
HISTORIQUE : offert à la comtesse Sophia Therese von der Leyen pour la naissance de son fils Erwein en 1789. Collection Roger Ehrhardt, Schiltigheim. Vente Drouot Paris, *Collection Roger Ehrhardt*, 1939, n° 25. Acquis lors de la vente par Maurice Burrus et offert en 1946 au musée des Arts décoratifs de Strasbourg.
Inv. XLVII.6

Éteignoir de forme conique surmonté d'une toupie facettée évoquant une flammèche. La base moulurée à filets comporte un discret décor gravé de frise de rais-de-cœur. L'anse de section carrée est mouvementée en S avec enroulement aux extrémités. Dans un nécessaire, les éteignoirs peuvent être remplacés ou complétés par les mouchettes, ciseaux dont l'une des branches est munie d'une sorte de boîte dans laquelle on écrase et coupe le morceau de mèche carbonisé.

Don Maurice Burrus, Sainte-Croix-aux-Mines, 1946.

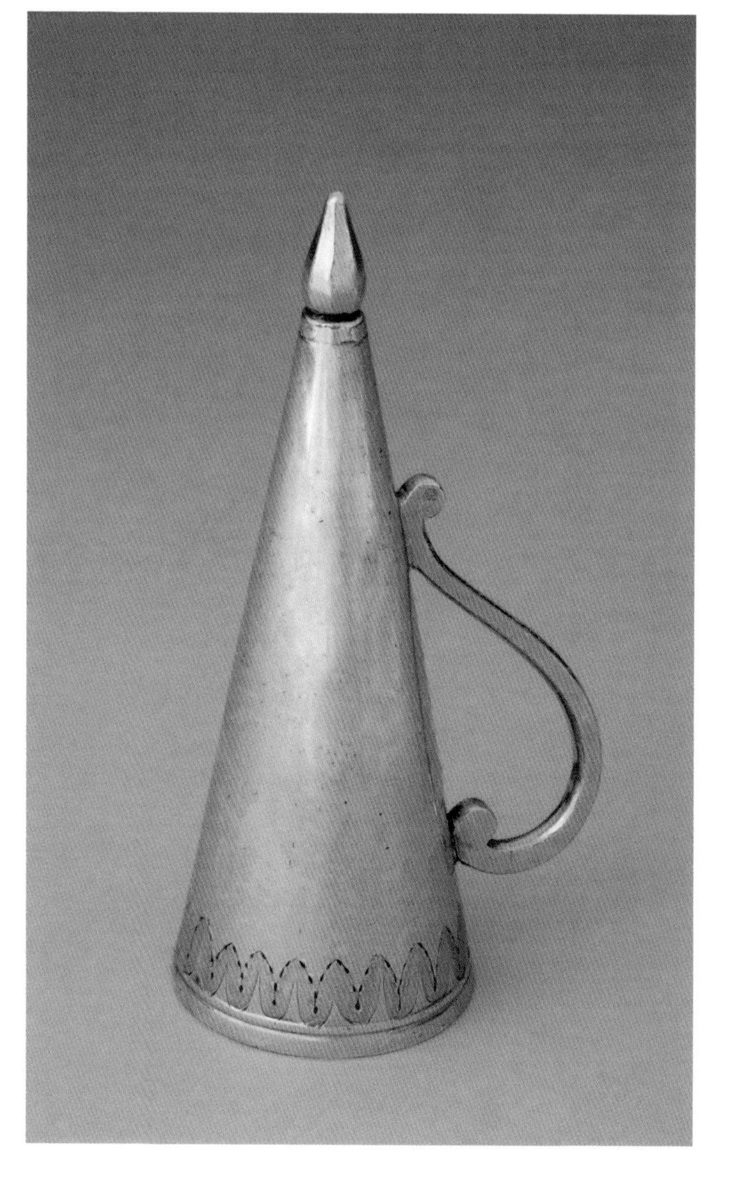

COUVERT

1789
Johann Jacob Kirstein
(1733-1816, maître en 1760)
Argent doré et acier
Cuiller : L. 20,9 cm
Fourchette : L. 20,1 cm
Couteau : L. 24,5 cm
Poinçons :
– cuiller et fourchette : poinçon du maître ; petit 13 à fleur de lis ; chiffre 5 sous casque à panache ; poinçon de garantie à l'importation (cygne, en usage depuis 1893), associé à un poinçon de bigorne (insecte, en usage à partir de 1838) ;
– couteau : petit 13 à fleur de lis ; poinçon chiffre 5 sous casque à panache difficilement lisible (1789) (?) ; poinçon de garantie à l'importation (cygne, en usage depuis 1893), associé à un poinçon de bigorne (insecte, en usage à partir de 1838).
EXPOSITION : 1936, Paris, n° 387.
BIBLIOGRAPHIE : Haug (H.), 1978, n° 201.
HISTORIQUE : collection Roger Ehrhardt, Schiltigheim. Vente Drouot Paris, *Collection Roger Ehrhardt*, 1939, n° 26. Achat auprès de Jacques Kugel, Paris, 1969.
Inv. LXIX.1

Armes d'alliance du comte héréditaire Philipp von der Leyen und zu Hohengeroldseck (1766-1829) et de la comtesse Sophia Therese von Schoenborn Wiesentheid (1772-1810), gravées sur le dos des spatules du couvert et sur l'une des faces du manche du couteau.

Couvert modèle à filets, spatule sans épaulement. Les deux faces de la spatule sont ornées d'un médaillon en ovale irrégulier entouré de deux guirlandes de laurier maintenues au sommet du médaillon par une agrafe de feuilles d'acanthe, le tout en léger relief et ciselé. Sur le dos, le médaillon est gravé aux armes d'alliance de la comtesse von der Leyen née Schoenborn. Ce décor ainsi que les armoiries sont répétés sur le couteau dont la lame en acier comporte une marque de coutelier.

L'écrin d'origine, en maroquin rouge orné au petit fer et gainé intérieurement de daim rouge, est conservé avec le couvert et le couteau. Cet ensemble est identique à celui qui accompagne l'écuelle à bouillon exécutée en 1786 par Johann Jacob Kirstein pour Augusta Wilhelmine de Hesse-Darmstadt, épouse du prince Maximilien Joseph de Deux-Ponts-Birkenfeld, et conservé à la Residenz de Munich. La seule variante consiste en une feuille d'acanthe qui vient enrichir l'attache des différents éléments composant le couvert aux armes de la princesse de Deux-Ponts[21].

Achat, Paris, 1969.

21. Munich, Residenz, Inv. Res. Mü. L-SK 2/1-3

DEMME
COBLENTZ

ÉCUELLE COUVERTE AVEC PRÉSENTOIR

1789
Johann Jacob Kirstein
(1733-1816, maître en 1760)
Argent doré
Écuelle : H. 12 cm ; l. 18,5 cm ; Ø 14,5 cm
Présentoir : Ø 25,2 cm

Poinçons :
– écuelle : 13 couronné ; poinçon du maître ; chiffre d'année 5 sous casque à panache (1789) ; poinçon de garantie (crabe, en usage à partir de 1838) ;
– couvercle : poinçon de garantie (tête de sanglier, en usage à partir de 1838) ;
– présentoir : 13 couronné ; poinçon du maître ; chiffre d'année 5 sous casque à panache (1789) ; poinçon de garantie (crabe, en usage à partir de 1838), associé à un poinçon de bigorne (insecte, en usage à partir de 1838).

EXPOSITIONS : 1936, Paris, n° 387 ; 1978, Strasbourg, n° 90 ; 1981, Strasbourg, n° 303.
BIBLIOGRAPHIE : *Compte-rendu 1945-1950*, p. 190 ; Haug (H.), 1964, ill. p. 107 ; Haug (H.), 1978, n° 125 ; Haug (G.), 1984, p. 135 ; Alemany-Dessaint 1988, ill. 4, p. 78.

HISTORIQUE : offert à la comtesse Sophia Therese von der Leyen pour la naissance de son fils Erwein en 1789. Collection Roger Ehrhardt, Schiltigheim.
Vente Drouot Paris, *Collection Roger Ehrhardt*, 1939, n° 25.
Acquis lors de la vente par Maurice Burrus et offert en 1946 au musée des Arts décoratifs de Strasbourg.
Inv. XLVII.3 a et b, écuelle à bouillon.
Inv. XLVII.4, présentoir.

Armes d'alliance du comte héréditaire Philipp von der Leyen und zu Hohengeroldseck (1766-1829) et de la comtesse Sophia Therese von Schoenborn Wiesentheid (1772-1810), gravées sur l'écuelle, sur son couvercle et sur le marli du présentoir.
Écuelle de forme circulaire à base arrondie reposant sur une embase discrètement en retrait. Le bord supérieur, légèrement étranglé puis évasé, est mouluré de filets. Les deux anses imitent des branchages entrecroisés noués se terminant en feuilles d'acanthe formant attaches, le tout ciselé au naturel. Ces anses sont reliées entre elles par une frise de rinceaux feuillagée encadrée de filets gravés, motif assorti à celui qui décore le marli du présentoir et que l'on retrouve sur d'autres pièces du nécessaire. Le couvercle, bordé d'une moulure de laurier noué, est orné sur le dessus d'une guirlande de fleurs en feston rayonnant autour de la prise centrale. Relevée par deux nœuds de ruban, de part et d'autre du bouton de prise, la guirlande est traitée en léger relief et finement ciselée. La prise, en forme de cassolette à motifs de stries et de canaux torses, est couronnée d'un délicat bouquet de roses.
Le bord extérieur du présentoir mouluré de laurier est interrompu par quatre nœuds de ruban d'où s'échappent de petites guirlandes de fleurs en relief brochant sur le marli. Celles-ci sont reliées entre elles par le motif de rinceau feuillagé, encadré de filets gravés, signalé précédemment sur l'écuelle.
Écuelle, couvercle et présentoir sont gravés aux armoiries Leyen-Schoenborn.

Le motif ornemental de guirlandes de fleurs qui apparaît sur l'ensemble des pièces du nécessaire, hormis l'éteignoir, témoigne du goût de Kirstein pour les fleurs minutieusement ciselées dans un style naturaliste. On le retrouve dans le nécessaire de toilette de la princesse de Deux-Ponts réalisé en 1786 et particulièrement dans l'écuelle à bouillon et son présentoir très similaire dans le dessin et l'ornementation à l'écuelle étudiée ici (ill. 30, p. 31)[22].
Le nécessaire de la comtesse von der Leyen comptait primitivement un minimum de vingt pièces présentées en 1936 au musée des Arts décoratifs à Paris où elles ont pu être réunies grâce aux prêts de trois collectionneurs privés dans le cadre de l'exposition *Orfèvrerie française civile de province du XVIIe au XVIIIe siècle*. Une partie de ces objets a été acquise par Maurice Burrus lors de la dispersion de la collection Roger Ehrhardt en 1939 à l'hôtel Drouot. Il s'agit de l'aiguière et de son bassin, de l'éteignoir et de l'écuelle à bouillon avec son présentoir. Maurice Burrus, collectionneur d'arts décoratifs du XVIIIe siècle et généreux donateur des musées de Strasbourg, en fit don au musée des Arts décoratifs en 1946. Les deux flambeaux à fût cannelé et le couvert provenant du même nécessaire n'ont pu être acquis par Maurice Burrus à la vente Ehrhardt. Trente années plus tard, en 1969, c'est par voie d'achat que couvert et écrin sont entrés au musée.
Toutes les autres pièces du nécessaire exposées à Paris en 1936, issues des collections Koehler-Schlumberger et Bonnefoy et Cie,

sont passées en vente à l'hôtel Drouot en 1987[23]. L'ensemble comprenait six pots à poudre de trois tailles différentes allant par paire, deux pots à fard et leur présentoir ovale, deux plateaux ovales, une brosse, une boîte ovale (à racines ?) et une petite boîte à deux compartiments et charnière médiane (à mouches ?), le tout aux armes des Leyen-Schoenborn et à l'ornementation assortie aux objets conservés au musée des Arts décoratifs de Strasbourg.
Les modèles des pots à poudre et des flambeaux sont parfaitement semblables, à quelques variantes près pour le décor, à ceux du pot à poudre et des deux flambeaux du nécessaire de la princesse de Deux-Ponts réalisés par Johann Jacob Kirstein quelques années plus tôt, en 1786, et conservés à la Residenz de Munich (ill. 28 et 29, pp. 30-31 et cat. 101).
Ce qui subsiste du nécessaire de la comtesse von der Leyen permet de se faire une idée très précise des ensembles que les orfèvres strasbourgeois étaient en mesure de livrer à leurs prestigieux commanditaires.

Don Maurice Burrus, Sainte-Croix-aux-Mines, 1946.

22. Écuelle à bouillon et son présentoir, couvert et couteau, boîte à mouches réalisés par J. J. Kirstein en 1786 pour la princesse de Deux-Ponts, conservés à la Residenz de Munich. Inv. Res. Mü. L-SK 1/1-2, 2/1-3, 3

23. Cat. vente Drouot-Montaigne, Paris, 21 novembre 1987, pp. 42-43, n° 145.

101. NÉCESSAIRE DE LA PRINCESSE DE DEUX-PONTS

MIROIR DE TOILETTE

1786
Johann Jacob Kirstein
(1733-1816, maître en 1760)
Argent doré, glace au mercure et noyer
H. 96,5 cm ; l. 56,6 cm ; P. 7,2 cm
Poinçons : 13 couronné ; poinçon du maître ; chiffre d'année 2 sous casque à panache (1786).
EXPOSITIONS : 1964, Paris, n° 112 ; 1978, Strasbourg, n° 87, pl. III ; 1980, Munich, n° 149 ; Strasbourg, 1981, n° 302.

BIBLIOGRAPHIE : *Compte-rendu 1945-1950*, p. 190 ; Dahl et Lohmeyer, 1957, pp. 113, 604 et 614 ; Haug (H.), 1978, n° 122 ; Haug (G.), 1984, p. 135 ; Roche, Courage et Devinoy, 1985, p. 28.
HISTORIQUE : offert à la princesse Augusta Wilhelmine de Deux-Ponts pour la naissance de son fils aîné, futur Louis Ier de Bavière, le 25 août 1786.
Inv. LIII.21
INSCRIPTION : *21, marcs, 4 gros / FAIT pr . KIRSTEIN / ORFEVRE/ A STRASBOURG / 1786*, gravée sur le côté extérieur du pied droit, de bas en haut.

Dans un cartouche figurant sur le couronnement du miroir, armes d'alliance de Maximilien Joseph de Deux-Ponts-Birkenfeld (1756-1825) et de Caroline de Bade-Durlach (1776-1841), en argent doré, repoussé et ciselé.

Miroir de toilette à bordure rectangulaire posée sur deux pieds et surmontée d'un fronton en arc de cercle armorié et sommé d'une couronne.

Ses dimensions importantes – il mesure près d'un mètre de hauteur – ont conditionné une mise en œuvre particulièrement complexe mais ont également favorisé la réalisation d'une ornementation exceptionnelle. Un cadre de noyer, visible à l'arrière du miroir, sert de support aux différentes pièces en argent doré qui y sont fixées principalement par vissage à écrous. Les éléments constitutifs de cet habillage en métal, partiellement fondu ou repoussé, sont ciselés, gravés, brasés, rivetés ou vissés. À l'arrière, un chevalet, en noyer ajouré en forme de lyre et monté à charnière en argent doré, permet de maintenir le miroir sur la table de toilette.

Kirstein fait appel à un répertoire réduit de motifs Louis XVI qu'il enrichit cependant par l'emploi de deux tons d'or délicatement contrastés : rais-de-cœur et entrelacs à rosaces pour la bordure moulurée, stries et rais-de-cœur pour le piétement, mascaron drapé et couronné personnifiant Flore ou le Printemps, symbolisant la naissance, et guirlandes de fleurs pour le soubassement. Le couronnement, en revanche, s'éloigne de la conception néoclassique de la bordure par l'introduction d'un fronton en arc de cercle aux armes d'alliance du prince Maximilien Joseph de Deux-Ponts-Birkenfeld et de la princesse Caroline de Bade-Durlach, présentées sur fond de cuirs à enroulements. S'en échappent des guirlandes de fleurs aboutissant en chute aux angles supérieurs du miroir. L'élément décoratif le plus spectaculaire est constitué par le manteau héraldique « de pourpre fourré d'hermine, rebrasé d'or et surmonté de la couronne de prince »[24] drapant avec beaucoup de réalisme le pourtour du fronton. Ce drapé évoque le voile de gaze ou de dentelle qui recouvre systématiquement tout miroir

Attribué à Johann Jacob Kirstein (1733-1816), *Dessin d'un motif ornemental sur le thème de l'Amour ravivé*, vers 1780, encre et lavis sur papier, 15,1 x 19,7 cm, Strasbourg, Cabinet des estampes et des dessins. Inv. XXI.105 f

Attribué à Johann Jacob Kirstein (1733-1816), *Dessin d'une guirlande de fleurs*, vers 1785, crayon noir et rehauts de sanguine sur papier, 11,1 x 17,4 cm, Album Kirstein, Strasbourg, cabinet des estampes et des dessins. Inv. XXXII.91

de toilette lorsqu'il est posé sur la table de toilette, habillée elle-même d'une étoffe assortie, sur laquelle sont disposés les divers éléments constitutifs d'un nécessaire, à savoir, entre autres : une aiguière et son bassin, un luminaire, des boîtes à poudre, à racines et à mouches, des pots à fard, des flacons à parfum, une clochette, une mouchette ou un éteignoir et des brosses.

Le miroir fait partie du nécessaire offert par Maximilien Joseph de Deux-Ponts, colonel-propriétaire du régiment d'Alsace à Strasbourg, à Augusta Wilhelmine de Hesse-Darmstadt (1765-1796), fille du comte Georges Guillaume de Hesse-Darmstadt et de Marie Albertine Louise de Linange-Heidesheim, à l'occasion de la naissance de leur fils aîné. En 1785, lorsque le prince Maximilien épouse la princesse de Hesse-Darmstadt, la succession du siège électoral de Bavière est fortement compromise et les Wittelsbach sont à la veille de perdre leur dernière chance de le conserver. En l'absence de descendance mâle des princes palatins, ce siège reviendra à la Maison d'Autriche. Un an après le mariage du prince Maximilien de Deux-Ponts, le 25 août 1786, naît l'héritier tant attendu qui va assurer la survivance de la lignée des Wittelsbach. L'enfant prénommé Louis aura pour parrains le roi Louis XVI et le duc régnant de Deux-Ponts. La magnificence de la toilette, et tout particulièrement du miroir, s'explique dès lors ; l'hommage du prince à son épouse devait être à la hauteur de l'événement. Par testament du 13 janvier 1795, rédigé peu avant sa mort survenue en 1796, la princesse lègue à son mari le nécessaire constitué d'environ vingt-cinq pièces. Les armoiries du miroir de toilette sont remplacées entre octobre 1804 et décembre 1805[25] par les nouvelles armes du prince, devenu électeur de Bavière et du Palatinat du Rhin depuis 1799, et de la princesse Caroline de Bade-Durlach, sa seconde épouse depuis 1797. Maximilien est couronné premier roi de Bavière en 1806[26] ; son fils lui succède en 1822 sous le nom de Louis Ier.

Le nécessaire de toilette, passé par voie d'héritage aux Habsbourg puis aux Salm-Kybourg, est pillé par les troupes russes à la fin de la dernière guerre en Autriche. Les sept pièces subsistantes, dont le miroir de toilette, passent en vente publique à Berne en 1953[27].

Le musée des Arts décoratifs conserve l'écrin de voyage du miroir ainsi que le coffret de voyage du nécessaire de toilette en maroquin rouge décoré au fer et doublé intérieurement de velours de soie vert, œuvres du relieur et gainier strasbourgeois J. A. Becker (ill. p. 2). Le fonds de dessins d'orfèvrerie du Cabinet des estampes et des dessins de Strasbourg conserve, quant à lui, des dessins de guirlandes de fleurs attribués à Johann Jacob Kirstein dans un style proche de celui qui distingue l'ornementation du miroir de la princesse de Deux-Ponts.

Miroir et son écrin de voyage, achats, Berne, 1953.
Inv. LIII.21 et LIII.23
Coffret de voyage du nécessaire,
don Comte de Salm-Kybourg, 1953. Inv. LIII.24

24. La croix de la couronne de prince électeur du Saint Empire est manquante.

25. Par ordonnance du 3 octobre 1804, les armes de l'Électorat sont modifiées sous la forme qui apparaît sur le miroir de toilette. Elles connaîtront une nouvelle transformation lorsque Maximilien Joseph prendra le titre de roi de Bavière, le 26 décembre 1805, suite au traité de Presbourg.

26. On peut supposer qu'à partir de l'accession au trône de Bavière ce nécessaire n'est plus en usage dans la mesure où les armoiries qui y figurent n'ont pas été remplacées par les armoiries royales.

27. Il s'agit, en dehors du miroir, d'un bassin, d'un pot à fard, de deux bougeoirs, d'un plateau et ses deux pots à fard, d'une boîte ovale et d'un couvercle de pot à fard. Galerie Jürg Stucker, Berne, cat. vente XXXV, 21 novembre 1953, n° 2249.

COUVERCLE DE POT À FARD

Vers 1786
Johann Jacob Kirstein
(1733-1816, maître en 1760)
Argent partiellement doré
Ø 7,2 cm

EXPOSITIONS : 1978, Strasbourg, n° 88 ; 1980, Munich, n° 149.
BIBLIOGRAPHIE : Haug (H.), 1978, n° 123.
HISTORIQUE : provient du nécessaire offert à la princesse Augusta Wilhelmine de Deux-Ponts pour la naissance de son fils aîné, futur Louis Ier de Bavière, le 25 août 1786.
Inv. LIII.22

Armes d'alliance de Maximilien Joseph de Deux-Ponts-Birkenfeld (1756-1825) et de Caroline de Bade-Durlach (1776-1841) regravées sur le dessus du couvercle.

Couvercle de forme circulaire bordé d'une torsade et à décor de cannelures sous la doucine. Celle-ci, ornée d'une frise de feuilles d'acanthe et de canaux torses, aboutit à la terrasse moulurée sur le pourtour et aplatie en creux. Elle est gravée en son centre des armes d'alliance des familles de Deux-Ponts-Birkenfeld et de Bade-Durlach présentées sur fond de manteau et couronnées. Les écus et la couronne d'électeur sont traités en argent non doré. Le pot à fard assorti est manquant depuis 1945.

Cet objet faisait partie du nécessaire de toilette offert par le prince Maximilien Joseph de Deux-Ponts à sa femme Augusta Wilhelmine de Hesse-Darmstadt. Du nécessaire pillé en 1945, seules ont subsisté les pièces mises en vente à Berne en 1953, à savoir le miroir et le couvercle de pot à fard aujourd'hui conservés à Strasbourg, un bassin ovale, deux bougeoirs, un pot à fard et deux flacons fixés sur un plateau ovale. Le coffret de voyage de ce nécessaire, également au musée des Arts décoratifs, permet, au travers du compartimentage de son gainage intérieur, d'identifier le type d'objets qui s'y trouvaient et de les dénombrer. Il comprenait essentiellement une série de dix pots à fard ou à poudre cylindriques, de cinq tailles différentes, allant deux par deux, une boîte ovale de même hauteur que les boîtes à fard, une boîte ovale plate, deux plateaux ovales, une brosse, une paire de bougeoirs, un éteignoir, une clochette et une aiguière complétant le bassin vendu à Berne.

Les deux bougeoirs ont été acquis en 1994 à la Residenz à Munich ainsi que le grand pot à fard (ill. 28-29, pp. 30-31)[28]. Son couvercle est identique à celui, plus petit, du musée de Strasbourg. Le pot en lui-même, à base arrondie sur embase en retrait, est orné sur presque toute la hauteur du corps d'une ample frise de méandres brunie, en léger relief, se détachant sur fond amati. Le bord supérieur, ciselé d'une frise de rinceaux, reçoit le couvercle par emboîtage. L'intérieur de l'objet est traité en or rouge contrastant avec l'or jaune extérieur. Le pied circulaire des deux bougeoirs, mouluré de lauriers noués et de torsades, est agrémenté de trois rosaces et des armes d'alliance ciselées. Le fût cannelé se termine par une bobèche cernée d'une torsade.

L'écuelle à bouillon avec son présentoir (ill. 30, p. 31), le couvert et son couteau ainsi que la boîte à mouches également exécutés par Johann Jacob Kirstein en 1786 pour la princesse de Deux-Ponts sont conservés à la Residenz de Munich depuis 1971[29]. Regravés aux armes Deux-Ponts et Bade, l'écuelle et son présentoir ainsi que le couvert devaient constituer un nécessaire complémentaire au nécessaire de toilette conservé à Strasbourg, bien que le coffret de voyage de ce dernier ne comprenne aucun compartiment pour les recevoir. Tout en étant plus richement ornés, ces objets sont très proches, par le style et le décor, de ceux provenant du nécessaire de la comtesse von der Leyen (cat. 100). Sur le couvercle de l'écuelle, les guirlandes de fleurs sont interrompues par deux médaillons ovales encadrés de guirlandes de laurier, placés de part et d'autre de la graine. L'un reçoit les armes d'alliance, tandis que l'autre présente un couple de tourterelles posé sur un arc et un carquois entrecroisés symbolisant l'amour.

L'ornementation de ces objets relève d'un style Louis XVI épuré et sans sévérité, dans une esthétique proche de celle d'un Robert-Joseph Auguste, servie par une exécution digne des plus grands orfèvres parisiens.

Achat, Berne, 1953.

28. Vente du 17 juin 1994, Études Couturier-Nicolay et Oger-Dumont, Drouot, Paris, n° 155. Munich, *Residenz*. Res. Mü. SK 3931, 3932, 3933
29. Munich, Residenz, dépôt permanent de la Bayerischen Landesbank, 1971. Inv. Res. Mü. L-SK 1/1-2, 2/1-3, 3

cuté par Kirstentein

L'orfèvrerie religieuse

102. LIVRE DE CANTIQUES

Reliure, vers 1723
Argent et brocart d'argent
H. 13,8 cm ; l. 7,7 cm ; P. 2,2 cm

Exposition : 1948, Strasbourg, n° 724.
Bibliographie : *Compte-rendu 1927-1931*, pp. 18-19.
Inv. XXX.86
Geistreiches Neues Gesangbuch, Strasbourg, Johannes Beck, 1723. Vue de Strasbourg en frontispice, gravure commerciale insérée dans la reliure mentionnant le nom de l'imprimeur. Illustrations gravées de P. J. Lutherburg, 1723. Livre de cantiques luthériens.

Reliure constituée de brocart de fils d'argent tissé au format de l'ouvrage. Les motifs s'inscrivent parfaitement dans les plats et dans le dos qui leur servent de cadre. Fermoirs en argent à décor d'entrelacs de feuilles d'acanthe ajourées, gravées et ciselées.
Ce type d'ouvrage est d'un usage ancien et ceci particulièrement dans les familles du patriciat strasbourgeois. Dans l'inventaire après décès de Dominique Dietrich (1620-1694) figurent parmi les objets d'orfèvrerie, où l'on ne compte pas moins de trente et un gobelets et neuf coupes, un recueil de cantiques relié en argent avec deux fermoirs en argent et deux livres de prières et de cantiques avec leurs fermoirs d'argent[30].

Achat, Strasbourg, 1930.

30. Reichshoffen, Archives de Dietrich, carton 48.

103. LIVRE DE CANTIQUES

Reliure, vers 1731
Argent et argent partiellement doré
H. 13,8 cm ; l. 8,5 cm ; P. 2,3 cm
Expositions : 1948, Strasbourg, n° 725 ; 1981, Strasbourg, n° 206.
Inv. XXXV.10

Geistreiches Neues Gesangbuch, Strasbourg, Johannes Beck, 1731 et *Christliches Gebetbuchlein*, Strasbourg, Johannes Beck, 1731. Vue de Strasbourg en frontispice, gravure commerciale insérée dans la reliure mentionnant le nom de l'imprimeur. Illustrations gravées d'après P. J. Lutherburg. Livre de cantiques luthériens. Une inscription manuscrite à l'encre figure en tête du recueil : *Maria Barbara / Schubart geb Kayser / von Barr anno 1698 / den 17 ten November / gestorben in Nov : 1789 / Kuhn née Schubart à / Mélanie Steiner née / Oesinger en souvenir de sa marraine et tris= / aïeule. / Louise M H Steiner / reçu en souvenir de / sa mère Juillet 1849.*

Reliure constituée d'une monture en argent doré soulignée par une frise de vagues en léger relief. Dans la monture sont rivetées des plaques d'argent repoussées et ciselées. Leur iconographie fait référence aux deux sacrements de la confession protestante : le baptême et la Sainte Cène. Le plat avant représente *Le Baptême du Christ*, le plat arrière *La Sainte Cène*. Les fermoirs sont ornés des objets de culte liés à ces sacrements : aiguière et bassin pour rappeler le baptême, ciboire et corbeille pour la Sainte Cène. La synthèse de ce programme iconographique apparaît sur la plaque décorant le dos du livre de cantiques : une allégorie protestante de la Religion évoquée par une femme tenant calice et croix ainsi que par des livres ouverts, symboles des Saintes Écritures.
La conception de l'objet tout à fait similaire à celle du livre de cantiques contemporain, étudié au n° 105 du catalogue, laisse supposer un auteur commun.

Achat, Colmar, 1935.

104. LIVRE DE CANTIQUES

Reliure, vers 1739
Argent et chagrin noir
H. 14,6 cm ; l. 8,5 cm ; P. 2,5 cm
Exposition : 1948, Strasbourg, n° 726.
Inv. XIX.87

Neues Gesang-Buch, Strasbourg, Johannes Beck, 1739.
Y est insérée une vue de Strasbourg en frontispice, gravure signée « Weis Argent. Sc. 1738. », mentionnant le nom de l'imprimeur.
Livre de cantiques luthériens.

Reliure en chagrin noir avec encadrement des plats constitué d'une bordure en forme de plate-bande en argent gravée d'une frise de rinceaux de feuilles d'acanthe et de fleurs. Le décor en argent ajouré et gravé, identique sur les plats avant et arrière, comprend des coins en forme de fleur et un monogramme central environné d'arabesques animées d'une tête de séraphin ailé et d'angelots. Il est couronné par une corbeille dont les fruits sont convoités par les deux oiseaux qui l'accostent. Les fermoirs sont ajourés et gravés de feuilles et de fleurs alors que les coiffes des dos le sont d'entrelacs feuillagés.

Achat, 1919.

105. LIVRE DE CANTIQUES

Reliure, vers 1741
Argent et argent partiellement doré
H. 14 cm ; l. 8,2 cm ; P. 2,8 cm

Expositions : 1948, Strasbourg, n° 728 ; 1964, Paris, n° 62 ; 1981, Strasbourg, n° 203.
Bibliographie : *Compte-rendu des années 1927-1931*, Strasbourg, 1932, p. 18, ill. p. 19.
Inv. XXX.41
Neues Gesang-Buch, Strasbourg, Johannes Beck, 1739.
Y est insérée une vue de Strasbourg en frontispice, gravure signée « Weis Sc. 1741. », mentionnant le nom de l'imprimeur.
Livre de cantiques luthériens.

Reliure constituée d'une monture en argent doré soulignée d'une frise de vagues en léger relief. Elle reçoit des plaques d'argent doré sur lesquelles vient se détacher un complexe et élégant décor d'arabesques en argent fondu, ajouré et finement ciselé, fixé au moyen de discrets rivets sur les fonds en vermeil. Le motif d'arabesques, dans le style de Jean Bérain, mêle mascarons, masques feuillus, corbeilles de fleurs et de fruits, colombes, phénix, brûle-parfums et angelots. Au centre du plat avant apparaît sous un dais une allégorie de la Justice (balance de justice) et de la Fidélité (chien couché) ; au centre du plat arrière apparaît de même une allégorie de l'Espérance (ancre) et de la Résurrection (phénix). Ces allégories symbolisent la foi du martyr évoquée sur le dos du livre par l'angelot tenant la palme et la couronne du supplicié.
Il est probable que cette reliure et celle figurant au n° 103 du catalogue soient l'œuvre du même auteur.

Achat, Fribourg-en-Brisgau, 1930.

106. LIVRE DE CANTIQUES

Reliure, vers 1741
Argent doré et chagrin noir
H. 14,4 cm ; l. 9 cm ; P. 2,5 cm

EXPOSITIONS : 1948, Strasbourg, n° 727 ; 1964, Paris, n° 63.
BIBLIOGRAPHIE : Haug (H.) 1964, ill. p. 111.
Inv. XVII.10
Neues Gesang-Buch, Strasbourg, Johannes Beck, 1739.
Y est insérée une vue de Strasbourg en frontispice, gravure signée « Weis Sc. 1741. », mentionnant le nom de l'imprimeur.
Livre de cantiques luthériens.

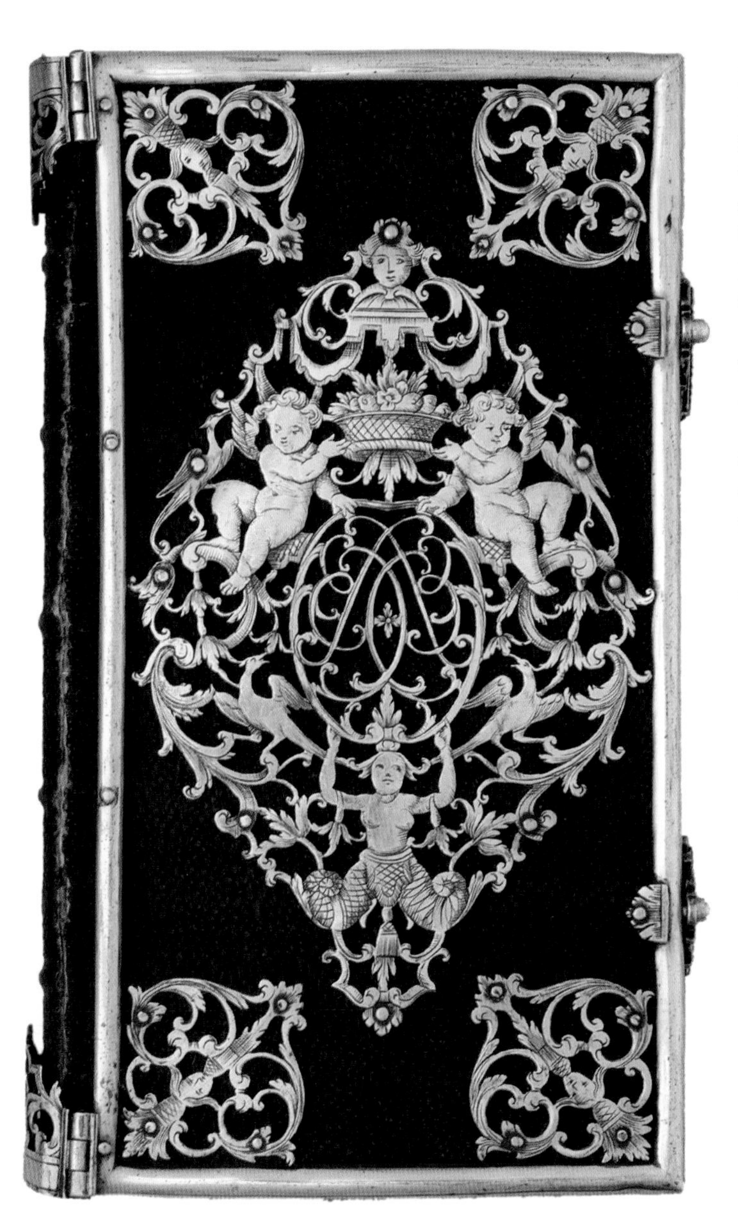

Reliure en chagrin noir avec encadrement en argent doré pour les plats. Les fermoirs, les coiffes du dos, les coins et les monogrammes rivetés sur les plats sont ajourés et ciselés de motifs d'arabesques de style Régence. L'ornement principal est composé d'un monogramme central surmonté de deux angelots soutenant une corbeille de fleurs et de fruits et supporté par une sirène. Le décor des deux plats est identique.
Cette conception de la reliure d'orfèvrerie est empruntée à la reliure traditionnelle en maroquin, dont la décoration imprimée au fer comprend généralement un encadrement à filets ornant les plats, des fleurons aux angles, un médaillon au centre agrémenté d'armoiries ou d'un monogramme, le tout doré. Sur l'ensemble des treize livres de cantiques de la collection d'orfèvrerie, couvrant la période s'étendant de 1739 à 1775, seuls quatre ouvrages échappent à cette typologie.

Achat, Wiesbaden, 1917.

107. LIVRE DE CANTIQUES

Reliure, vers 1745
Argent et chagrin noir
H. 17,2 cm ; l. 10,5 cm ; P. 3,9 cm

Exposition : 1948, Strasbourg, n° 730.
Bibliographie : *Compte-rendu 1927-1931*, p. 19.
Inv. XXX.76
Colmarisches Lob-Opfer Gesang-Buch, J. Heinr. Deckers, Colmar, 1745. En frontispice, xylographie de N. Rousseau représentant le roi David jouant de la harpe.

Reliure en chagrin noir avec encadrement en argent pour les plats. Coiffes de dos à entrelacs et coquilles, coins en forme de fleurons, fermoirs en lyres feuillagées et décor central des plats en argent ajouré et gravé. L'applique ornant le plat avant représente simultanément *La Crucifixion* et *La Sainte-Trinité* au milieu d'un environnement de feuilles d'acanthe, de têtes de séraphins ailés et d'angelots. Le plat arrière comprend un décor similaire encadrant *La Résurrection* surmontée de l'Esprit saint, sous forme de colombe, et de Dieu le Père. Le style décoratif de la reliure permet de l'apparenter à la production strasbourgeoise qui lui est contemporaine.

Achat, Strasbourg, 1930.

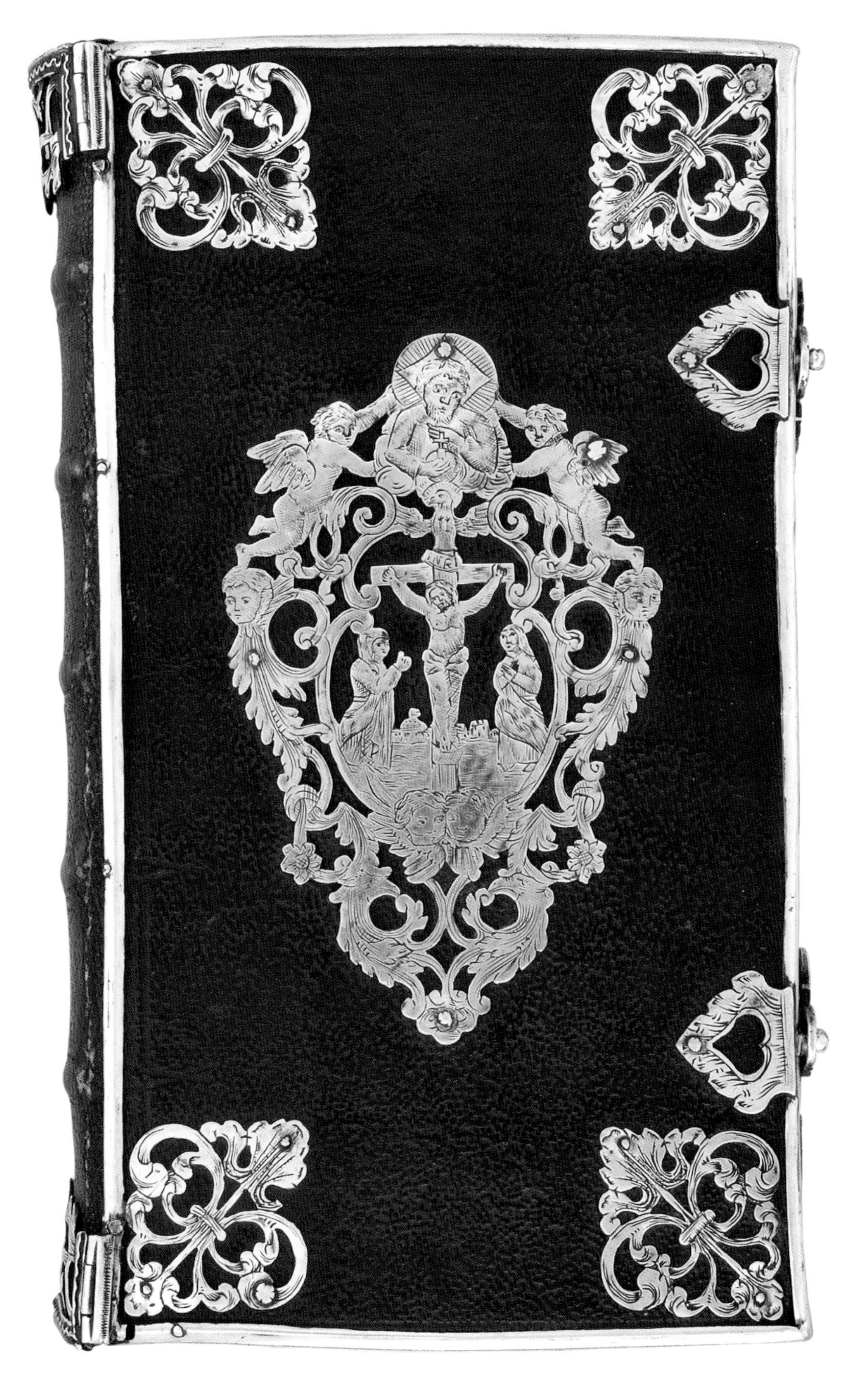

108. LIVRE DE CANTIQUES

Reliure, vers 1745
Johann Philipp Kremer
(maître en 1745)
Argent et velours de soie cramoisi
H. 15,7 cm ; l. 10,5 cm ; P. 3,2 cm
Poinçons : 13 à fleur de lis ;
poinçon du maître.

Exposition : 1948, Strasbourg, n° 729.
Bibliographie : Haug (H.), 1914, ill. 12.
Inv. 5745
Neues Gesang-Buch, Strasbourg, Joh. Heinrich Heintz, 1745.
Y est glissée une vue de Strasbourg ; il s'agit d'une planche gravée volante mentionnant le nom de l'imprimeur.
Livre de cantiques luthériens.

Reliure en velours de soie cramoisi avec encadrement en argent pour les plats. Les coins à décor de vase fleuri, les dos et les fermoirs à rinceaux feuillagés ainsi que l'ornement central des plats sont exécutés en argent ajouré, gravé et riveté. Le monogramme MHA est encadré de deux figures de grotesques ailées. Il est surmonté d'une corbeille de fleurs accostée de deux sphinges adossées, motifs caractéristiques du répertoire ornemental louis-quatorzien. Sous l'ovale dans lequel s'inscrit le chiffre, au travers des rinceaux de feuillages, apparaît une ancre renversée et un cygne, symboles de l'Espérance et de la Foi.

Achat, Strasbourg, 1899.

109. LIVRE DE CANTIQUES

Reliure, vers 1747
Johann Ulrich Mands
(maître en 1740)
Argent doré et velours de soie cramoisi
H. 16,9 cm ; l. 10,5 cm ; P. 3,1 cm
Poinçons : 13 à fleur de lis ; poinçon du maître.

EXPOSITIONS : 1948, Strasbourg, n° 731 ; 1964, Paris, n° 64 ; 1978, Strasbourg, n° 71 ; 1981, Strasbourg, n° 204.
Inv. XVII.55
Neues Gesang-Buch, Strasbourg, Johann Daniel Dulssecker et Johann Carl Pohle, 1747.
En frontispice, gravure représentant le roi David, signée « Weis Sc. 1743 ».
Livre de cantiques luthériens.

Reliure en velours de soie cramoisi très usé avec encadrement en argent doré pour les plats. Les coins, le dos renforcé par une applique centrale et les fermoirs sont constitués d'entrelacs ajourés, gravés et ciselés. Le milieu du plat est orné d'un décor de rinceaux en argent doré, ajouré, gravé et ciselé entourant un cartouche quadrilobé qui enserre *La Crucifixion* sur le plat avant et *La Résurrection* sur le plat arrière. Les scènes en question, symbolisant la mort et la résurrection du Christ pour le rachat des péchés de l'humanité, sont encadrées par deux anges et surmontées d'une corbeille de fruits évoquant la douceur des nourritures spirituelles que viennent goûter deux oiseaux.

Achat, Mannheim, 1917.

110. LIVRE DE CANTIQUES

Reliure, vers 1752
Johann Philipp Kremer
(maître en 1745)
Argent et chagrin noir
H. 14,7 cm ; l. 9 cm ; P. 3,4 cm
Poinçons : 13 sous A dans
un ovale ; poinçon du maître.
Inv. 33.004.0.104

Neues Gesang-Buch,
Strasbourg, Johannes Beck, 1747.
Y est insérée une vue
de Strasbourg en frontispice,
gravure signée « Weis Sc. 1752 »,
mentionnant le nom de l'imprimeur.
Livre de cantiques luthériens.

Reliure en chagrin noir avec encadrement en argent pour les plats. La garniture en argent ajouré et gravé comprend uniquement les coiffes des dos ornés d'arabesques et les fermoirs ornés de même et agrémentés de têtes de séraphins ailés.

111. LIVRE DE CANTIQUES

Reliure, vers 1769
Johann Philipp Kremer
(maître en 1745)
Argent et chagrin noir
H. 14,7 cm ; l. 9,4 cm ; P. 3,4 cm
Poinçon : poinçon du maître.

Expositions : 1948, Strasbourg, n° 732 ; 1978, Strasbourg, n° 75 ; 1981, Strasbourg, n° 205.
Bibliographie : *Compte-rendu 1927-1931*, p. 19.
Inv. XXIX.87
Neues Gesang-Buch, Strasbourg, Conrad Schmidt, 1769. Y est insérée une vue de Strasbourg en frontispice, gravure signée « D. öchslin. sc in Einsidlen. », mentionnant le nom de l'imprimeur. La même édition et la même gravure figurent au n° 112 du catalogue. Livre de cantiques luthériens.

Reliure en chagrin noir avec encadrement en argent pour les plats. Dos à décor d'arabesques, coins ornés d'arabesques et de masques, fermoirs à motifs d'arabesques et de baldaquins en argent ajouré et gravé. Le plat avant est orné de *La Crucifixion*, le plat arrière de *La Résurrection*. Les scènes sont environnées d'un même décor ajouré et gravé d'arabesques, d'angelots, de personnages grotesques et d'une corbeille de fruits accostée d'agneaux. Le décor gravé se caractérise par une certaine maladresse dans le rendu des figures humaines et animales.

Achat, Strasbourg, 1929.

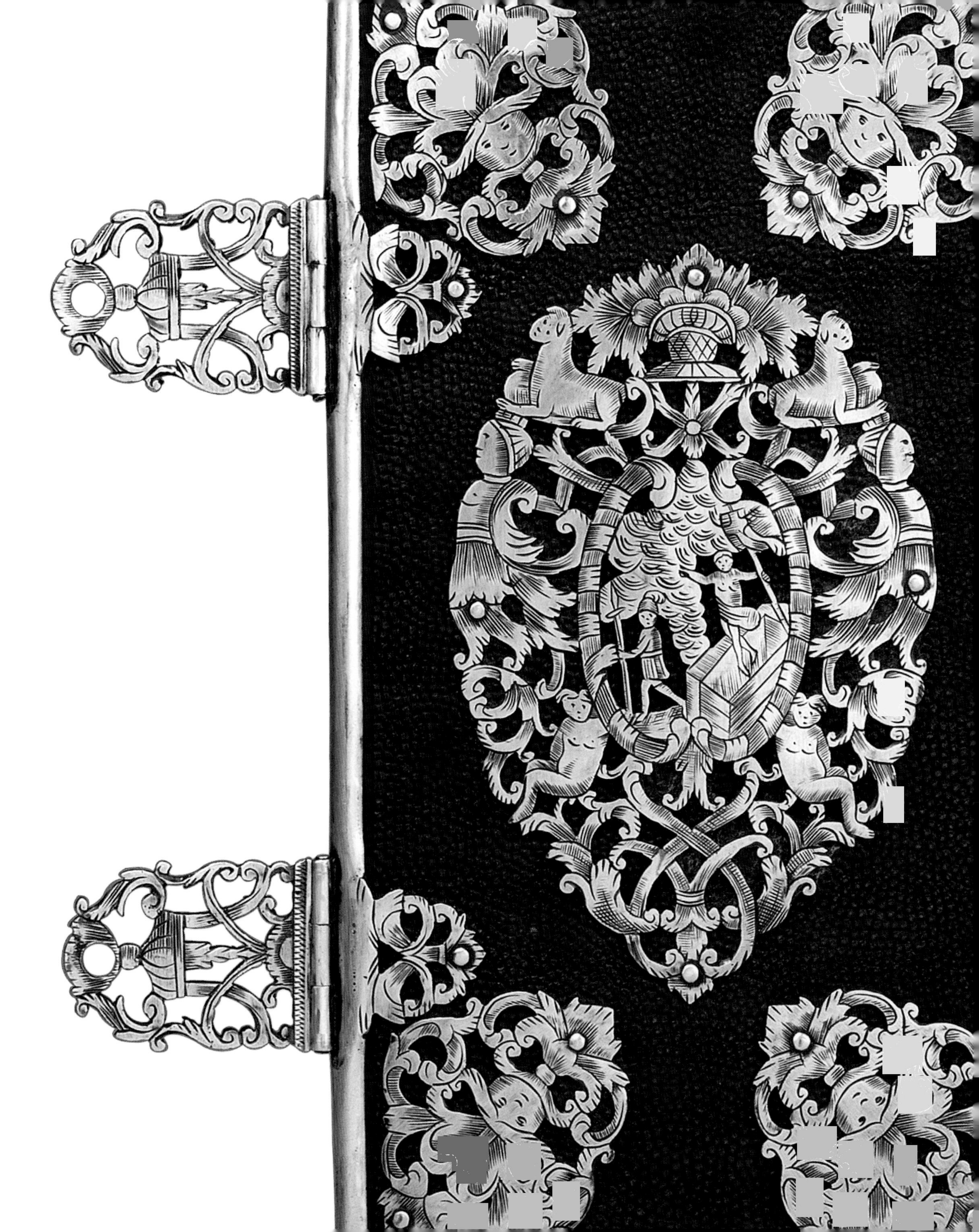

112. LIVRE DE CANTIQUES

Reliure, vers 1769
Argent doré et velours de soie cramoisi
H. 14,4 cm ; l. 9,3 cm ; P. 3,5 cm

Exposition : 1948, Strasbourg, n° 733.
Inv. XLVII.36
Neues Gesang-Buch, Strasbourg, Conrad Schmidt, 1769.
Y est insérée une vue de Strasbourg en frontispice, gravure signée « D. öchslin. sc in Einsidlen », mentionnant le nom de l'imprimeur. La même édition et la même gravure figurent au n° 111 du catalogue.
Livre de cantiques luthériens.

La reliure, entièrement gainée de velours de soie cramoisi, est ornée de deux élégants fermoirs d'arabesques feuillagées en argent doré et finement gravé.

Don Marty, 1947.

113. PSAUTIER

Reliure, vers 1770
Argent et chagrin marron gaufré
H. 16,6 cm ; l. 10,2 cm ; P. 3,8 cm
Inv. 33.004.0.105

Neuverbesserte Übersetzung der Psalmen Davids,
Bâle, Jos. Jakob Flick, 1770.

Reliure en chagrin marron gaufré à motif de résille rocaille et fleurs avec encadrement en argent pour les plats. Les coiffes du dos, ornées de feuilles d'acanthe, treillage et coquilles, ainsi que le motif central riveté sur les plats sont exécutés en métal ajouré et finement gravé. L'applique centrale, de petite dimension, présente un monogramme savamment entrelacé, encadré de palmes entrecroisées et nouées, le tout surmonté d'une couronne. Les coins et les fermoirs, à feuillages et coquilles en relief, sont réalisés en fonte ciselée et partiellement guillochée.

114. LIVRE DE CANTIQUES

Reliure, vers 1775-1777
Isaac Kübler (maître en 1763)
Argent doré et velours de soie cramoisi
H. 14,4 cm ; l. 9,5 cm ; P. 3 cm
Poinçon : poinçon du maître.

Expositions : 1948, Strasbourg, n° 734 ; 1964, Paris, n° 123 ; 1978, Strasbourg, n° 92.
Bibliographie : *Compte-rendu 1927-1931*, p. 19 ; Haug (G.), 1984, ill. p. 131.
Inv. XXVIII.20

Neues Gesang-Buch, Strasbourg, Jonas Lorenz, 1775. Y est insérée une vue de Strasbourg en frontispice, gravure commerciale mentionnant le nom de l'imprimeur. Une inscription manuscrite à l'encre figure en début de recueil et indique le nom de celle qui en fut vraisemblablement la première détentrice : *Anna Maria Fichin geborene Lödererin 1777.*

Reliure de velours de soie cramoisi avec encadrements d'argent doré pour les plats. Les coiffes du dos et les fermoirs à motifs feuillagés et têtes d'angelots sont en métal ajouré et gravé. Les coins à arabesques et tête de chérubin ainsi que l'applique centrale ornant les plats sont exécutés selon la technique de la fonte, puis gravés, ciselés et dorés. L'élégante composition décorative de l'applique, avec ses arabesques, ses atlantes au corps feuillagé, sa corbeille de fleurs posée sur un lambrequin, sa guirlande de fruits et son motif de têtes de séraphins ailés émergeant d'une nuée en gloire, évoque le XVIIe siècle alors que sa réalisation se situe dans le dernier quart du XVIIIe siècle.
À travers la collection de livres de cantiques strasbourgeois du musée des Arts décoratifs, on peut constater que les ouvrages conservent la même typographie ; leurs reliures véhiculent, sur la base d'une formule sans cesse répétée, le même vocabulaire ornemental tout au long du XVIIIe siècle, ceci sans aucune tentative d'adaptation à l'évolution du goût. Ils restent fortement attachés à une tradition héritée du XVIIe siècle.

Achat, Strasbourg, 1928.

115. CALICE

1763
Johann Georg Pick (maître en 1739, attesté jusqu'en 1785)
Argent doré
H. 26,8 cm ; Ø 15,6 cm
Poinçons : lettre d'année M couronnée (1763) ; poinçon du maître ; 13 couronné.

EXPOSITION : 1978, Strasbourg, n° 70.
BIBLIOGRAPHIE : *Compte-rendu 1945-1950*, p. 190 ; Haug (H.), 1978, n° 89.
Inv. LII.23
INSCRIPTION : + *To the Glory of God + In loving Memory of their Parents Charles Berkeley and Frances Dorothea Margretts. This Chalice is given by Frances Burroughes Margretts, Constance Emily Bevan and Agnes Penrose Vernon. Easter. 1920.*
Dédicace gravée postérieurement sous le pied.

Calice à pied circulaire mouluré ciselé de volutes, cartouches et chicorées rocaille, le tout parsemé de fleurs. La tige de forme balustre comporte deux nœuds moulurés de stries horizontales encadrant un nœud central gravé de motifs rocaille. La coupe légèrement évasée est ciselée et gravée d'une frise rocaille animée, reprenant le thème décoratif de la base. Dans ce décor, l'illusion du relief est donnée par une opposition de surfaces brunies et matées.
Ce type de calice est généralement constitué de trois éléments distincts : le pied, la tige et la coupe en argent fondu. Ceux-ci sont réunis par ébrasement.
L'ensemble des objets du culte catholique nécessaires à la célébration d'un office est appelé « chapelle ». Elle comprend ordinairement un crucifix, au moins deux candélabres, un calice et sa patène, un ciboire, deux burettes et leur plateau, une clochette, une aiguière et son bassin, un ostensoir et un encensoir.

Achat, Paris, 1952.

Strasbourg, *Dessin d'un ciboire*, troisième quart du XVIIIe siècle, crayon et lavis aquarellé sur papier, 31,4 x 19,9 cm, Strasbourg, Cabinet des estampes et des dessins. Inv. LXVI.67

116. CALICE ET PATÈNE

Vers 1770-1775
Philipp Koenig
(1733-après 1785, maître en 1767)
Argent doré
Calice : H. 31,2 cm ; Ø 17,1 cm
Patène : Ø 16,1 cm
Poinçons :
– calice : poinçon du maître ; double B couronné ;
– patène : 13 couronné ; poinçon du maître ; double B couronné.

EXPOSITIONS : 1948, Strasbourg, n° 687 ; 1981, Strasbourg, n° 225.
BIBLIOGRAPHIE : *Compte-rendu 1923-1926*, p. 14 ; Haug (H.), 1978, n° 137 ; Haug (G.), 1984, p. 128, ill. p. 132.
Inv. XXIV.12

Calice à pied circulaire mouvementé à trois côtes pincées plaquées de feuilles d'acanthe. L'ensemble du décor du vase est traité en relief. Le bord mouluré du pied est orné de guirlandes de laurier reprises par des nœuds de ruban. Sur la doucine, entre les côtes pincées, prennent place trois motifs repoussés et ciselés : deux cartouches asymétriques d'un très beau dessin rocaille environnés d'épis de blé et de grappes de raisin, et un troisième motif représentant deux séraphins adorateurs de la croix qui apparaissent dans une nuée.
La tige de forme balustre comporte deux nœuds moulurés de stries horizontales encadrant un nœud central à motif de feuilles d'acanthe, de guirlandes de fleurs et de chicorées. Le modèle de cette tige semble être particulièrement en faveur à Strasbourg durant le seconde moitié du XVIIIe siècle. Les églises Notre-Dame-des-Tables à Montpellier, Sainte-Madeleine à Strasbourg, et Saint-Nicolas à Haguenau, conservent des calices de Johann Georg Pick aux piétements tout à fait similaires[31].
La coupe légèrement évasée est ornée à la base d'une fausse coupe ajourée de volutes, feuillages, panaches rocaille et de guirlandes de laurier. Enchevêtrés au milieu de cette frise, les épis de blé et les grappes de raisin sont là pour évoquer le pain et le vin de l'eucharistie. Le décor en relief finement ciselé est, dans sa presque totalité, traité en amati par opposition au corps de l'objet uni et brillant.
Le calice et sa patène de forme circulaire unie sont conservés avec leur écrin en maroquin fauve, à l'intérieur gainé de daim.
Un dessin au crayon rehaussé de lavis aquarellé, conservé au Cabinet des estampes et des dessins de Strasbourg, représente un modèle bipartite de ciboire dont la proposition de style rocaille est conforme au calice de Philipp Koenig.

Achat, Mâcon, 1924.

31. Haug (H.), 1978, ill. 90, 92 et 93.

117. CALICE ET PATÈNE

1778
Jacques Henri Alberti
(1730-1795, maître en 1764)
Argent doré
Calice : H. 30,1 cm ; Ø 15,3 cm
Patène : Ø 15,5 cm
Poinçons, calice et patène : lettre d'année C couronnée (1778) ; poinçon du maître ; 13 couronné.

BIBLIOGRAPHIE : Haug (H.), 1978, n° 134 ; Haug (G.), 1984, p. 134.
Inv. LXVI.61

Calice à pied circulaire dont la base repoussée et ciselée comprend une doucine, ornée à intervalles réguliers de médaillons à rosettes, à laquelle succède une moulure de laurier. La terrasse du piétement comprend trois croix gravées environnées d'une gloire, inscrites respectivement dans trois médaillons ovales. Ceux-ci, surmontés d'un losange à rosette, sont reliés entre eux par une feuille d'acanthe déployée. La tige de forme balustre comporte deux nœuds à frises de postes et de feuillages encadrant un nœud central à décor de feuilles d'acanthe et de guirlandes de laurier. La coupe légèrement évasée est agrémentée d'une fausse coupe ajourée, ciselée et gravée, répétant le décor à médaillons et losanges de la base. L'intérieur des médaillons est orné de chutes de grappes de raisin nouées auxquelles répondent les épis de blé et les branchages de vignes, évoquant l'eucharistie, sur le pourtour de la fausse coupe.
La forme générale du calice reste dans l'esprit des calices d'époque Louis XV, alors que le répertoire ornemental relève davantage du style néo-grec.
Patène de forme circulaire unie.

Achat, Paris, 1966.

118. CALICE

1784
Veuve Fritz
(dirige l'atelier de 1780 à 1789)
Argent doré
H. 29,8 cm ; Ø 15,5 cm
Poinçons : 13 couronné ; poinçon du maître ; chiffre d'année 84 sous casque à panache (1784) ; poinçon de garantie à l'importation (cygne, en usage depuis 1893), associé à un poinçon de bigorne (insecte, en usage à partir de 1838).

HISTORIQUE : le calice porte le poinçon instauré en 1893 pour marquer les pièces d'orfèvrerie en argent destinées à être exportées vers un pays n'ayant pas contracté de traité de commerce avec la France.
Inv. 33.982.2.1

Calice de style néoclassique à pied circulaire taluté et mouluré, orné d'une torsade d'applique vissée sur le pied et d'une frise de feuilles d'eau. L'ornementation de la tige, qui illustre parfaitement le retour à l'antique, renvoie à la *Nouvelle Iconologie historique* de Delafosse (1768) dont les planches ont fortement inspiré les orfèvres du temps. La tige en balustre, au dessin très architecturé, voit se succéder bague à canaux, feuilles d'acanthe, tore de laurier et feuilles d'eau. La fausse coupe du calice, constituée de grandes feuilles d'eau, enserre la coupe unie et à bord légèrement évasé.
Le traitement amati des ornements, au relief très marqué, accentue leur caractère sculptural qui s'oppose très nettement aux parties planes et brunies du calice.

Achat, Lyon, 1982.

119. CALICE ET DEUX AIGUIÈRES DE SAINTE CÈNE

1798-1809
Jean Geoffroy Fritz
(1768-1823, établi en 1789)
Argent doré
Calice : H. 28,6 cm ; Ø 14,7 cm
Aiguières : H. 40,5 cm ; l. 14,5 cm ; P. 20,2 cm

Poinçons :
– calice : les deux poinçons du maître (le poinçon rectangulaire *FRITZ* en toutes lettres et le poinçon losangique) ; poinçons de moyenne garantie et de second titre (années 1798-1809) ;
– aiguières : poinçon du maître *FRITZ* ; poinçons de moyenne garantie et de second titre (années 1798-1809).
Inv. D.33.004.0.4 (1-4)

Calice à pied circulaire mouluré et tige en balustre comprenant une bague moulurée et un nœud en forme d'anneau plat gravé de moulurations en creux et matées. La coupe unie est légèrement évasée vers le haut.
La décoration des aiguières, à corps piriforme reposant sur un piédouche circulaire, consiste en la répétition de moulures horizontales. S'y ajoute le mouvement en accolade de l'anse. Mais c'est le bouton du couvercle monté à charnière qui constitue l'ornement principal de l'aiguière. Posé sur une terrasse de feuilles d'eau, il est en forme de graines et de feuilles d'acanthe. L'appui-pouce en demi-cercle est ciselé d'une demi-rosace. L'utilisation de deux tons d'or, rouge et jaune, permet d'obtenir de légers contrastes entre les parties planes et moulurées.
Cet ensemble d'une extrême sobriété est encore très empreint des formules de l'époque Louis XVI. Il s'agissait au départ d'un double nécessaire de Sainte Cène accompagné d'une boîte à hosties. En effet, le coffret en bois de noyer qui l'accompagne abrite deux niveaux de compartiments gainés de daim rouge : au plan supérieur, le rangement est conçu pour recevoir deux calices en paire, deux patènes à piédouche circulaire en paire, une boîte à hosties ; le niveau inférieur est aménagé pour contenir deux aiguières en paire.

Dépôt du Conseil presbytéral
de l'église Saint-Nicolas, Strasbourg.

Attribué à Jean Geoffroy Fritz
(1768-1823), *Élévation d'une aiguière,*
plan et profil de son bassin,
premier quart du XIXe siècle,
encre et crayon sur papier, 47,2 x 31,6 cm,
Strasbourg, Cabinet des estampes
et des dessins.
Inv. LXV.80

120. AIGUIÈRE DE BAPTÊME ET SON BASSIN

1809, aiguière ; 1809-1819, bassin
Frédéric Schuler (mentionné en 1824) et Jean Geoffroy Fritz (1768-1823, établi en 1789)
Argent et bois noirci
Aiguière : H. 28,4 cm ; l. 11 cm ; P. 16,8 cm
Bassin : H. 3,2 cm ; l. 40,3 cm ; P. 24,2 cm

Poinçons :
– aiguière : les deux poinçons du maître (le poinçon rectangulaire *SCHULER* en toutes lettres et le poinçon losangique à l'initiale S surmontant un cor) ; poinçon de recense (années 1809-1819) ; poinçons de second titre et de moyenne garantie (années 1798-1809) ;
– bassin : poinçon du maître (poinçon losangique) ; poinçon de second titre et de moyenne garantie (années 1809-1819).
Inv. D.33.004.0.5(1-3)

Aiguière de forme balustre reposant sur un piédouche circulaire à base carrée. Le couvercle mouvementé, monté à charnière, est muni d'un bouton en ébène en forme de gland maintenu par une rosette en argent. Les attaches de l'anse sinueuse, en bois noirci, sont en argent ciselé de feuilles d'eau et d'un mascaron. Le corps de l'aiguière est souligné, à la naissance du col, d'une frise perlée doublée d'une frise de palmettes. L'ornementation d'inspiration nilotique se concentre sur le piédouche ciselé imitant une fleur de lotus et sur le mascaron, appliqué à l'avant de la panse, représentant un personnage en buste coiffé du némès égyptien. Ces motifs issus du style Retour d'Égypte, associés à une aiguière de baptême, assimilent étonnement les eaux du Jourdain à celles du Nil.
Bassin ovale à bordure finement moulurée[32].
Le Cabinet des estampes et des dessins de Strasbourg conserve un dessin représentant une aiguière et son bassin d'un modèle similaire[33].

Dépôt du Conseil presbytéral
de l'église Saint-Nicolas, Strasbourg.

32. Le coffret gainé de chagrin noir et doublé intérieurement de reps vert d'eau est postérieur (fin du XIXe siècle).

33. Une aiguière en argent très proche dans la forme, de Johann Jacob Kirstein (vers 1810), est reproduite au n° 482 du catalogue de la vente Lempertz, Cologne, 21 mai 2004, p. 125.

Don
Eglise francaise de Strasb
onfession d'Augsbourg
par
DANIEL BRUNNER,
asteur de la dite Eglise
trasbourg le 25 Juin
1630.

121. CALICE ET SA PATÈNE

1830
Jacques Frédéric Kirstein
(1765-1838, établi en 1795)
Argent doré
Calice : H. 10,2 cm ; Ø 7 cm
Patène : H. 4,8 cm ; Ø 7,3 cm
Poinçons, calice et patène : poinçon du maître ; poinçons de second titre et de grosse garantie (années 1819-1838).

EXPOSITION : 1948, Strasbourg, n° 681.
BIBLIOGRAPHIE : Haug (H.), 1978, n° 170.
HISTORIQUE : offert par le pasteur Jean Daniel Brunner à l'Église de la Confession d'Augsbourg, Strasbourg, 1830.
Inv. XXXI. 142 a et b
INSCRIPTION : sur la coupe est gravé : *Don / offert à l'Eglise française de Strasbourg / de la Confession d'Augsbourg, / par / JEAN DANIEL BRUNNER , / Pasteur de la dite Eglise . / Strasbourg le 25 Juin / 1830.*

Petit calice à piédouche circulaire et coupe de forme tulipe. La base du piétement et le bord de la coupe sont soulignés de frises de tresse ciselées. Sur l'une des faces du corps de la coupe figure une inscription gravée en trois différents types de caractères.
La patène adopte la forme traditionnelle des patènes du culte protestant. Elle est constituée d'une coupelle de faible hauteur reposant sur un piédouche. La base du piétement et le bord de la coupe sont ciselés respectivement d'une frise de chevrons et d'une frise de postes. Elle fait office de couvercle pour le calice. En raison de la petitesse de leur taille, tout porte à croire que ces objets cultuels servaient lorsque le pasteur se déplaçait hors de l'église ou du temple.

Dépôt du Conseil presbytéral
de l'église Saint-Nicolas, Strasbourg, 1931.

122. CALICE ET PATÈNE

1830
Jacques Frédéric Kirstein (1765-1838, établi en 1795) ou Joachim Frédéric (II) Kirstein (1805-1860)
Argent et argent doré
Calice : H. 29,5 cm ; Ø 14,8 cm
Patène : H. 11 cm ; Ø 11,4 cm

Poinçons :
– calice : poinçon du maître ; poinçons de second titre et de grosse garantie (années 1819-1839) ; poinçon de garantie à la tortue, pour les petits ouvrages (années 1819-1838) ;
– patène : poinçon du maître ; poinçons de second titre et de grosse garantie (années 1819-1839).

Exposition : 1948, Strasbourg, n° 680.
Bibliographie : Haug (H.), 1978, n° 171.
Historique : offert par le pasteur Jean Daniel Brunner à l'Église de la Confession d'Augsbourg, Strasbourg, 1830.
Inv. XXXI.141 a et b

Inscriptions :
– sur la coupe est gravé : *DON / offert à l'Eglise Françoise de Strasbourg / de la Confession d'Augsbourg / en Mémoire / de la 150e. année de sa Restauration / et du 3e. Jubilé de sa Confession / par / JEAN DANIEL BRUNNER / Pasteur de la dite Eglise / STRASBOURG le 25 JUIN / 1830.*
– sur la base du pied est gravé : *Exécuté par Kirstenstein.*

Calice à pied circulaire mouluré d'une frise de palmettes et de perles. La tige repose sur une terrasse cerclée d'une frise de perles et d'une frise de pampres en haut-relief entrecoupées de rosaces, toutes deux appliquées et rivetées. Des guirlande de laurier sont finement ciselées à la naissance de la tige. Celle-ci est ornée de canaux amatis, de deux bagues ciselées de résilles et d'un nœud mouluré gravé de palmettes, feuilles d'acanthe et rosettes sur fond maté. L'amortissement sous la coupe est godronné. La base de la coupe est également godronnée et le haut évasé est uni. Entre les deux, le pourtour est agrémenté, d'une part, d'un haut-relief en argent fondu et ciselé représentant *La Cène* d'après Léonard de Vinci, de l'autre, d'une plaque en argent portant une inscription gravée en divers types de caractères. Cette inscription commémorative est encadrée par quatre écoinçons de rinceaux feuillagés en argent doré et ajouré. L'ensemble de cette décoration est maintenu au corps de la coupe par des moulures appliquées gravées de joncs enrubannés.
L'ornementation de la patène est concentrée sur le piédouche. La base du pied est ornée d'une frise de rais-de-cœur. Le pied lui-même reçoit un fourreau ajouré à décor de bouquets d'épis de blé ciselés surmontés d'une frise d'oves et dards. Celle-ci se poursuit, à l'amortissement de la coupe hémisphérique vissée au piétement, par une moulure perlée et une frise de palmettes. La même moulure souligne le bord extérieur de la coupe et rappelle celle qui cerne le pied du calice auquel la patène est assortie. Un léger retrait au revers du bord permet d'emboîter la patène, en la retournant tel un couvercle, sur la coupe du calice. Les motifs de raisin et de blé renvoient à la fonction respective de ces deux objets du culte protestant.
Pour signer son œuvre l'orfèvre adopte la forme ancienne du nom porté par le fondateur de la dynastie, Joachim Friedrich Kirstenstein, maître en 1729. La lignée s'éteindra en 1860 avec son arrière-petit-fils portant les mêmes prénoms. Le calice et la patène pourraient être une réalisation commune de Jacques F. et de Joachim F. Kirstein à moins qu'il ne s'agisse d'une œuvre de jeunesse de Joachim F. Kirstein. Dans ce cas, la forme inusitée de la signature permettait au fils de se distinguer de son père par l'emploi du patronyme de l'aïeul homonyme. Une maladroite correction orthographique dans la gravure de la signature militerait d'ailleurs en faveur d'une attribution au jeune Joachim Frédéric (II) Kirstein. En effet, la distinction entre les œuvres du père et du fils s'avère difficile durant la période de collaboration des deux orfèvres, dans la mesure où Joachim Frédéric Kirstein adopte les mêmes poinçons que ceux de Jacques Frédéric Kirstein, son père.

Dépôt du Conseil presbytéral
de l'église Saint-Nicolas, Strasbourg, 1931.

123. BOÎTE À HOSTIES

1838
Jacques Frédéric Kirstein
(1765-1838, établi en 1795),
ou de Joachim Frédéric (II)
Kirstein (1805-1860)
Argent et argent doré
H. 16,4 cm ; l. 17,5 cm ; P. 10 cm

Poinçons :
– boîte : poinçons du maître
(le poinçon rectangulaire
KIRSTEIN en toutes lettres
et le poinçon losangique) ;
les poinçons de second titre et
de grosse garantie
(années 1819-1838) ;
– couvercle : poinçons de second
titre et de grosse garantie (années
1819-1838).

Exposition : 1948, Strasbourg,
n° 682.
Bibliographie : Haug (H.), 1978,
n° 172.
Historique : offert par le pasteur
Jean Daniel Brunner à l'Église
de la Confession d'Augsbourg,
Strasbourg, 1838.
Inv. XXXI.143
Inscriptions :
– le bas-relief porte à droite, sur
le siège de l'un des pèlerins,
la signature gravée *Kirstein Exc* ;
en bas à gauche est gravé
Appiani ; sous la scène est gravée
la citation : *Ils le reconnurent
lorsqu'il rompit le pain.*
– la plaque est gravée d'un texte
commémorant les circonstances
du don de la boîte à hosties :
*DON /offert à l'Eglise françoise
de Strasbourg / de la confession
d'Augsbourg. / en Mémoire /
du troisième jubilé de l'inauguration
de la / première Eglise françoise
protestante / dans cette cité. / par /
Jean Daniel Brunner / Pasteur
de la dite Eglise. / STRASBOURG
à la FÊTE de PÂQUES 1838.*

Boîte à hosties rectangulaire aux côtés latéraux arrondis. Elle repose sur quatre pieds en toupies godronnées. Les deux faces longitudinales sont agrémentées l'une d'un bas-relief en argent fondu et ciselé représentant *Le Repas d'Emmaüs* d'après Appiani, l'autre d'une plaque en argent portant une inscription gravée dans différents types de caractères, certains richement calligraphiés. Les bords de la boîte et des plaques rivetées sont soulignés de fines moulures appliquées, gravées de motif de croisillons. Les côtés latéraux unis sont encadrés d'une frise de lierre ciselée.
Le couvercle plat s'élève progressivement en son centre pour recevoir, sur une terrasse godronnée, le bouton en forme de gland godronné sommé d'une perle. Le bord extérieur du couvercle est gravé d'une moulure en creux assortie à celles de la boîte.
L'iconographie de la scène qui orne la boîte à hosties est directement liée à sa fonction. Le style de ce relief est identique à celui de *La Cène* d'après Léonard de Vinci figurant sur le calice au n° 122 du catalogue. Il se démarque très nettement de la manière pratiquée par Jacques Frédéric Kirstein. On n'y retrouve pas la parfaite maîtrise de l'anatomie humaine et la grande fluidité du modelé propres à l'artiste. Son fils, élève des sculpteurs Landolin Ohmacht et Pierre-Jean David d'Angers, se fera connaître surtout en tant que médailler et sculpteur. Ne faut-il pas voir dans ces deux réalisations, le calice et la boîte à hosties offerts par le pasteur Jean Daniel Brunner à l'Église de la Confession d'Augsbourg, des travaux exécutés, du moins en ce qui concerne les reliefs, par Joachim Frédéric (II) Kirstein?

Dépôt du Conseil presbytéral
de l'église Saint-Nicolas, Strasbourg, 1931.

Ils le reconnurent lorsqu'il rompit le pain

124. AIGUIÈRE

1843
Joachim Frédéric (II) Kirstein
(1805-1860)
Argent partiellement doré
H. 41,3 cm ; l. 14,0 cm ; P. 21,8 cm
Poinçons : les deux poinçons du maître ; poinçon de moyenne bigorne (staphilin, en usage à partir de 1838), associé au poinçon de second titre (en usage à partir de 1838).

EXPOSITION : 1948, Strasbourg, n° 684.
BIBLIOGRAPHIE : Haug (H.), 1978, n° 176 ; Haug (G.), 1984, p. 137.
Inv. 1492

INSCRIPTIONS :
– sur la base du piétement : *Zu den Ehren Gottes und der lieben Christen heÿligen Gebrauch legiret der Evangelisch Lutherischen Kirchen des Mehreren Hospithals allhier in Straszburg / von Johann Carl Gol Juris utriusq. Doctorando Argentinensi Ober Pfründern im Jahr 1707.*
– sur le pourtour de la coupe : *Haec nativitas nostra felicitas ; Hoc supplicium nostrum beneficium ; Hic fructus noster luctus.*
– sous la naissance de l'anse : *Iohann Carl Gol. Welcher seine Zuversicht / Auff Gott den Herrn herzlich richt / Der wird von Ihm verlassen nicht / Das hab ich erfahren wohl vergnüglich.*

Aiguière de forme balustre reposant sur un piédouche dont la base circulaire comporte une inscription commémorant la donation faite par Jean Charles Gol en 1707 aux Hospices de Strasbourg. Piédouche godronné mouluré de feuilles d'acanthe ciselées. Le vase est orné de trois bas-reliefs en applique de format carré, bordés de feuilles d'acanthe. Ils représentent *La Nativité*, *La Crucifixion* et *Adam et Ève et l'arbre de la connaissance*. Sous chacune de ces scènes est gravé un phylactère portant une inscription. Le col de l'aiguière mouluré de godrons et de perles est muni d'un couvercle en casque monté à charnière. Les bords moulurés du col et du couvercle sont dorés. Bouton ovoïde à décor d'acanthe reposant sur une terrasse gravée de feuillages. L'anse en argent fondu, à volutes feuillagées, prend naissance au-dessus d'un motif en relief aux armoiries de Jean Charles Gol.

Les trois bas-reliefs, au modelé délicat, renvoient à la production de médailler et de sculpteur de Joachim Frédéric (II) Kirstein.

L'aiguière est conservée avec son coffret en bois noirci et gainé intérieurement de daim jaune pâle.

Le Cabinet des estampes et des dessins de Strasbourg conserve le dessin de Joachim Frédéric (II) Kirstein représentant cette aiguière (ill. p. 274).

Dépôt des Hospices civils, Strasbourg, 1888.

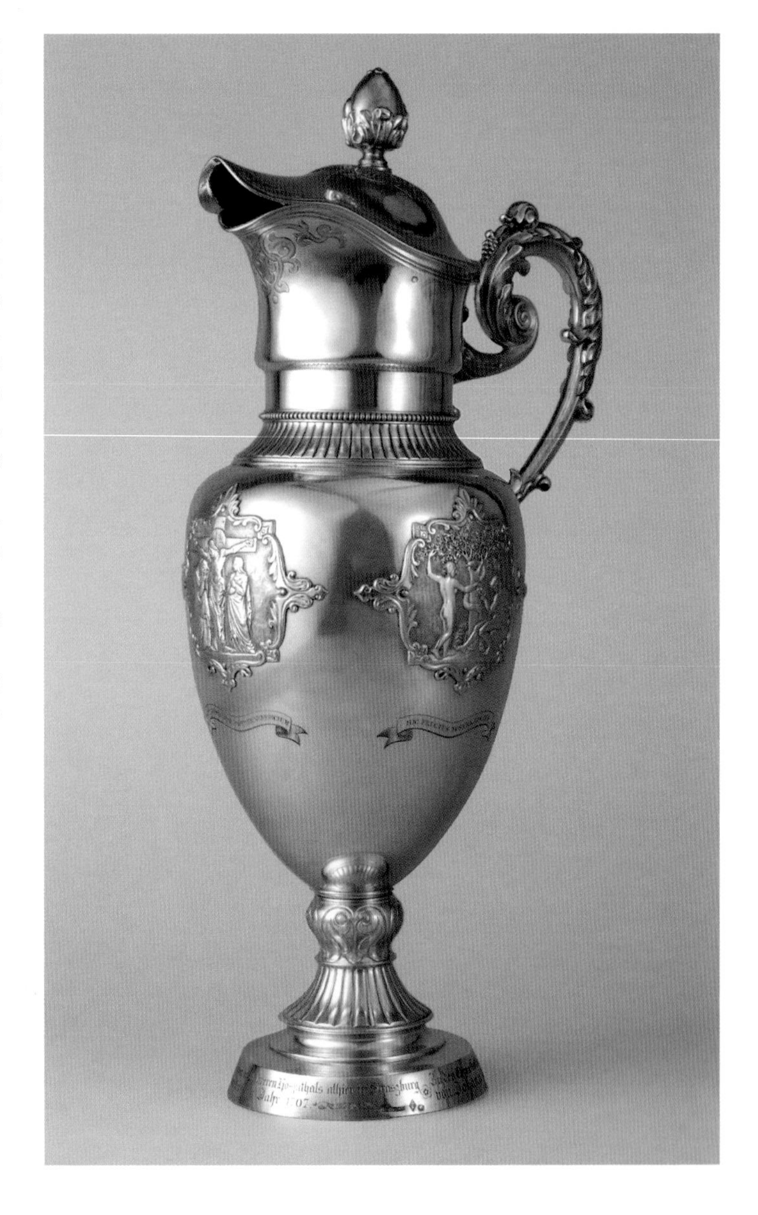

125. COUPE À COUVERCLE

1858
Joachim Frédéric (II) Kirstein
(1805-1860)
Argent et argent partiellement doré
H. 30,5 cm ; Ø 14,4 cm
Poinçons :
– coupe : les deux poinçons du maître ; poinçon de second titre (en usage à partir de 1838), associé à un poinçon de bigorne (sphex, en usage à partir de 1838) ; poinçon de garantie (crabe, en usage à partir de 1838) ;
– couvercle : poinçon du maître (losangique) ; poinçon de second titre (en usage à partir de 1838).

Exposition : 1948, Strasbourg, n° 687.
Bibliographie : Haug (H.), 1978, n° 177.
Historique : offert en 1858 par la Conférence pastorale alsacienne au pasteur de l'église Saint-Nicolas à Strasbourg, Jean Frédéric Bruch. Déposé par le Conseil presbytéral de l'église Saint-Nicolas au musée des Arts décoratifs en 1962.
Inv. LXII.9

Joachim Frédéric (II) Kirstein (1805-1860), *Dessin d'une coupe à couvercle*, 1858, crayon sur papier-calque, 36,3 x 23,4 cm, Strasbourg, Cabinet des estampes et des dessins. Inv. LXV.127 j

Inscriptions :
– sur la coupe, sur l'un des médaillons : *Bis dass wir alle hinan kommen zur Einheit des Glaubens. Eph. IV, 13. / Joh. V. 39. Forschet in der Schrift* ; sur l'autre médaillon *Die elsaessische Pastoral-Conferenz im fünfundzwanzigsten Jahre ihres Bestehens ihrem Praesidenten D.*[R] *Joh. Friedr. Bruch in dankbarer Anerkennung und Verehrung am fünfzehnten Juni MDCCCLVIII.*
– sur le couvercle : *Unitas / in dubiis / libertas / in omnibus / charitas / in necessariis.*

Piètement à base dodécagonale piriforme orné d'un motif finement ciselé de style mauresque rappelant les cuirs de Cordoue, se détachant en net relief sur fond amati. Le nœud de raccordement avec la coupe comprend une moulure de godrons surmontée de feuilles d'acanthe. À la naissance de la coupe sont appliqués des branchages de vigne tressés en argent. La coupe très évasée comprend deux médaillons appliqués et reliés entre eux par un motif de ferronnerie gravé. Ces médaillons en argent, environnés d'un tore de jonc noué d'agrafes et de guirlandes de lierre, sont ornés, l'un d'un bas-relief représentant saint Jean assis devant un livre ouvert et désignant l'inscription *BIS DASS WIR / ALLE / HINAN KOMMEN / ZUR EINHEIT / DES / GLAUBENS / Eph. IV, 13.*, l'autre d'une plaque sur laquelle est gravée une dédicace. Le calice a en effet été offert le 15 juin 1858 par la Conférence pastorale alsacienne, en commémoration du vingt-cinquième anniversaire de sa fondation, à son président Jean Frédéric Bruch, doyen et pasteur de l'église Saint-Nicolas.
Bord extérieur du couvercle à moulure de godrons et de perles délimitant une doucine gravée de motifs en accolade. Sur le plat bordant la terrasse talutée est appliquée une couronne de fleurs et de fruits en argent. Cette couronne est nouée de rubans sur lesquels sont gravés successivement : *UNITAS / IN DUBIIS / LIBERTAS / IN OMNIBUS / CHARITAS / IN NECESSARIIS.*
Le pourtour du talus est gravé d'un motif d'arabesques en rappel de celui du piètement. Sur la terrasse de feuilles d'acanthe est posé le bouton orné de feuilles d'eau, de canaux torses et de piastres.
Le médaillon représentant saint Jean est gravé, en bas à droite, d'un monogramme réunissant dos à dos les initiales F. K. de Joachim Frédéric Kirstein.

Dépôt du Conseil presbytéral
de l'église Saint-Nicolas, Strasbourg, 1962.

Objets de la vie publique et privée

126. CLEFS DE LA VILLE DE STRASBOURG

Vers 1805
Jacques Frédéric Kirstein
(1765-1838, établi en 1795)
Argent doré
L. 27 cm
Poinçons : poinçon du maître précédé de *KIRSTEIN* gravé ; poinçons de second titre et de grosse garantie (années 1798-1809).

EXPOSITIONS : 1948, Paris, n°s 275 et 311 ; 1948, Strasbourg, n° 672 ; 1964, Paris, n° 157 ; 1969, Strasbourg, n° 244.
BIBLIOGRAPHIE : Haug (H.), 1914, ill. 18 ; Haug (H.), 1978, n° 156 et 157.
HISTORIQUE : clefs et présentoir commandés et acquis par la ville de Strasbourg, probablement en 1805. Transférés avec coussin de présentation et coffret décagonal en bois au musée Hohenlohe, ancien musée des Arts décoratifs, en 1897. Déposés au Musée historique.
Inv. 5553 a

L'aigle impériale, tenant un foudre dans ses serres, est encadrée de deux branchages de laurier qui émergent d'un talus d'acanthe. Ce motif en ronde-bosse, ciselé au naturel, est inséré dans la tête de la clef, en forme de cœur, dont le contour est souligné, sur les faces avant et arrière, d'une frise de laurier noué. Cette tête, sommée d'une couronne, est raccordée à la tige par un nœud d'acanthe, une moulure godronnée, une frise de feuilles d'eau ciselée et une bague ornée d'une tresse. La tige et le panneton à moulure et découpes sont lisses.

Entrées au musée Hohenlohe en 1897.

PRÉSENTOIR

Vers 1790-1805
François Daniel Imlin
(1757-1827, maître en 1780)
Argent doré
Ø 44 cm
Poinçons : 13 dans un ovale
(en usage à partir de 1790) ;
poinçon du maître ; poinçons de
second titre et de grosse garantie
(années 1798-1809).

BIBLIOGRAPHIE : Haug (H.), 1914, ill. 18 ; Haug (H.), 1978, n° 156.
HISTORIQUE : clefs et présentoir commandés et acquis par la ville de Strasbourg, probablement en 1805. Transférés avec coussin de présentation et coffret décagonal en bois au musée Hohenlohe, ancien musée des Arts décoratifs, en 1897. Déposés au Musée historique.
Inv. 5553 b

Grand plat rond à bord contourné en accolades moulurées de filets. Modèle de style Louis XV. La cuvette est suffisamment creuse pour recevoir le coussin de velours de soie pourpre, bordé d'un passepoil et de glands de passementerie en fils d'or, sur lequel les clefs étaient diposées en sautoir.
Ces clefs sont présentées à l'Empereur, le 22 janvier 1806, lors de son retour triomphal de la campagne d'Austerlitz. Sous la Restauration, elles sont présentées à Charles X, les aigles ayant été préalablement remplacées par des fleurs de lis. Puis les aigles sont rétablies en 1852 au moment de la venue de Napoléon III. Les clefs serviront une dernière fois, sans modification, pour Raymond Poincaré, président de la République, le 9 décembre 1918.

Entré au musée Hohenlohe en 1897.

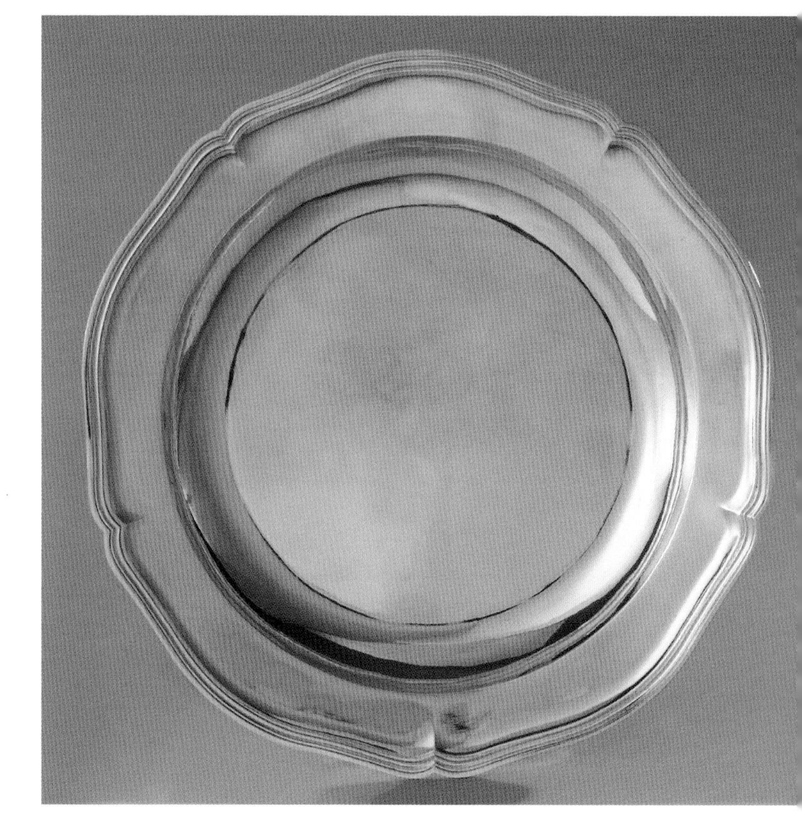

127. CLEF DE CHAMBELLAN

Autour de 1720
Bronze doré
L. 16 cm
EXPOSITIONS : 1948, Paris, n° 251 ; 1981, Strasbourg, n° 189.

BIBLIOGRAPHIE : Haug (H.), 1978, n° 68 ; Haug (G.), 1984, p. 123.
HISTORIQUE : provient de la famille F. Heywang, Strasbourg.
Déposée au Musée historique.
Inv. XLII.3

Clef de chambellan en bronze doré orné des initiales W et deux C adossés. Les lettres feuillagées et entrecroisées sont surmontées d'une couronne de prince du Saint Empire romain germanique et somment un petit écu ovale aux armes de la Maison de Bade. Il s'agit d'une clef de chambellan au chiffre du margrave Carl III Wilhelm de Bade-Durlach dont le règne s'étend de 1709 à 1738. Carl III Wilhelm (1679-1738) fait construire le château et la ville de Karlsruhe à partir de 1715.
Cette clef est conservée dans un écrin en maroquin rouge frappé d'armoiries peu lisibles qui pourraient être celles de la ville de Strasbourg. Entrée dans les collections du musée par voie d'échange en 1942, cette clef aurait été remise par le baron de Trelans à Louis XV lors de son entrée à Strasbourg en 1744, ainsi que le mentionne un billet manuscrit accompagnant l'objet. Il semble peu probable que l'on ait présenté au roi une clef de chambellan pour symboliser l'ouverture des portes de la prestigieuse ville libre royale, qui plus est, une clef ornée d'une couronne de prince du Saint Empire et aux armes d'une Maison régnante d'Outre-Rhin. Deux clefs parfaitement identiques sont conservées, l'une dans une collection particulière à Paris, l'autre au Badisches Landesmuseum de Karlsruhe (Inv. Nr. C 6173).
H. Haug attribue cet objet à Johann Ludwig (II) Imlin, orfèvre ayant livré d'importantes commandes aux Hesse-Darmstadt et aux Deux-Ponts. S'agissant d'un objet en bronze doré, ce qui explique l'absence totale de poinçon d'orfèvre, sa fabrication pourrait être l'œuvre de l'un des grands ferronniers serruriers strasbourgeois, tel Sigismond Falkenhauer ou Nicolas Pertois, qui étaient alors occupés à la réalisation des grilles de balcons et rampes d'escaliers des hôtels de Hanau-Lichtenberg, du Grand-Doyenné, de Rohan, et de Klinglin. Le musée Le Secq des Tournelles à Rouen conserve un dessin de Sigismond (II) Falkenhauer, daté de 1718, représentant des serrures avec leurs clefs. Il s'agit vraisemblablement de modèles destinés aux jeunes compagnons serruriers en vue de la confection de leur chef-d'œuvre. L'une des deux clefs apparaissant sur ce dessin est proche de la clef de chambellan dans sa conception générale et par son style : y figure, au centre, un médaillon ovale aux armes de France encadré de deux volutes feuillagées en accolade supportant deux *putti* maintenant une couronne royale au-dessus des armoiries[34].

Entrée par voie d'échange, 1942.

34. Haug (H.), 1933, p. 52 et pl. III.

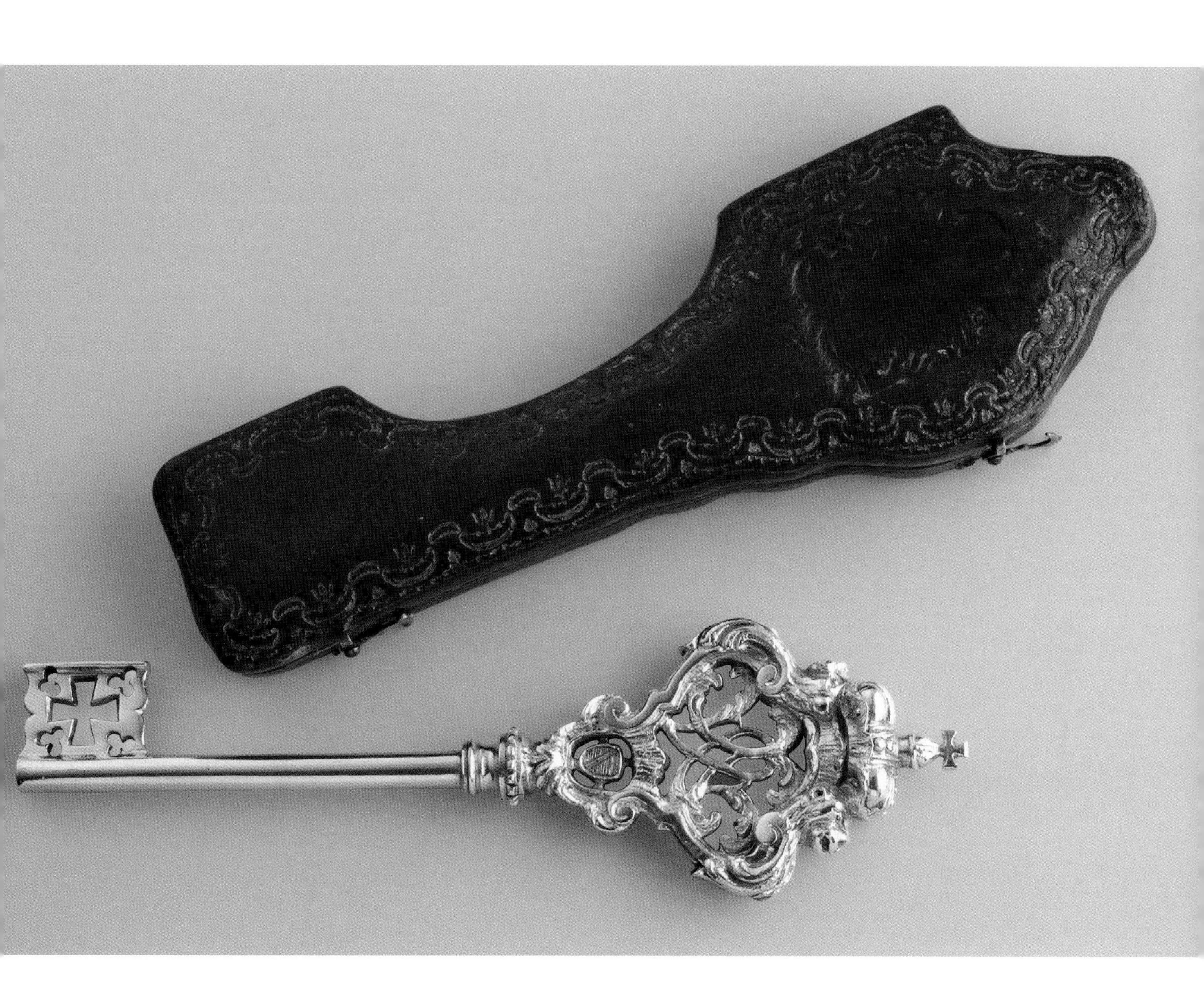

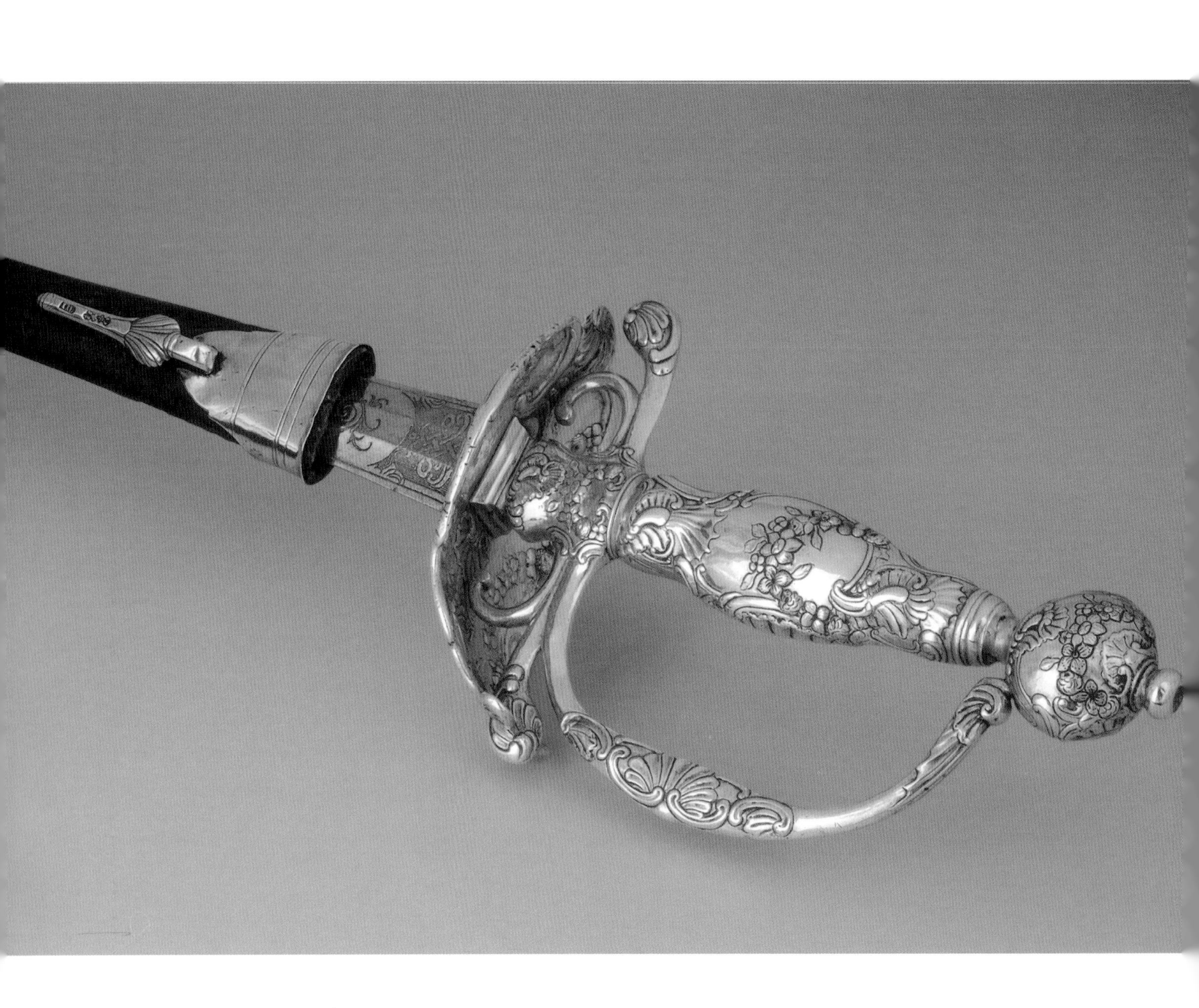

128. ÉPÉE DE PARADE

Troisième quart du XVIIIe siècle
Johann Friedrich Senckeysen (reçu maître entre 1763 et 1779) et Johann Jacob Dörffer (maître en 1763, attesté jusque vers 1789)
Argent, acier partiellement doré et cuir
L. totale 103,2 cm ;
L. de la poignée avec la garde 17 cm

Poinçons :
– poignée : poinçon du maître Senckeysen ; deux poinçons illisibles à fleur de lis ;
– fourreau : poinçon du maître Dörffer ; 13 à fleur de lis, lettre d'année O à fleur de lis (1765).
Bibliographie : Haug (H.), 1978, n° 98.
Inv. LXI.41 a et b

Poignée, garde et coquille en argent ciselé et gravé de motifs rocaille : volutes, cartouches, coquilles, chicorées et guirlandes de fleurs. Lame en acier bleui et partiellement doré, gravée sur les deux faces d'entrelacs dans le style de Bérain et de fines volutes feuillagées surmontées d'un oiseau. Fourreau de cuir noir avec entrée, attache et pointe en argent.
Le Metropolitan Museum of Art de New York conserve une épée de parade de Johann Friedrich Senckeysen d'un modèle parfaitement identique[35] et dont l'ornementation – de même inspiration mais d'un style rocaille confinant au rococo – trouve visiblement sa source d'inspiration dans les planches de modèles de poignées d'épées de parade, dans le style des années 1750, créés et gravés par Jeremias Wacksmuth, d'Augsbourg[36].

Une épée de parade contemporaine, de même modèle et avec une ornementation de volutes rocaille et de guirlandes fleuries dans la même veine que celle de l'épée du musée de Strasbourg, est conservée au British Museum à Londres[37]. Elle a été réalisée en 1763 par l'orfèvre strasbourgeois Jean Frédéric Buttner (maître en 1746). Cette épée, à poignée et garde en or, a été offerte en 1764 par Adolphe Frédéric duc de Mecklenbourg-Strelitz à Stephen Martin Leake, *Garter King of Arms*[38]. Le Bayerisches Nationalmuseum de Munich et le Metropolitan Museum of Art de New York conservent chacun une épée de parade de J. J. Dörffer[39].

Don Jacques Hatt, Paris, 1961.
Déposée au Musée historique.

35. Bashford (D.), *Catalogue of European court sword, and hunting swords including the Elis, de Dino, Riggs and Reubell collections*, New York, The Metropolitan Museum of Art.1930, pl. XXXIX, n° 50 (Acc. n° 26. 145. 354).

36. *Silver*, Victoria and Albert Museum, Londres, 1996, ill. p. 48.

37. Londres, The British Museum, Reg. n° 1953. 7-6.3 ; Norman (V.), *Rapiers and small-swords*, Londres, 1980, ill. 132.

38. Un présentoir en argent doré de 1768, œuvre de l'orfèvre strasbourgeois Jean Henri Oertel, porte les armes d'alliance du Grand-Duc de Mecklenbourg-Strelitz et de la Grande-Duchesse Frédérique Caroline Louise, fille du prince Georges Guillaume de Hesse-Darmstadt. Provenant de l'ancienne collection J. Kugel, il figure au n° 39 du catalogue de la vente Tajan, Drouot, Paris, 14 juin 1999.

39. Munich, Bayerisches National museum, n° W 2697 ; New York, The Metropolitan Museum of Art, Acc. n° 26. 145. 319

129. BOUCLES DE CHAUSSURES

1788
Jean Abraham Trachsel
(maître en 1785)
Argent et acier
H. 6 cm ; l. 10,5 cm ; P. 2,2 cm
Poinçons : 13 à fleur de lis (menus ouvrages) ; poinçon du maître ; chiffre d'année 4 sous casque à panache (1788).

BIBLIOGRAPHIE : Haug (H.), 1978, n° 153.
HISTORIQUE : don Estelle Lemoyne, Paris, 1912.
Inv. LXII.96 et 97. Dépôt du Musée alsacien, 1962, n° 2089 et 2090

Paire de boucles de chaussures d'homme. En forme de rectangle à pans coupés, plates et incurvées, elles sont ornées de cannelures bordées extérieurement d'une frise de perles martelées. Le système de fermeture mobile en acier est fixé à l'arrière de la boucle.
L'enseigne du fabricant de boucles de chaussures Lamy, en bois polychrome, est conservée au Musée historique de Strasbourg. Y figure un paysage panoramique représentant dans un style naïf, Strasbourg, du côté droit, et, du côté gauche, une ville non fortifiée (Kehl ?). Deux militaires encadrent la partie centrale du panneau qui dévoile une vue de l'atelier où se déroulent les différents stades de la fabrication des boucles de chaussures, de ceintures et de harnachement de ce fournisseur en gros des armées. La fabrication se conclut par l'emballage méticuleux des boucles à l'extrême gauche de la scène d'atelier. Des boucles agrandies sont présentées à la clientèle afin de faciliter le choix du modèle. L'enseigne est bilingue : *Lamÿ Fabriquant de Boucles Vent En Groos & En détaille a Juste Prix - Lamÿ Schnallen Fabriquant Verkaufft in Groß und klein um billigen preiß*. Un cartouche aux armes de France surmonte l'entrée de l'atelier. Ce document exceptionnel donne une vision certainement très proche de l'atmosphère qui devait régner dans les ateliers des orfèvres strasbourgeois du quartier du Temple-Neuf.

Dépôt du Musée alsacien, 1962.

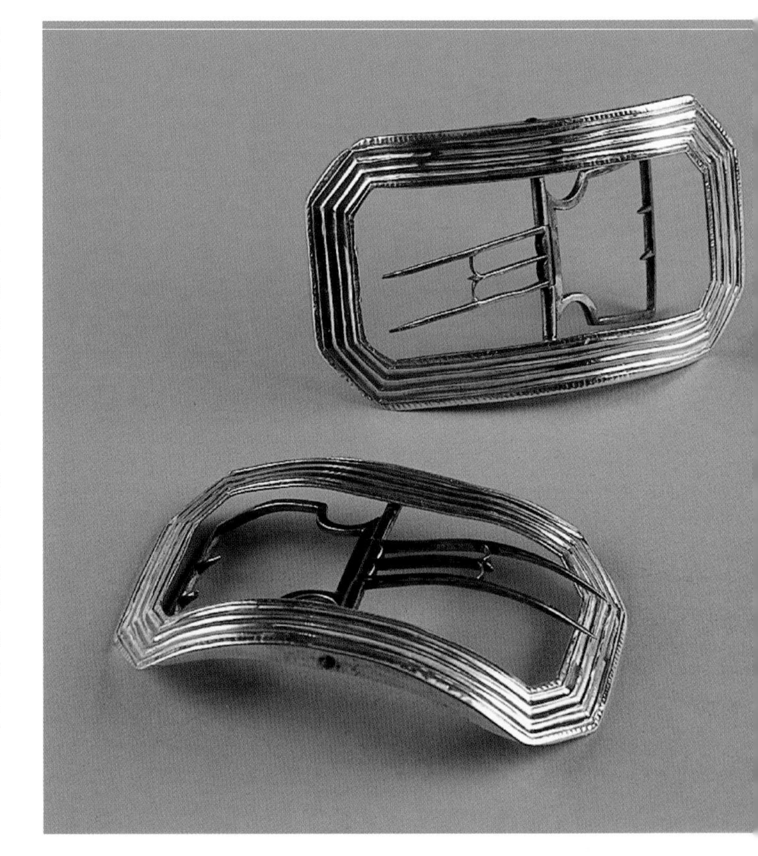

130. BOUCLE DE CHAUSSURE

Avant 1789
Argent
H. 4,7 cm ; l. 8,9 cm ; P. 2 cm
Poinçons : 13 à fleur de lis (menus ouvrages) ; poinçon du maître illisible.
Inv. 7471

Boucle de chaussure d'homme de forme rectangulaire à angles arrondis. Plate et incurvée, ses bords extérieurs sont moulurés. La plate-bande intérieure comporte une frise de croisillons encadrée d'une torsade stylisée. Système de fermeture manquant.

Entrée par voie d'échange avec le Musée alsacien, 1911.

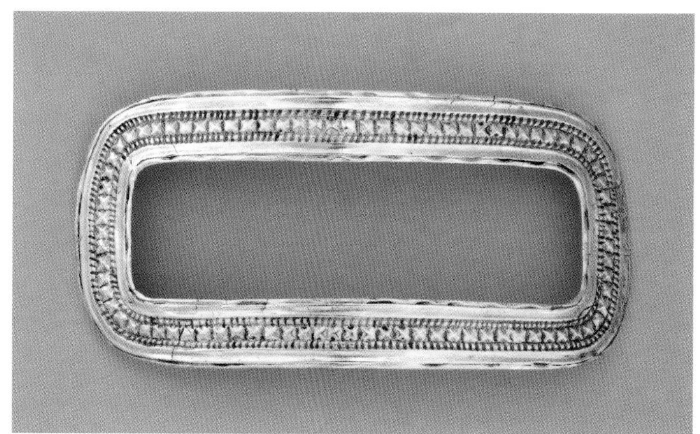

Strasbourg, *Enseigne du fabricant de boucles Lamy* (détail), seconde moitié du XVIIIe siècle, sapin polychrome, 94,1 x 305 cm, Strasbourg, Musée historique. Inv. R 518

131. LOUPE

Vers 1750
Argent et verre
L. 10,3 cm ; Ø 7,2 cm
Inv. XXXV.80

La loupe est constituée d'un verre et d'une monture en argent comprenant un cerclage sur lequel est soudée une petite prise en argent ajouré et finement gravé. Celle-ci est très proche, par sa forme et son décor d'arabesques feuillagées, du style des fermoirs des livres de cantiques strasbourgeois figurant dans la collection du musée des Arts décoratifs. La loupe est conservée dans son étui d'origine en carton gainé de papier gaufré à motif de rinceaux fleuris pour l'extérieur et de parchemin doré pour l'intérieur.

Don Georges Schutzenberger, 1935.

132. TABATIÈRE

1784
Carl Ludwig Emmerich
(maître en 1779)
Argent partiellement doré
H. 3 cm ; l. 8,7 cm ; P. 5,1 cm
Poinçons : 11/12 couronné
(titre de Paris) ; poinçon
du maître ; chiffre d'année 84
sous casque à panache (1784).

Exposition : 1948, Strasbourg, n° 618.
Bibliographie : Haug (H.), 1978, n° 142.
Inv. XXV.53

Tabatière de forme ovale avec couvercle à charnière. Le décor ciselé et gravé occupe toutes les faces extérieures de l'objet. Ainsi, lorsqu'il est manipulé, le dessous de la boîte dévoile un décor similaire à celui du dessus du couvercle. Il consiste en la répétition d'un motif de médaillon à fond strié sur lequel se détachent soit un vase ou une corbeille de fleurs, soit des fleurs isolées pour les plus petits de ces six médaillons. Ils sont environnés de volutes de feuillages et de branchages de laurier entrecroisés. Les bordures ornées de frises d'entrelacs parachèvent cette ornementation purement Louis XVI.
L'intérieur est doré afin d'éviter l'oxydation du métal. En effet, le tabac prend progressivement l'humidité au contact de l'air. Servant à conserver le tabac en poudre râpé, la boîte est par conséquent exécutée dans un matériau étanche et ferme hermétiquement par emboîtage.

Achat, Strasbourg, 1925.

133. TABATIÈRE

1789
Johann Reinhard Borand
ou Jean Regnard Burand
(né en 1750[40], reçu maître entre
1774 et 1777)
Argent partiellement doré
H. 3 cm ; l. 9,2 cm ; P. 5,2 cm
Poinçons : petit 13 à fleur de lis
(menus ouvrages) ; poinçon
du maître ; chiffre d'année 5
sous casque à panache (1789).

EXPOSITION : 1948, Strasbourg,
n° 609.
BIBLIOGRAPHIE : Haug (H.), 1914,
ill. 15 ; Haug (H.), 1978, n° 141.
Inv. 33.004.0.106

Tabatière de forme ovale avec couvercle à charnière. Le décor gravé et ciselé sur toutes les faces de l'objet reproduit un motif de rayures qui évoque, tant par le dessin que par le rendu, un tissu. Les soies à rayures sont alors à la mode aussi bien dans le vêtement féminin et masculin que dans la garniture des sièges notamment. Bordures ornées de frises de festons. Intérieur doré.

Achat, avant 1915.

40. Archives municipales
de Strasbourg, État civil de Strasbourg.
J. R. Burand, orfèvre, est cité comme
témoin, à l'âge de 58 ans, au mariage
de Chrétien Deetjen, orfèvre,
le 4 avril 1808. C. Deetjen, né à Brême
en Basse-Saxe le 20 octobre 1778,
est domicilié à Strasbourg depuis
dix-huit mois au moment de
son mariage. Est donc né en 1750.

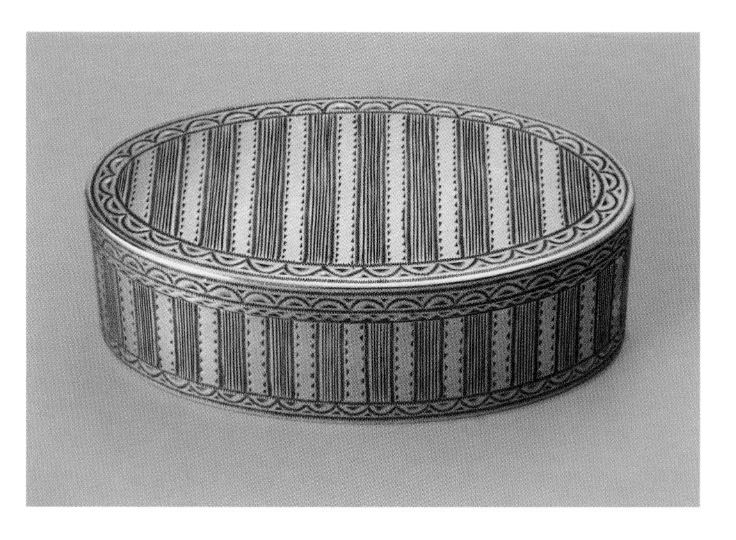

134. TABATIÈRE

Vers 1830
Jacques Frédéric Kirstein
(1765-1838, établi en 1795)
Argent, argent partiellement doré,
or et écaille
H. 2 cm ; l. 9,6 cm ; P. 6,2 cm

EXPOSITIONS : 1930, Strasbourg ;
1948, Strasbourg, n° 683.
BIBLIOGRAPHIE : Haug (H.), 1978,
n° 174.
Inv. 7057 (1910-1911) et XL.6
(ré-inventorié en 1940)

Boîte rectangulaire en écaille brune. Le couvercle à charnière est orné d'une plaque en argent fondu de J. F. Kirstein, de format ovale, représentant un chien d'arrêt débusquant un lièvre réfugié sous un fourré. Le relief est retravaillé notamment dans le traitement du chien et du lièvre ciselés au naturel. Une touffe d'herbes, constituée de cinq fines feuilles d'argent découpées puis insérées dans le talus, permet d'augmenter l'effet naturaliste que développe J. F. Kirstein jusque dans ses compositions les plus miniaturisées. Le médaillon, portant la signature *Kirstein* gravée en bas à droite, est serti par un jonc en or dans une plaque en argent fondu et doré à fond amati, ornée de branchages de chêne dans les écoinçons. Un verre bombé, disparu, protégeait initialement le tout. Celui-ci était maintenu par un cadre biseauté en or, lui-même souligné extérieurement par de fins filets d'argent et d'or gravés, incrustés dans l'écaille.

Achat, Munich, 1909-1910.

135. TABATIÈRE

Vers 1835
Argent partiellement doré
et écaille
H. 0,18 cm ; l. 9,5 cm ; P. 5,1 cm
Inv. 3431

Boîte à tabac en écaille brune, de format rectangulaire, avec deux côtés arrondis. Les deux faces latérales plates sont renforcées sur leur pourtour par des bordures moulurées en argent. La prise permettant l'ouverture est en argent de même que le décor filigrané du couvercle à motifs d'écailles et de frises de rinceaux sur le dessus du couvercle. Une réserve délimitée par une couronne de laurier reçoit en son centre un minuscule motif circulaire (maçonnique ?), en or incrusté dans l'écaille, environné d'une gloire. Le motif d'écailles recouvre l'ensemble des faces extérieures de l'objet. La charnière du couvercle est soulignée de deux fines bandes d'argent doré.

Achat, Strasbourg, 1889.

136. TABATIÈRE

Vers 1840
Attribuée à Joachim Frédéric (II) Kirstein (1805-1860)
Argent et écaille
H. 2,7 cm ; l. 10 cm ; P. 4,2 cm

Bibliographie : *Compte-rendu 1923-1926*, p. 14.
Inv. XXIII.101
Inscription : *WENGER Strasbourg* gravée au centre du couvercle.

Boîte en écaille brune avec couvercle à charnière. Décorée sur les quatre côtés et sur le couvercle de roses et de rinceaux de feuillages en argent ciselé et gravé, incrusté dans l'écaille. Le médaillon ovale, au centre du couvercle, est gravé au nom du relieur Karl Wenger de Strasbourg. Il s'agit du lot offert par K. Wenger au profit de la loterie organisée pour couvrir les frais d'organisation de la fête donnée en 1840 pour commémorer le quatrième centenaire de la mise au point, à Strasbourg, du procédé d'imprimerie en caractères mobiles par Gutenberg.

Achat, Strasbourg, 1923.

137. BOÎTE

Vers 1820-1830
Jacques Frédéric Kirstein
(1765-1838, établi en 1795)
Argent, argent doré et écaille
H. : 4 cm ; Ø 9,4 cm

BIBLIOGRAPHIE : *Compte-rendu 1919-1921*, p. 18 ; Haug (H.), 1978, n° 169.
Inv. 33.004.0.107

Boîte circulaire en écaille brune. Le couvercle est orné d'une plaque en argent fondu représentant un cerf pris dans des branchages suivi d'un cavalier sonnant l'hallali. Le relief est finement ciselé et porte, gravée au bas de la scène, la signature : *Kirstein orf.v a Strasbourg.* Le relief est serti d'un cercle en or qui maintenait initialement le verre bombé aujourd'hui disparu. Spécialisé dans les plaques en relief ciselées montées en boîtes ou en broches, J. F. Kirstein s'est acquis dans ce domaine une célébrité internationale.

Achat, 1920.

138. BOÎTE

Vers 1819-1830
Attribué à Jacques Frédéric Kirstein (1765-1838, établi en 1795)
Argent, argent doré, écaille et verre
H. 2,2 cm ; Ø 8,5 cm
Poinçons parisiens pour le doublage en argent doré : poinçon de fabricant ; poinçon du chiffre indicatif de la quantité d'or (20) ; poinçon de grosse garantie pour les menus ouvrages (tête de lièvre, années 1819-1838).

HISTORIQUE : entrée au musée avant 1919.
Inv. 33.004.0.108

Boîte circulaire en écaille brune. Le couvercle est orné d'un homme montant un cheval au trot, en argent fondu et ciselé, se détachant sur un fond de verre bleu cobalt. L'ensemble est serti d'un cercle en argent doré maintenant le tout dans le bord évidé du couvercle en écaille. L'intérieur de la boîte est doublé d'argent doré. Le poinçon de maître figurant sur le doublage est celui de Nicolas Lecoufle, « tabletier garnisseur de boîte ronde et de forme en or et plaquée ». Il est actif de 1809, année d'insculpation de son poinçon, à sa mort le 31 juillet 1830. Une boîte en écaille ornée d'une plaque en argent fondu de J. F. Kirstein figure au n° 95 du catalogue de la vente Sotheby's, Paris, 18 décembre 2002. Sa monture en or porte les poinçons parisiens de 1819-1838 et le poinçon du maître N. Lecoufle. On peut en déduire que Kirstein faisait enchâsser ses délicats hauts-reliefs en argent dans des boîtes en écaille par des artisans parisiens spécialistes en ce domaine.

Jacques Frédéric Kirstein (1765-1838),
Scène de chasse, vers 1820,
lavis d'encre, crayon et rehauts
de gouache blanche sur papier,
21 x 25,6 cm, Album Kirstein, Strasbourg,
Cabinet des estampes et des dessins,
Inv. XXXII.91

139. MÉDAILLON

Vers 1820-1830
Jacques Frédéric Kirstein
(1765-1838, établi en 1795)
Argent, argent doré et or
Ø 7,1 cm
Inv. 33.004.0.109

Médaillon circulaire comprenant une plaque en argent fondu représentant un cerf coursé par un chien de chasse. Un chêne déploie ses branches feuillues au-dessus de la scène. La partie inférieure en terrasse est gravée de la signature en pointillé : *Kirstein orf* [e] *a Strasbourg*. Un élégant cadre en argent doré à décor niellé de rinceaux fleuris entoure le haut-relief. Le tout est serti d'un cercle en or qui maintient un verre de protection bombé.
À l'origine, ce médaillon constituait vraisemblablement le décor d'un couvercle de boîte.

140. MÉDAILLON

Vers 1820-1830
Jacques Frédéric Kirstein
(1765-1838, établi en 1795)
Argent, métal doré et verre
H. 6,5 cm ; l. 8,4 cm
Poinçons : poinçon de garantie
à l'exportation (cygne, en usage
depuis 1893), associé au poinçon
de petite bigorne (copris,
en usage à partir de 1838).
Inv. 33.004.0.110

Médaillon ovale comprenant une plaque en argent fondu représentant un lion et une lionne dans un paysage exotique avec palmier et rocher, le tout ciselé au naturel. Au centre du talus est rapportée une touffe d'herbe découpée dans une feuille d'argent selon un procédé caractéristique de Kirstein. Ce détail permettait d'augmenter l'effet naturaliste de l'ensemble. Le haut-relief est protégé par un verre bombé serti dans un cadre à moulures de torsades et frise de marguerites estampée. Ce médaillon était probablement inséré dans un cadre en bois.
Sous le talus feuillagé apparaît la signature gravée en pointillé : *Kirstein*.

Legs Gerner.
Entré au musée en 1969.

141. MÉDAILLON

Vers 1810-1830
Jacques Frédéric Kirstein
(1765-1838, établi en 1795)
Argent, métal doré et verre
Ø 8,2 cm
Inv. XXVIII.3

Médaillon circulaire en argent fondu serti dans un cadre doré à moulures de palmettes. Verre bombé moderne. Ce médaillon devait primitivement orner un couvercle de boîte en écaille. Vue de l'église de Truttenhausen avec, au premier plan, une scène champêtre réunissant autour d'un berger jouant de la trompe et d'une porteuse de hotte, un troupeau de vaches, une brebis, un bélier et un bouc.
Cette composition bucolique rappelle les vues romantiques d'Alsace d'un Jean-Jacques Rothmuller, associant scène pastorale et ruine médiévale. Le recueil de dessins de Jacques F. Kirstein conservé au Cabinet des estampes et des dessins de Strasbourg contient une esquisse au trait de cette même vue, vraisemblablement réalisée sur le motif. Le sujet de l'église gothique en ruine constitue l'un des thèmes favoris des romantiques allemands et anglais. Le domaine de Truttenhausen, acquis auprès de la famille de Landsberg par le banquier strasbourgeois Bernard de Turckheim en 1806, est aménagé en parc à l'anglaise autour de l'élément central et « pictoresque » que représente l'abbatiale en ruine.
Sur la terrasse apparaît, gravée en pointillé, la signature *Kirstein a Strasbourg*.

Achat, Strasbourg, 1928.

142. BROCHE

Vers 1830-1850
Attribuée à Joachim Frédéric (II)
Kirstein (1805-1860)
Argent, argent partiellement
doré et or
H. 5,3 cm ; l. 4,6 cm
Inv. 33.004.0.111

Médaillon rectangulaire aux angles arrondis, en argent fondu, représentant un cerf dix-cors de profil en lisière de forêt. La faible épaisseur du médaillon et sa finesse d'exécution rappelle l'art de Jacques F. Kirstein alors que le modelé du bas-relief se rapproche plutôt du travail de son fils. La composition, quant à elle, s'éloigne des sujets de chasses à courre mondaines de Jacques Frédéric et peut être mise en parallèle avec les gravures animalières du XVIIIe siècle, où le cerf apparaît dans toute la splendeur de son rôle de seigneur de la forêt. La plaque est sertie dans un cadre en or sur le dessus, en argent doré sur les côtés, qui maintenait le verre bombé disparu. Le montage arrière de la broche est manquant.
Signature illisible gravée en pointillé sous le talus. Il pourrait s'agir d'un monogramme.

143. BROCHE

Vers 1840
Attribuée à Joachim Frédéric (II) Kirstein (1805-1860)
Argent, argent partiellement doré et verre
H. 4 cm ; l. 4,5 cm

Exposition : 1930, Strasbourg.
Bibliographie : Haug (H.), 1978, n° 173.
Inv. XIV.47 (1914) et XL.7 (ré-inventorié en 1940)

Médaillon ovale en argent fondu représentant une coupe de fleurs et fruits se détachant sur un fond finement hachuré et gravé de branchages et de fleurs. La plaque en bas-relief et le verre de protection bombé sont sertis dans une monture à cadre ovale, en argent doré, partiellement gravé de fleurs et de feuilles. L'aiguille du fermoir est manquante.

Achat, Strasbourg, 1914.

144. BROCHE OVALE

Vers 1850
Charles Raeuber (1816-1892)
Argent, argent partiellement doré et verre
H. 4,8 cm ; l. 4,3 cm

Historique : fait partie du legs Jacquin effectué par le petit-fils de Ch. Raeuber ; ce legs comprend six reliefs en argent fondu et trois reliefs en bronze.
Inv. LVIII.51

Médaillon ovale en argent fondu représentant deux cerfs juchés sur un rocher et scrutant le lointain. Bien que non signé, le style du haut-relief contrastant nettement avec l'éclat et la virtuosité des travaux des Kirstein est bien celui du suiveur parfois maladroit qu'était Ch. Raeuber. La plaque et le verre de protection bombé sont sertis dans une monture en argent doré. L'aiguille du fermoir est manquante.

Legs Jacquin, Metz.
Entrée au musée en 1958.

145. MÉDAILLON OVALE

Vers 1850
Charles Raeuber (1816-1892)
Argent et argent doré
H. 6,4 cm ; l. 5,4 cm

HISTORIQUE : fait partie du legs Jacquin effectué par le petit-fils de Ch. Raeuber ; ce legs comprend six reliefs en argent fondu et trois reliefs en bronze.
Inv. LVIII.53 b

Médaillon ovale en argent fondu représentant, sur fond amati, un bouquet de fleurs alpestres avec notamment des edelweiss, des chardons, des gentianes, des bleuets et des orchidées aux tiges nouées d'un ruban. Le bas-relief est serti dans un cadre ovale en argent. Il y est maintenu à l'arrière par un cerclage en argent doré. Trois lamelles distordues en argent sont ébrasées sur le bord du cadre au revers de l'objet. L'épaisseur de la plaque et l'aspect de l'argent fondu au revers du relief sont caractéristiques du travail de Ch. Raeuber.
Ce médaillon et la bordure de fleurs figurant au n° 146 du catalogue étaient initialement montés sous un verre bombé ovale et fixés sur un support en peluche brun-rouge formant cadre.

Legs Jacquin, Metz.
Entré au musée en 1958.

146. BORDURE OVALE

Vers 1850
Charles Raeuber (1816-1892)
Argent
H. 13,8 cm ; l. 16 cm

HISTORIQUE : fait partie du legs Jacquin effectué par le petit-fils de Ch. Raeuber ; ce legs comprend six reliefs en argent fondu et trois reliefs en bronze.
Inv. LVIII.53 a

Bordure ovale en argent fondu sous forme de couronne de fleurs alpestres, telles qu'edelweiss, chardons, gentianes, œillets et bleuets. Finement ciselée et gravée, cette flore se fait l'écho de la fascination qu'exerçaient auprès des voyageurs, des artistes et des écrivains les paysages alpestres, tout particulièrement durant la première moitié du XIXe siècle. Leur caractère grandiose répondait à la sensibilité des romantiques ; aussi affectionnaient-ils les traversées de la Suisse, y jouissant de la vision spectaculaire qu'offraient ses décors naturels : la mer de Glace, les chaînes de montagnes aux sommets vertigineux et déchiquetés, les lacs immenses et solitaires.
Cette bordure et le médaillon orné d'un bouquet de fleurs assorties figurant au n° 145 du catalogue étaient initialement montés sous un verre bombé ovale et fixés sur un support en peluche brun-rouge formant cadre.

Legs Jacquin, Metz.
Entrée au musée en 1958.

147. BAS-RELIEF

Vers 1850
Attribué à Charles Raeuber
(1816-1892)
Cuivre argenté
H. 7,3 cm ; l. 9,5 cm

EXPOSITION : 1895, Strasbourg, n° 142.
BIBLIOGRAPHIE : Rosenberg (M.), 1928, p. 329, n° 7019 b.
Inv. 33.004.0.112

Bas-relief ovale en cuivre fondu et argenté représentant des *putti* jouant à la balançoire sur un tronc d'arbre. Le bord est aplani afin de pouvoir maintenir la plaque dans un cadre. Ce travail, dont l'iconographie s'inscrit dans la tradition des scènes de jeux d'enfants du XVIIIe siècle, est probablement l'œuvre de Ch. Raeuber formé dans l'atelier strasbourgeois du fondeur, ciseleur et bronzier Laroche.

Entré au musée avant 1895.

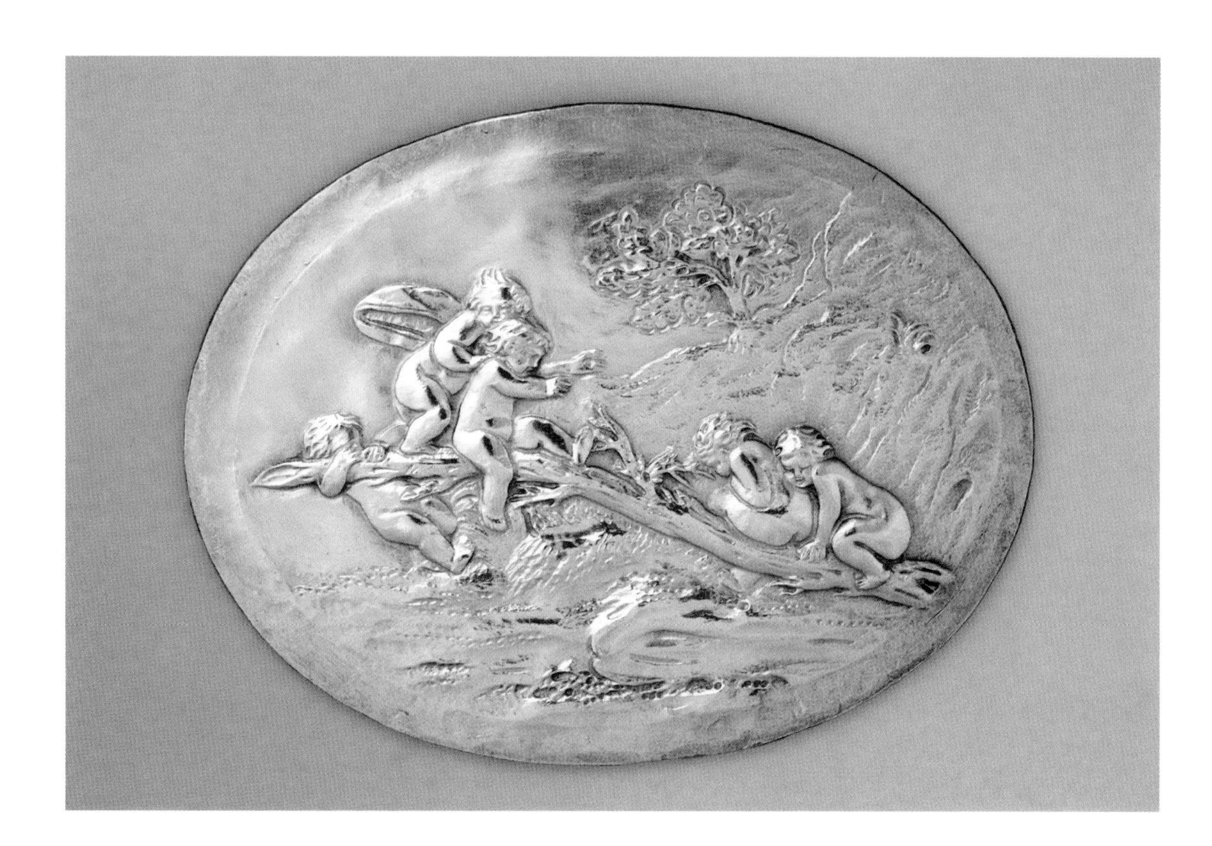

148. BRACELET

Vers 1876
Charles Raeuber (1816-1892)
Argent et argent partiellement doré
H. 1,7 cm ; l. 6,1 cm ; P. 5,4 cm

BIBLIOGRAPHIE : *Compte-rendu 1923-1926*, p. 14.
Inv. XXIV.70

Bracelet de forme ovale constitué de deux moitiés d'arceau réunies par une charnière, d'un fermoir à emboîtage et d'une chaînette de sécurité en argent doré. Les bords extérieurs de section carrée enserrent une frise de rinceaux en argent fondu, ajouré, repercé et ciselé, au milieu de laquelle chevreuils, renard et sanglier sont coursés par des chiens de chasse. Le style de cette frise, où les animaux se faufilent au milieu d'un rinceau de feuilles d'acanthe, évoque celui des enluminures médiévales.

Don Berthe Raeuber, Strasbourg, 1924.

149. PORTE-MONNAIE

Vers 1840-1850
Joachim Frédéric (II) Kirstein
(1805-1860)
Argent, argent partiellement doré, verre, chevreau et taffetas
H. 6,1 cm ; l. 7,5 cm ; P. 1,8 cm

BIBLIOGRAPHIE : *Compte-rendu 1919-1921*, p. 18.
Inv. 33.004.0.113
INSCRIPTION : sur l'avers est gravée, au centre d'un cartouche, l'inscription *Souvenir.*

Petit porte-monnaie à charnière ouvrant sur le dessus. Il contient un soufflet à trois compartiments en taffetas de soie rose gansé de chevreau. Les deux faces en argent doré, repoussé et ciselé, sont ornées distinctement. À l'arrière, un motif d'arabesques de style mauresque entoure un cartouche où figure l'inscription *Souvenir*. À l'avant, volutes charnues de feuillage et fleurs repoussées se détachent sur un fond amati et encadrent un médaillon ovale central. Il s'agit d'un minuscule haut-relief ovale en argent fondu représentant un jeune cerf en pleine course, au plus sombre de la forêt, sautant par-dessus un taillis. La plaque et son verre de protection bombé sont sertis d'un cerclage en argent qui maintient l'ensemble dans le cadre ouvragé et plein de fantaisie que constitue ce porte-monnaie.

Achat 1919-1921.

150. ÉPINGLE À CRAVATE

Vers 1850
Charles Raeuber (1816-1892)
Argent, or et verre
L. 7,6 cm ; Ø 1,8 cm

HISTORIQUE : fait partie du legs Jacquin effectué par le petit-fils de Ch. Raeuber ; ce legs comprend six reliefs en argent fondu et trois reliefs en bronze.
Inv. LVIII.52

Épingle à cravate dont la tête prend la forme d'une minuscule boîte ronde en or à dessus vitré protégeant un haut-relief miniaturisé. Malgré la petitesse de sa taille, le haut-relief met en scène de façon particulièrement vivante un chamois bondissant par-dessus une souche d'arbre plantée sur un terrain pentu. Le fond plat est finement ciselé de branchages feuillus donnant l'illusion d'un sous-bois. L'épingle est partiellement torsadée.

Legs Jacquin, Metz.
Entrée au musée en 1958.

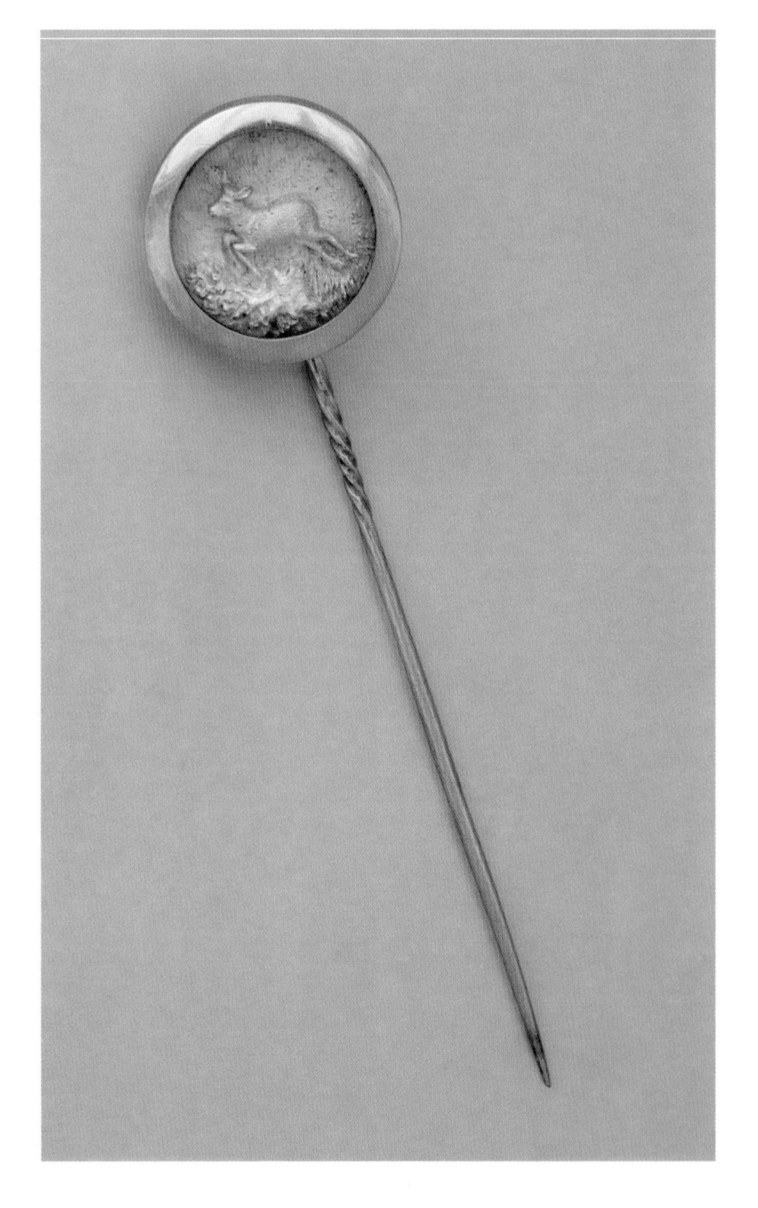

151. PIPE

Vers 1819
Jacques Frédéric Kirstein
(1765-1838, établi en 1795)
Argent et argent doré,
terre de pipe et corne
L. 42,5 cm
Poinçon, sur le cure-pipe :
poinçon de petite garantie
(1809-1819).

EXPOSITION : 1895, Strasbourg, n° 140 ; 1948, Strasbourg, n° 679.
BIBLIOGRAPHIE : Haug (H.), 1978, n° 165.
Inv. 4245

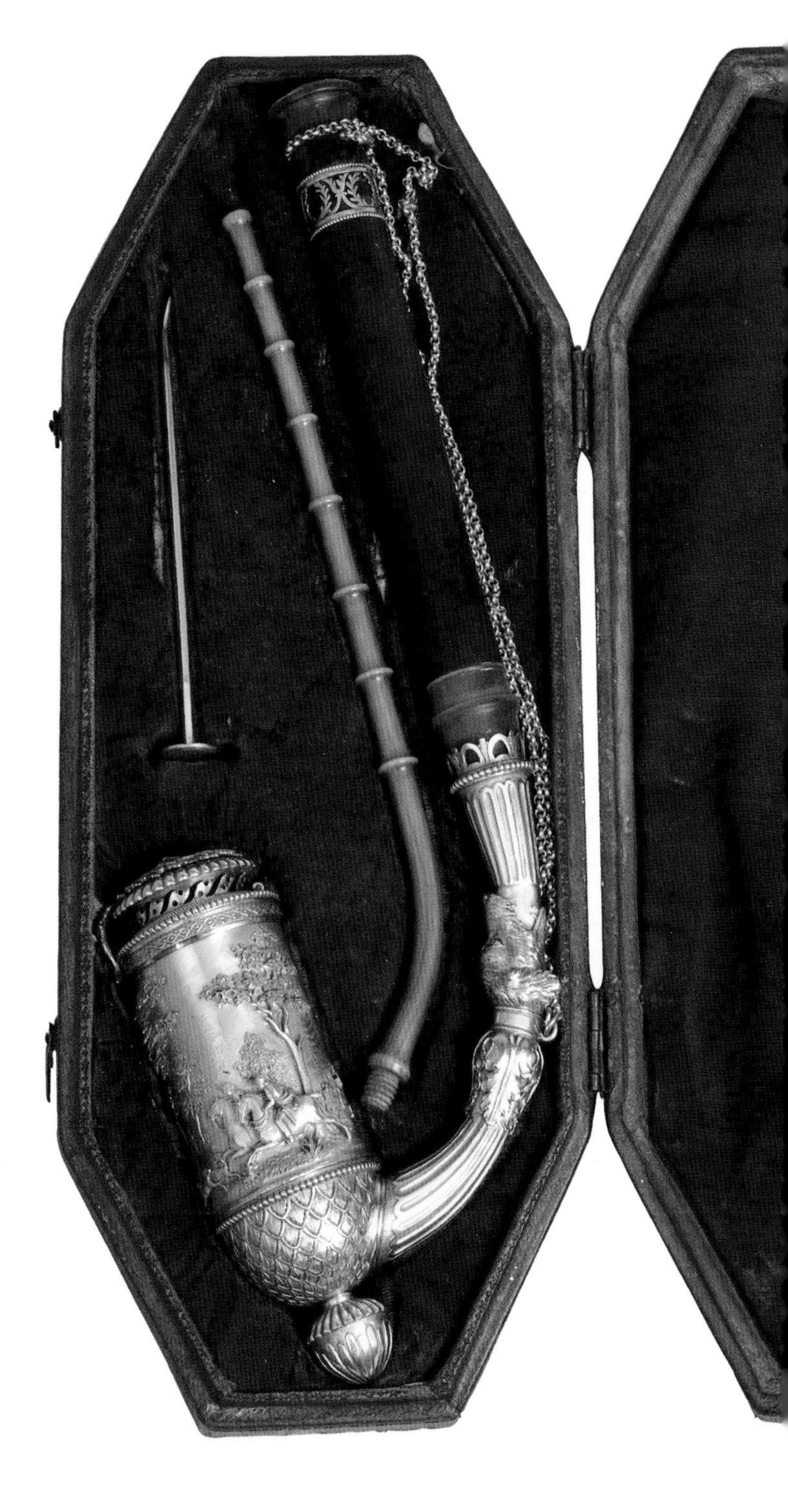

Pipe et cure-pipe dans leur gainage original en maroquin rouge doublé intérieurement de velours de soie vert.
La pipe est divisée en trois parties amovibles : le fourneau avec l'amorce du tuyau et le tuyau à proprement parler constitué de deux éléments en corne.
Le fourneau, doublé intérieurement de terre de pipe, est orné d'une spectaculaire scène de chasse à courre en forêt de plaine, l'horizon dévoilant au loin la chaîne des Vosges. Ce haut-relief en argent fondu est composé selon le principe du paysage panoramique déroulé en continu sur tout le pourtour de l'objet. Dans la partie haute du relief, sur fond de ciel uni, est gravée la signature *Kirstein orf. a Strasbourg*. Le bord supérieur du fourneau est orné d'une frise de losanges et d'une frise de perles. Le couvercle partiellement ajouré comporte une terrasse godronnée, sur laquelle est appliqué un mufle de lion entouré d'une couronne de feuilles de chêne dont les tiges nouées servent de fermoir. La base du fourneau, en dôme renversé recouvert d'un motif d'écailles, se termine par un bouton godronné en forme de gland. L'amorce du tuyau qui y prend naissance reprend le thème de la chasse. En effet, son décor de cannelures et de feuilles d'acanthe est interrompu par une tête de griffon, le museau ouvert dévoilant les crocs. Finement ciselée au naturel, elle émerge d'un collier relié par une chaînette mobile au tuyau de corne. Ce détail réaliste témoigne de l'inventivité de Jacques F. Kirstein mais surtout de sa passion pour la chasse et, par voie de conséquence, pour les chiens d'arrêt et courants qu'il observe attentivement, en véritable naturaliste.
Le tuyau en corne est orné d'une bague ajourée de couronnes de laurier. La seconde partie du tuyau, à pas de vis, est courbe et simule une tige de bambou.
Cure-pipe avec pointe facettée et prise plate en ovale.
Le travail de ciselure des parties ornementales en argent doré résume l'art de Kirstein qui maîtrise à la perfection les oppositions de tons entre les surfaces ciselées, amaties et brunies afin de donner relief et vie à ses délicats ouvrages.

Achat, Strasbourg, 1890.

152. ENSEMBLE DE SIX COUPELLES

TROIS COUPELLES À SUJETS PROFANES

1838
Johann Friderich Scholl (maître en 1781)
Argent doré

Ø 7,8 cm
Poinçons : poinçon du maître ; poinçons de second titre et de grosse garantie (années 1819-1838) ; poinçon de recense (tête de dogue, en usage à partir de 1838), associé au poinçon de bigorne (insecte, en usage à partir de 1838).
Expositions : 1948, Strasbourg, n° 686 ; 1964, Paris, n° 166.
Bibliographie : Haug (H.), 1978, n° 175.
Inv. XXXVII.36 d, e et f

Trois coupelles circulaires d'un ensemble de six, dont trois exécutées par le bijoutier joaillier J. F. Scholl. Le bord légèrement relevé est orné d'une fine torsade. Au centre, ombilic agrémenté d'un médaillon repoussé et ciselé représentant respectivement, sur fond légèrement amati, *Les Trois Grâces*, *La Vénus Médicis*, et une *Marchande de fruits* vue en buste et vêtue à la mode de la Restauration.

Achat, Strasbourg, 1937.

TROIS COUPELLES À MOTIFS ANIMALIERS

1838
Jacques Frédéric Kirstein
(1765-1838, établi en 1795)
ou Joachim Frédéric (II) Kirstein
(1805-1860)
Argent doré
Ø 7,8 cm

Poinçons : poinçon du maître ; poinçons de second titre et de grosse garantie (années 1819-1838) ; poinçon de recense générale (tête de dogue, en usage à partir de 1838), associé au poinçon de bigorne (insecte, en usage à partir de 1838).
Expositions : 1948, Strasbourg, n° 686 ; 1964, Paris, n° 166.
Bibliographie : Haug (H.), 1978, n° 175.
Inv. XXXVII.36 a, b et c

Trois coupelles circulaires d'un ensemble de six, dont trois exécutées par Jacques F. Kirstein ou par son fils Joachim Frédéric. Le bord légèrement relevé est orné d'une fine torsade. Au centre, ombilic agrémenté d'un médaillon repoussé et finement ciselé représentant respectivement, sur fond amati, un *Cerf vu de profil*, un *Cerf bondissant coursé par un chien*, et un *Lapin de garenne*.

153. TABLEAU EN RELIEF

Vers 1810-1830
Jacques Frédéric Kirstein
(1765-1838, établi en 1795)
Argent, métal doré, métal noirci, bois et verre
H. 16,5 cm ; l. 16 cm ; P. 2,3 cm

EXPOSITION : 1948, Strasbourg, n° 683.
BIBLIOGRAPHIE : Haug (H.), 1978, n° 168.
Inv. 3854

Dans un cadre en poirier teinté façon noyer foncé est enchâssé, au creux d'une gorge de format circulaire, un haut-relief en argent fondu épousant ce même format. Le relief est serti d'un double cerclage : l'un en argent avec frise de perles, l'autre en métal doré avec frise de palmettes. L'ensemble est protégé par un verre plat, fixé à la surface du cadre par un cerclage en métal noirci à frises de perles et de rais-de-cœur. La scène représente le brame du cerf. L'animal solitaire est posté devant un vieux chêne brisé. Le fin travail de ciselure confine à la virtuosité dans le rendu du pelage du cervidé, de l'écorce du chêne et de la végétation couvrant le talus enherbé qui est agrémenté, selon un procédé cher à l'artiste, d'une touffe d'herbe en feuille d'argent découpée et rapportée. Le traitement très élaboré du relief est mis en valeur par le fond uni sur lequel il se détache.
Dans la partie haute du médaillon est gravée en pointillé la signature *Kirstein a Strasbourg*.

Achat, Strasbourg, 1890.

154. TABLEAU EN RELIEF

1813
Jacques Frédéric Kirstein
(1765-1838, établi en 1795)
Argent, bronze ciselé et doré,
bois noirci et verre
H. 26,4 cm ; l. 30,2 cm ; P. 4,2 cm

Exposition : 1964, Paris, supplément, n° 216.
Bibliographie : Haug (H.), 1978, n° 167.
Historique : porte à l'arrière du cadre une étiquette du marchand parisien Jacques Kugel sur laquelle figure le numéro manuscrit 216.
Inv. 33.004.0.114

Une plaque en argent fondu et ciselé représente une remise de chevreuils regroupant un chevreuil, deux biches et un brocard. La composition s'organise autour du groupe central de chênes planté sur un talus enherbé. Le paysage arboré, où se mêlent feuillus et résineux au milieu de rochers, évoque la forêt vosgienne. Une ouverture sur le côté droit de la scène dévoile un lointain montagneux. Une vieille souche aux racines tentaculaires et des touffes d'herbe en fines feuilles d'argent découpées et rapportées ajoutent la touche pittoresque et vériste caractéristique de Jacques F. Kirstein.
Un élégant cadre rectangulaire en bois noirci, rehaussé de bronzes dorés en applique, sert d'écrin au haut-relief qui y est maintenu par un cerclage en bronze doré mouluré de frises de perles et de palmettes. Ce cerclage ovale est inséré dans un rectangle délimité par une frise de perles en bronze doré. Palmettes et rinceaux feuillagés prennent place dans les écoinçons ainsi formés. Le verre plat de protection est maintenu en retrait de la doucine extérieure du cadre par une plate-bande en bronze doré à frise de palmettes, rehaussée aux quatre angles par une rosette en argent. Bois noirci et bronzes dorés ajoutent encore en raffinement aux tableaux en argent fondu de Jacques F. Kirstein. En matière d'encadrement, l'orfèvre procédait-il de même que pour les médaillons destinés à orner des couvercles de boîtes et qui étaient expédiés à Paris pour le montage chez les spécialistes requis ?
Un tableau en relief similaire est conservé dans les collections du Mobilier national[41].
Sous le talus est gravée la signature *Kirstein Orf^re^ a Strasbourg 1813*.

41. Paris, Mobilier national, CMLC 1175. Haug (H.), 1978, notice et ill. n° 166.

155. TABLEAU EN RELIEF

Vers 1850-1860
Charles Raeuber (1816-1892)
Argent, métal doré, bois et verre
H. 14,1 cm ; l. 12,2 cm ; P. 1,6 cm
Inv. 33.004.0.115

Dans un cadre rectangulaire en poirier teinté façon palissandre est enchâssé, au creux d'une gorge de format ovale, un haut-relief en argent fondu de même format. Relief et verre bombé de protection sont sertis d'un cerclage en laiton doré. Le relief figure un cerf se présentant de profil sur un talus enherbé et broussailleux, en lisière de forêt, sur fond de montagnes vosgiennes.
À la base du talus est gravé en pointillé le monogramme CR.

Legs Gerner,
entré au musée en 1969.

156. HAUT-RELIEF

Vers 1860
Charles Raeuber (1816-1892)
Argent
H. 12,4 cm ; l. 14,5 cm ; P. 2 cm

Exposition : 1895, Strasbourg, n° 150.
Bibliographie : Rosenberg (M.), 1928, p. 329, n° 7019 a.
Historique : offert par l'artiste, demeurant au 22, quai Saint-Nicolas à Strasbourg, au musée Hohenlohe moins de dix ans après sa création.
Inv. 4258

Inscription : au revers de la plaque figure, maladroitement gravée, l'inscription : *Ch. Raeuber Ciseleur/ Strasbourg / Unique.*

Plaque rectangulaire aux angles arrondis, en argent fondu, représentant une scène de chasse en haut-relief. Alors que les chiens sont en train de harceler un chevreuil aux abois, surgit un chasseur glissant au bas d'un monticule. La bordure moulurée de la plaque est constituée d'une frise simulant un tronc de chêne sur lequel sont noués des branchages de chêne et de lierre.
Sur le rocher droit est gravé en pointillé le monogramme CR.

Don Charles Raeuber, Strasbourg, 1890.

157. TABLEAU EN RELIEF

Vers 1850-1860
Charles Raeuber (1816-1892)
Argent, laiton doré, bois et verre
H. 17,7 cm ; l. 17,4 cm ; P. 3,3 cm

HISTORIQUE : fait partie du legs Jacquin effectué par le petit-fils de Ch. Raeuber ; ce legs comprend six reliefs en argent fondu et trois reliefs en bronze.
Inv. LVIII.50

Dans un cadre en poirier noirci de forme carrée est enchâssé, au creux d'une gorge circulaire, un haut-relief en argent fondu de même format. Le relief, fixé au cadre par un jonc de métal doré, est protégé par un verre plat maintenu à la surface du cadre par un cerclage de laiton massif. Le haut-relief, finement ciselé, figure une remise de chevreuils sous un arbre majestueux, dans une basse futaie, dégageant à droite la lisière d'un bois de chênes et à gauche un versant de montagne couvert de résineux. Chevreuils, biches et faon évoluent paisiblement au pied du chêne séculaire, dans une vision bucolique qui s'oppose à l'agitation régnant dans les scènes de chasse habituellement traitées par Raeuber ou Kirstein.
Sous le talus est gravé en pointillé le monogramme CR. Verre moderne.

Legs Jacquin, Metz.
Entré au musée en 1958.

158. TABLEAU EN RELIEF

Vers 1850-1860
Charles Raeuber (1816-1892)
Argent partiellement doré,
bois et verre
H. 19,8 cm ; l. 22,8 cm ; P. 3.4 cm

HISTORIQUE : fait partie du legs Jacquin effectué par le petit-fils de Ch. Raeuber ; ce legs comprend six reliefs en argent fondu et trois reliefs en bronze.
Inv. LVIII.49

Dans un cadre en poirier noirci de forme rectangulaire est enchâssé, au creux d'une gorge ovale, un haut-relief en argent fondu de même format. Le relief, fixé au cadre par un jonc de métal doré, est protégé par un verre plat maintenu à la surface du cadre par un cerclage de bois noirci en forme de jonc. Le relief, finement ciselé au naturel, représente un cerf aux prises avec la meute sur fond de clairière. Un veneur à cheval apparaît à gauche de la scène. La plaque présente les caractéristiques habituelles du style de Ch. Raeuber, qui unit une certaine naïveté à un grand sens de l'observation. L'artiste se situe délibérément, par le style et le choix des sujets traités, dans le sillage de Jacques F. Kirstein.
Sous le talus est gravée en pointillé la signature *Ch Raeuber*.

Legs Jacquin, Metz.
Entré au musée en 1958.

Annexes

Vocabulaire des formes

AIGUIÈRE

1. Piédouche
2. Base
3. Doucine
4. Cannelures
5. Bague ou collerette
6. Panse ou corps
7. Médaillon en applique
8. Attache
9. Moulure
10. Cannelures sur l'épaule
11. Col
12. Anse
13. Volute de feuille d'acanthe
14. Bec verseur
15. Terrasse de feuilles d'acanthe
16. Bouton de préhension, prise ou graine

Joachim Frédéric (II) Kirstein (1805-1860), *Dessin d'une aiguière*, signé et daté F. Kirstein décembre 1842, crayon sur papier, 45,1 x 36,7 cm, Strasbourg, Cabinet des estampes et des dessins. Inv. 77.004.0.19

Double-page précédente
Poinçon losangique de Johann Friderich Scholl (maître en 1781).

ÉCUELLE COUVERTE AVEC PRÉSENTOIR

1. Marli
2. Bord mouvementé mouluré de laurier
3. Guirlande et chute de fleurs
4. Nœud
5. Agrafe en feuille d'acanthe
6. Écuelle à fond plat
7. Oreille ou anse de l'écuelle (détachée et vue de dessus) à motifs de volutes affrontées, de guirlandes et branchages de laurier et de rosace
8. Couvercle avec frise sur la doucine
9. Bouton ou graine en forme de rose
10. Cartouche en médaillon ovale encadré de guirlandes de laurier

Attribué à Jean Henri Oertel (1717-1796), *Élévation d'une écuelle à bouillon, vues en plan de son présentoir et d'une oreille*, vers 1782, encre et lavis sur papier, 20,9 x 21,2 cm, Strasbourg, Cabinet des estampes et des dessins. Inv. LXV.20

276 **FLAMBEAU**

1. Pied à doucine ornée de cannelures, de guirlandes de laurier et d'un cartouche ovale
2. Tige cannelée ou fût
3. Binet à décor de cannelures, guirlandes et draperie
4. Bobèche
5. Base circulaire unie

4

3

2

1

5

Strasbourg, *Dessin d'un flambeau*, vers 1780, traces de crayon, encre et lavis sur papier, 38,4 x 25,6 cm, Strasbourg, Cabinet des estampes et des dessins. Inv. XXI.105 b

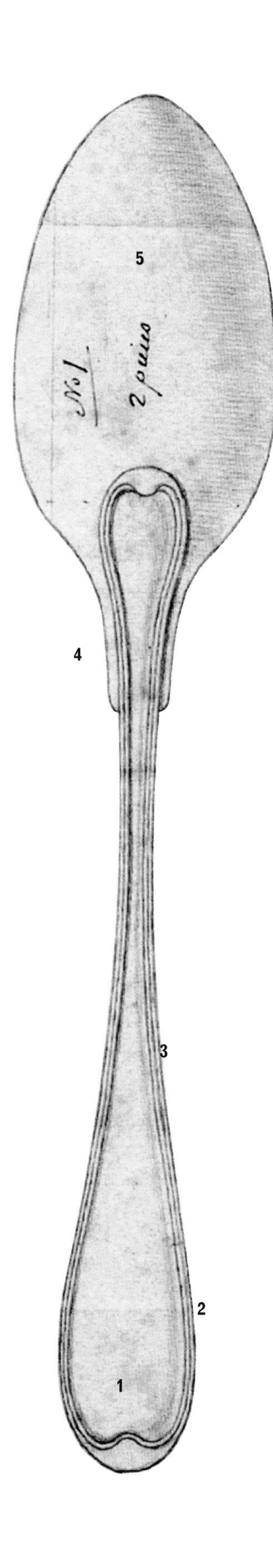

CUILLER,
MODÈLE À FILETS

1. Spatule
2. Filets
3. Manche
4. Attache avec épaulements
5. Cuilleron

Strasbourg, *Dessin représentant divers couverts à servir : cuiller de service* (détail), dernier quart du XVIIIe siècle, encre et crayon noir, 40 x 24,5 cm, Strasbourg, Cabinet des estampes et des dessins. Inv. LXV.76

Glossaire technique

Une pièce maîtresse « composée et exécutée par Kirstein orfèvre à Strasbourg en 1821 ».

Il s'agit d'une coupe en forme de vase Médicis, reposant sur une base carrée, en vermeil et argent. Le corps du vase est orné de scènes de chasse en argent coulé.
Les éléments constitutifs de cet objet sont fondus pour la plupart d'entre eux puis travaillés de diverses manières. Ils sont ensuite assemblés à l'aide de repères précis et dans un ordre déterminé par leur emboîtement. On peut y voir l'effet de la ciselure, du repoussé ou du reperçage. Ces techniques concernent les rinceaux en argent constituant la terrasse de la prise du couvercle ou bien les godrons à la base de la coupe. D'autres traitements sont moins perceptibles, comme l'amati s'intercalant entre les godrons ajourés, ou encore l'impressionnant travail de modelage du haut-relief représentant la scène de chasse. Ils contribuent tous à la perfection du travail dont un éclaté montre la complexité (ill. ci-dessus).
Constitué de cinquante-huit éléments divers, dont vingt-neuf écrous, ce vase couvert posé sur présentoir permet d'aborder la définition des principales techniques utilisées par l'orfèvre.
La réalisation de ce vase du début du XIXe siècle suppose la mise en œuvre de méthodes de fabrication très élaborées et nous fait apparaître d'autant plus étranger le terme d'*orfèvrerie grossière* employé jusqu'au XVIIIe siècle pour désigner ce type de pièces. Il renvoie à la taille des objets et non à leurs qualités intrinsèques. En opposition à l'orfèvre bijoutier et à l'orfèvre joaillier, l'orfèvre grossier fabrique des pièces en or et en argent destinées au service de table, tels que couverts, vaisselle plate, pots à oille, terrines, saucières, chocolatières, etc., ainsi que toutes sortes de nécessaires.

1

2

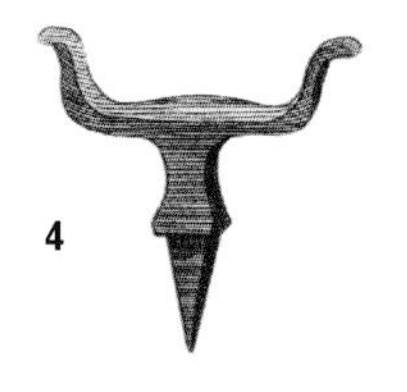

4

« De l'orfèvre Grossier, Tasseaux et Bigornes », *L'Encyclopédie* de Diderot et d'Alembert, vol. VIII des planches, pl. X, fig. 21.

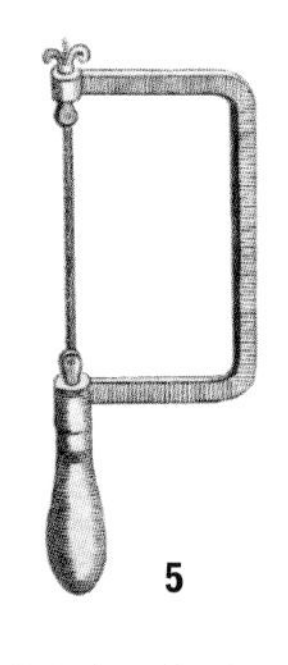

5

« Scie à main de l'Orfèvre Bijoutier, Outils », *L'Encyclopédie* de Diderot et d'Alembert, vol. VIII des planches, pl. VII, fig. 8.

6

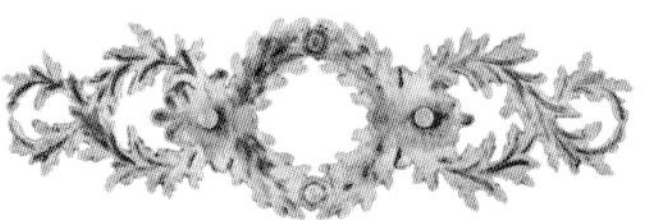

3

QUELQUES TERMES TECHNIQUES

Ajouré : motif découpé à jour dans une feuille de métal, selon un certain tracé. Les ajourés anciens découpés au ciseau et au marteau se distinguent par l'arrachement du métal visible sur l'envers des contours de la découpe et par le léger enfoncement du métal sur l'endroit. L'ajouré à bords vifs et sans arrachement de métal est effectué à la *scie à repercer* (voir aussi **repercé**). La complexité éventuelle du travail laisse parfois apparaître, comme c'est le cas ici (ill. 1), des stries fines et verticales qui signalent un ajourage à la scie. Ces traces sont généralement reprises à la lime.

Alliage (voir **titre**) : l'or, l'argent et le platine sont des métaux trop facilement déformables pour être utilisés purs. Ils sont donc alliés d'une part de métal, comme le cuivre qui sert à les durcir. Le **poinçon** de titre indique la proportion du métal précieux dans ce mélange.

Amati : l'amati est un procédé qui consiste à cribler de points ou de minuscules ronds à l'aide d'un **poinçon** (mat ou matoir) les fonds de certains décors sur les pièces d'orfèvrerie, pour faire ressortir par contraste les reliefs polis et brillants (ill. 2).
C'est une forme de **ciselure**. Les ciselets destinés à tracer les contours permettent d'obtenir le tracé mati, trait en creux comportant de multiples petits points. Enfin, la ciselure à la molette permet d'obtenir des décors plus réguliers.

Appliques : il s'agit de décorations généralement obtenues par moulage.
Elles sont rapportées et fixées par rivetage, soudure ou encore, comme ici (ill. 3), par vissage d'écrou au revers de la base. L'applique dispose alors de deux tiges filetées.

Balancier : presse d'orfèvrerie utilisée aux XVIIIe et XIXe siècles par tous les orfèvres pour frapper les décors sur les couverts.

Bigorne : sur la bigorne qui est une petite enclume à deux cornes de forme variable (ill. 4) ou un bourrelet de cuir rempli de sable, l'orfèvre plane et travaille les galbes.

Bocfil ou **scie à main** : cette scie à lame mobile interchangeable sert à repercer ou à ajourer des plaques de métal, après un perçage préparatoire à la **drille** (ill. 5). Voir aussi **ajouré** et **repercé**.

Bouterolle : outil de ciseleur utilisé pour repousser le métal. Le terme provient du verbe « bouter » qui signifie pousser, refouler. On parle d'emboutissage à la bouterolle, d'où le terme « bouteroller » pour désigner cette déformation.

Brasage : cette opération consiste à assembler des pièces métalliques à l'aide d'un **alliage** d'apport à l'état liquide.
Cet alliage doit bien sûr posséder une température de fusion inférieure à celle des pièces que l'on désire réunir, de manière à ce qu'elles ne participent pas par fusion à la constitution du joint.

Brunissage : il s'agit d'un traitement de surface par **écrouissage**, à l'aide d'un outil dit « brunissoir », de forme recourbée, parfaitement poli. L'extrémité de celui-ci est réalisée dans un matériau très dur (acier, agate ou hématite), destiné à écraser les grains d'argent microscopiques. Il permet de nettoyer les pièces traitées, d'atténuer les rayures et les chocs, d'obtenir un durcissement de la surface et de donner un éclat exceptionnel à cette dernière. Le brunissage n'enlève pas de métal. Les orfèvres brunissaient leurs œuvres, ultime opération réalisée à l'aide de petits marteaux de différentes formes, à têtes parfaitement polies, voire glacées, appelés brunissoirs. Ils tapotaient les pièces avec dextérité, afin de provoquer un écrasement moléculaire de l'argent en surface, ce qui les rendait plus dures, plus résistantes aux rayures et aussi moins perméables à l'air ambiant, donc moins sensibles à l'oxydation.
On peut voir sur l'illustration (ill. 6) le contraste entre les palmettes brunies et les fonds **amatis** sur lesquels elles se détachent.

Burin : vient de l'ancien italien *burino* (XVe siècle) et désigne un ciseau d'acier trempé que l'on pousse à la main.
L'une des extrémités est biseautée et tranchante pour entailler le métal, l'autre extrémité étant garnie d'un manche en bois adapté au creux de la main de l'orfèvre. Le burin déchire le métal et le soulève en l'écartant sur les bords de son tracé.
Il implique parfois un travail de limage de ces soulèvements pour faire disparaître les marques de l'outil.

Cire perdue : procédé qui consiste à modeler un objet unique en cire. Il est ensuite enduit de terre de fonderie sur toutes ses faces. Puis la cire est éliminée à la chaleur d'un four, afin de permettre la coulée d'un métal en fusion dans le vide laissé par l'évaporation de la cire.

Ciselure : elle est exécutée au marteau en frappant un ciselet. Le ciseleur façonne le métal en l'enfonçant et l'écrase sans l'entamer, après avoir d'abord effectué un tracé. On n'enlève pas de métal contrairement à la **gravure**. Dans la ciselure,

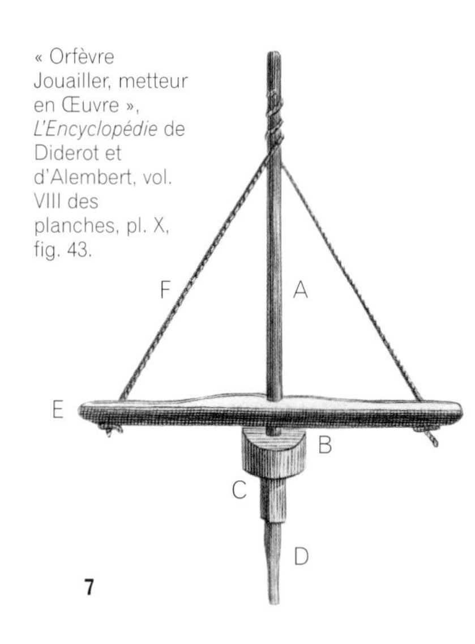

7

« Orfèvre Jouailler, metteur en Œuvre », *L'Encyclopédie* de Diderot et d'Alembert, vol. VIII des planches, pl. X, fig. 43.

8

Enseigne du fabricant de boucles de chaussures Lamy (détail), Strasbourg, Musée historique.

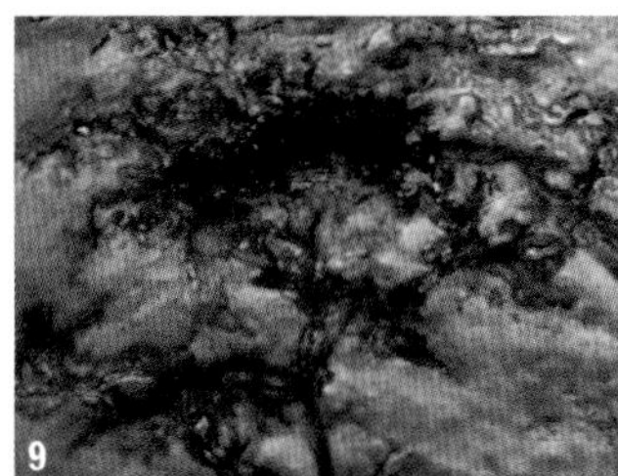

9

10

le métal est également travaillé sur l'endroit. Le ciselet est un outil ni coupant, ni tranchant, à l'extrémité polie. Le métal est généralement consolidé provisoirement au revers par une cire ou un ciment qui le maintient et le renforce. De nombreux détails en creux, qui complètent et soulignent les reliefs obtenus par repoussage, peuvent ainsi être exécutés. Les motifs ciselés ont une grande douceur de modelé.

Creuset : c'est un récipient en terre réfractaire qui permet de **fondre** les métaux.

Dorure : la dorure de l'argent au mercure a été longtemps employée. Une pâte graisseuse de mercure et d'or est répartie à l'aide d'une brosse métallique sur la pièce à dorer. La pièce enduite est alors passée au four. Le mercure, très volatil, s'évapore et laisse une couche d'or mat sur la pièce. Il est alors possible de brunir certaines parties avec un brunissoir, une agate ou une hématite emmanchée, pour créer un contraste entre des zones mates et brillantes.

Drille (ou foret) : très ancien outil à forer, la drille est utilisée pour percer le métal. Elle permet d'amorcer le décor du repercé. La planche X de « l'Orfèvre Jouailler, metteur en Œuvre » de *L'Encyclopédie* de Diderot et d'Alembert, en montre un exemple sous la figure 43, qui révèle également son principe de fonctionnement (ill. 7). L'artisan fait tourner la traverse E. Cette dernière noue progressivement la corde F sur la tige A. Lorsque cette corde est entièrement enroulée sur la tige, il suffit de relâcher la traverse pour provoquer le déroulement de la corde et un mouvement circulaire. Celui-ci entraîne la tige et le foret D fixé dans le canon C, par le balancement du contrepoids B.

Ébarbage : opération qui consiste à faire disparaître les aspérités, ou *ébarbes*, produites lors d'un enlèvement de métal.

Écolleter : cette opération consiste à élargir une pièce d'orfèvrerie au marteau, sur la **bigorne**. Le haut d'un vase peut ainsi être élargi en forme de calice.

Écrouissage : modification des propriétés mécaniques et de la structure du métal, due à une déformation répétée à froid. Cette déformation entraîne un durcissement du métal par écrasement des cristaux. Le phénomène est éliminé en procédant au **recuit** qui redonne au métal sa malléabilité.

Estampage : il consiste à réaliser un motif en frappant la feuille de métal à l'aide d'une **matrice**, sur la face si elle est épaisse, au revers si elle est mince.

Filigrane : il permet de former un décor par soudure ou rivetage d'un fil de métal lisse, strié, grainetté ou multiple, sur une feuille de métal. Le faux filigrane est une plaque de métal découpée à l'emporte-pièce.

Fondre : au XIXe siècle, l'orfèvre travaille sur du métal, au **titre** légal, fourni par les fondeurs affineurs (ill. 8). L'argent se présente sous différentes formes : feuilles, fils, tubes, barres, etc. Le métal peut être mis en forme à chaud par trois méthodes. Il s'agit en premier de la fonte à la **cire perdue**. Après le moulage d'un modèle, on injecte de la cire dans le moule pour réaliser autant de cires que de pièces à reproduire. Ces pièces sont mises dans un cylindre de plâtre que l'on chauffe. Une fois la cire évacuée, on injecte le métal en fusion et l'on obtient autant de pièces que de cires. La deuxième technique est celle de la fonte au sable. Elle se réalise à partir d'un moule et d'un contre moule en sable argileux dans lequel on verse l'argent fondu. Une dernière technique, appliquée pour la réalisation d'éléments de petite taille et de faible épaisseur, consiste à utiliser un ou deux os de seiche, selon que le relief montre une seule ou deux faces. L'os de seiche est alors scié sur sa longueur et l'objet à reproduire est pressé entre les deux tranches. On injecte le métal en fusion après avoir aménagé un ou plusieurs canaux de coulée. La fonte permet d'élaborer des pièces rapportées ou de formes trop complexes : les petites figures en ronde-bosse, les couverts, les anses, les becs, les pieds et les petits bijoux sont en général fabriqués selon ces techniques. Le revers de la frise (ill. 9) montre encore quelques traces d'une terre de fonderie fine et blanchâtre.

Forger : opération qui consiste à travailler au marteau le métal à chaud ou à froid sur l'enclume. Le forgeage permet de laminer ensemble plusieurs métaux. Au XVIIIe siècle, l'orfèvre commence son travail à partir d'un lingot. Après la fusion et le refroidissement, cet **alliage** est prêt à être travaillé. Le fait de forger le métal rend celui-ci très résistant. L'orfèvre, par la succession de passes et de **recuits**, se rapproche de la forme définitive de l'objet.

Gravure : contrairement à la **ciselure** qui consiste à obtenir un défoncement du métal sans l'entamer, la gravure enlève des parcelles de métal à l'aide d'instruments coupants. La signature gravée de Kirstein (ill. 10) montre la trace nette laissée par le **burin** après l'élimination des barbes de métal.

Guilloché : l'adjectif guilloché désigne les motifs appelés

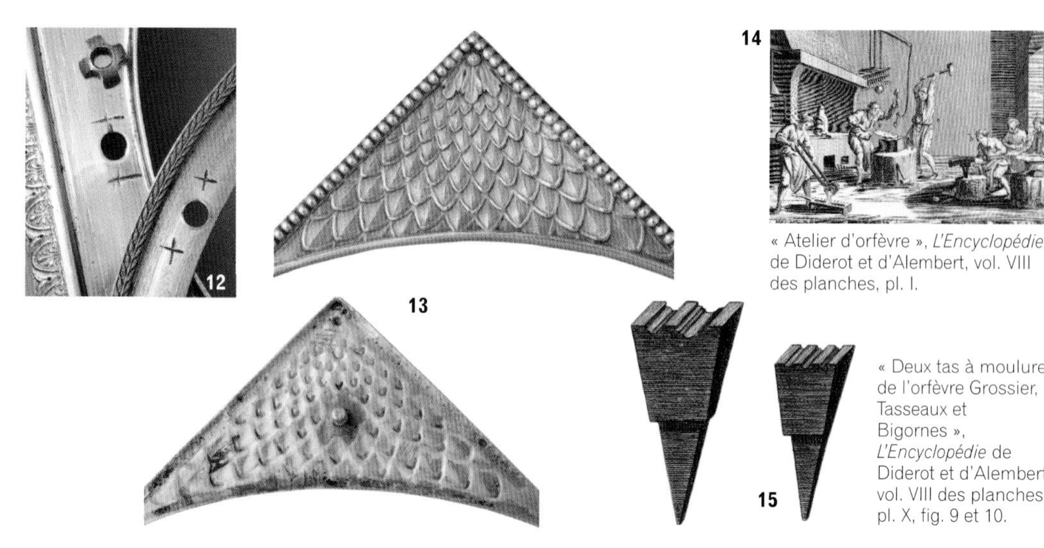

« Atelier d'orfèvre », *L'Encyclopédie* de Diderot et d'Alembert, vol. VIII des planches, pl. I.

« Deux tas à moulure de l'orfèvre Grossier, Tasseaux et Bigornes », *L'Encyclopédie* de Diderot et d'Alembert, vol. VIII des planches, pl. X, fig. 9 et 10.

« guillochis ». Ce sont de petites lignes parallèles, croisées ou ondulées, tracées au **burin** sur des pièces d'orfèvrerie.

Laminage : pour laminer un métal il faut le faire passer sous des rouleaux qui l'écrasent et l'amincissent en forme régulière, alors que le métal est encore chaud.

Limer : pour ajuster certaine pièces ou reprendre une forme, l'orfèvre utilise des limes plates, rondes, demi-rondes ou queues-de- rats, en tiers-point.

Marteler : des marteaux de différentes formes sont utilisés pour déformer le métal, à l'aide de **bigornes** ou d'autres supports.

Matrice : terme du XVIe siècle utilisé pour désigner un outil de forge en acier, gravé en creux ou en relief, servant à reproduire des formes et des décors.

Modelage : avant de pouvoir fondre à **cire perdue**, il faut modeler en cire le modèle. Dans le cas précis de la coupe de Kirstein, le modèle en cire de la frise en haut-relief est réalisé sur une âme en terre de fonderie. L'orfèvre a modelé les éléments en bas-relief et en semi ronde-bosse, par couches collées entre elles avec une spatule chaude. On voit sur la photographie de détail (ill. 11) les superpositions des niveaux, qui permettent l'effet de profondeur.

Moleté : la ciselure à la molette permet d'obtenir des décors plus réguliers. La molette en acier gravé est enchâssée sur un outil à manche et tourne sur son axe. L'appui manuel ou mécanique de l'outil sur une feuille de métal permet de reproduire le motif de la molette selon un tracé linéaire ou courbe.

Nielle : technique utilisée pour créer des contrastes décoratifs. C'est un amalgame de poudre de soufre, de plomb, d'argent et de cuivre avec de l'eau. Dans un motif gravé en creux, l'artisan passe le fond au borax, servant de fondant, puis enduit ces creux de nielle et met l'objet au four. Le décor niellé est aplani et lissé à l'huile pendant qu'il est encore chaud. Les parties niellées se détachent alors en noir sur la surface de l'objet.

Poinçon : le poinçon est appliqué sur les ouvrages de platine, d'or ou **alliage** d'or, d'argent, de vermeil et non sur les ouvrages en métal commun non plaqués d'un métal précieux. Sur une tige d'acier est gravé en négatif le poinçon à reproduire. L'artisan percute le poinçon posé sur l'objet à l'aide d'un marteau. Selon la zone poinçonnée et la difficulté à réaliser l'opération, le résultat est parfois hésitant et peu lisible.

Recuit : par opposition à tremper, action de remettre au feu un métal pour en améliorer la ductilité mécanique. Il est indispensable de recuire plusieurs fois la pièce au cours de la **rétreinte**. Il faudra chauffer le métal à haute température pour lui redonner sa malléabilité. La couleur du métal est alors rouge cerise dans la pénombre de la forge.

Repercé (voir **ajouré**) : technique très minutieuse demandant beaucoup d'adresse. L'orfèvre évide une partie de la pièce, ajourant des motifs préalablement dessinés, à l'aide d'une scie très fine. Pour ce faire, il effectue au préalable un petit trou, avec une **drille** laissant le passage à la scie.

Repères : le montage d'une pièce aussi complexe nécessite un ajustage précis et des repères qui indiquent le sens de montage. On voit ici (ill. 12) deux croix qui encadrent un trou ménagé pour le passage de la tige filetée, qui permet de fixer un deuxième élément sur le précédent. Ce type de repère sert à figer l'alignement des pièces en prévision du montage de l'objet.

Repoussé : il consiste à forcer le métal sur ses deux faces avec un outil en acier ou en bois dur (ill. 13). L'opération peut se faire sur un support, comme un sac de sable ou une cire résine, déformable plastiquement sous les coups de **bouterolle**.

Rétreindre : cette opération consiste à la réduction diamétrale de l'extrémité ouverte d'un corps creux (ill. 14). L'orfèvre pose sa pièce sur une **bigorne** pour diminuer par martelage le diamètre d'un tube, par exemple pour un seau à rafraîchir. Le but est de faire rentrer le métal dans son épaisseur. Tout l'art consiste à savoir **marteler** adroitement afin de lisser la feuille d'argent et lui donner une belle forme.

Sertir : assujettir une pièce implique une **rétreinte** de la partie métallique qui va retenir un autre élément, comme un médaillon, une broche, dans un cadre ou un autre logement.

Tas à moulure : terme de métier pour désigner une masse de métal amovible, dont la partie supérieure est moulurée et la partie inférieure posée sur un tronçon de bois gros et court, dit billot (ill. 15). Elle sert à former le métal qui est martelé sur la forme du tas, dont il finit par épouser le profil mouluré.

Titre (voir **alliage**) : proportion de métal fin (or, argent ou platine), contenu dans un alliage. Le titre est égal au poids du métal fin divisé par le poids de l'alliage. Il se définit en millièmes (*exemple :* 916 correspondent à 916 g d'or

16

« Tour à vaisselle de l'orfèvre grossier », *L'Encyclopédie* de Diderot et d'Alembert, vol. VIII des planches, pl. XVII (détail).

17

pur pour 1 kg d'alliage).
Dès 1260, le *Livre des métiers* d'Étienne Boileau fixe le titre légal de l'or et de l'argent. Le titre ancien de l'or se donne en carats et en 32e de carat. L'or fin valait 24 carats. Ainsi un objet à 18 carats comprend 18 carats d'or fin et 6 d'alliage (cuivre jaune ou rouge, argent ou nickel).
En Allemagne, l'objet d'or pur est aussi à 24 carats, mais le carat est divisé en 12 grains.
Celui de l'argent se calcule en deniers de 12 grains. L'argent fin titrait 12 deniers ; à titre d'exemple, 11 deniers, 12 grains sont l'équivalent de 958 millièmes 333. En Allemagne, le titre de l'argent pur est de 16 loths de 18 grains chacun.
Le titre minimal légal représente la teneur en métal fin en dessous de laquelle le service de la garantie n'appose pas le **poinçon** et n'autorise pas la commercialisation de l'objet en France.
Les pays rattachés à la Couronne de France après 1554 conservent plus ou moins longtemps leur titre particulier : 9 deniers 12 grains pour la Lorraine, 11 deniers 8 grains au remède de 2 grains pour la Franche-Comté, la Flandre et le Hainaut, 9 deniers 20 grains au remède de 2 grains pour l'Alsace.
Pour l'argent, les divisions et équivalences des poids sont :
– la livre = 2 marcs = 489,51 g
– le marc = 8 onces = 244,75 g
– l'once = 8 gros = 30,60 g
– le gros = 72 grains = 3,83 g
– le denier = 24 grains = 1,2747 g
– le grain = 0,0531 g
Pour l'or, les divisions et équivalences des poids sont :
– le carat des essayeurs = 0,041,667 g ou 1/24e du tout ; il est divisé en 32 parties de 0,001302 g ;
– le denier = 0,082334 g ou 1/12e du tout ;
– le grain = 0,003472 g.

Tourner : pour rectifier une pièce de fonderie ou pour réaliser une forme parfaitement circulaire (ill. 16), *l'orfèvre grossier* utilise un tour dont on peut voir un modèle dans la planche XVII du recueil de planches de *L'Encyclopédie* de Diderot et d'Alembert consacrée à l'orfèvrerie joaillerie (ill. 17).

BIBLIOGRAPHIE :

ARMINJON, Catherine, BILIMOFF, Michèle, *L'Art du métal, vocabulaire technique*, Paris, 1998
BOUILHET, Henri, *Un travail d'orfèvre : principaux termes utilisés dans un atelier de Haute Orfèvrerie regroupés par Christofle à Saint-Denis*, Paris, 1998
CELLINI Benvenuto, *Traité de l'orfèvrerie et de la sculpture* [texte publié en 1563], Paris, 1992
DIDEROT Denis, ALEMBERT, Jean Le Rond d', *L'Encyclopédie : recueil de planches sur les sciences, les arts libéraux et les arts méchaniques, avec leur explication*, Paris, 1771, vol. VIII
FONTENELLE, Julia de, *Manuel Roret [...] du bijoutier, du joaillier, de l'orfèvre et du graveur sur métaux et du changeur*, Paris, 1886, 2 vol.
GODECHOUX, Jean-Yves, BERNIS, Sophie de, *Boîtes en émail et argent guilloché : 1880-1930*, Paris, 2001
KENBER, Bilgi, *Les Cuillers à sucre dans l'orfèvrerie française du XVIIIe siècle*, Paris, 2003

Poinçons des orfèvres strasbourgeois 1681-1786

Table d'insculpation des poinçons d'orfèvres strasbourgeois, 1691, étain, années 1691-1724, 38,8 x 23,4 cm. Inv. MAD 5504. Plat avant de l'une des quatre plaques se présentant chacune sous la forme d'un diptyque. Y sont gravées les armoiries de Strasbourg, surmontées d'une fleur de lis, la date de mise en service du diptyque et l'inscription *Der Goldschmidt Merckzeichen*. Ces tables font partie d'une série de quatre diptyques couvrant la période allant de 1540 à 1797, conservées aux musées de Strasbourg.

Les premiers règlements de la corporation de l'Échasse de 1362 et 1363 concernent les poinçons dont les orfèvres sont tenus de marquer leurs pièces d'or et d'argent. Cependant, dans la pratique, ces poinçons ne sont pas systématiquement appliqués. En 1472, une nouvelle réglementation instaure l'usage du poinçon sous la forme d'un écu renfermant trois palettes, armoiries de la corporation, et d'un second poinçon, marque personnelle de l'orfèvre. En 1534, l'écu armorié est surmonté de la fleur de lis, signe de reconnaissance des monnaies de Strasbourg depuis le Xe siècle, mais surtout un des emblèmes de la ville. En 1567, le poinçon aux trois palettes est remplacé par les armoiries de la ville, la bande de gueules sur champ d'argent. Cette marque va subsister jusqu'à la Révolution.

Dès 1639 apparaît le poinçon au chiffre 13 inscrit dans un écu, surmonté soit d'une fleur de lis, soit d'une couronne, indiquant le titre de l'argent pratiqué à Strasbourg[1]. À ce poinçon apposé par la direction de la Monnaie, s'ajoute à partir de 1752 une contremarque consistant en une lettre surmontée soit d'une fleur de lis, soit d'une couronne, correspondant à une périodicité rythmée par le renouvellement des contrôleurs tous les douze mois environ. Les lettres de A à Z se suivent de 1752 à 1775 ; l'alphabet est recommencé et s'arrête en 1784 avec la lettre I, lorsqu'une nouvelle réforme attribue à Strasbourg un poinçon en forme de casque à panache s'ouvrant sur un chiffre. Après une hésitation entre le chiffre 84 et la lettre A durant la première année de mise en place de cette marque, la numérotation de 1 à 5 est adoptée de 1785 à la fin de la période révolutionnaire. Ce poinçon d'année est particulièrement précieux car il permet la datation des pièces. Malheureusement, les trois poinçons réglementaires – poinçon du maître, poinçon de contrôle et poinçon d'année – ne figurent pas tous systématiquement sur les pièces ; ou bien certains d'entre eux sont difficilement lisibles parce que appliqués maladroitement ou encore recouverts lors d'une opération de redorure. Ils peuvent aussi être partiellement usés lorsqu'ils ont été apposés sous les pièces et donc exposés aux frottements, s'agissant d'objets utilitaires.

Les tables d'insculpation, introduites par la réforme de 1534 et conservées au musée des Arts décoratifs, se présentent sous la forme de diptyque en étain (ill. pp. 284 et 286). L'orfèvre, après avoir accédé à la maîtrise, ou lors de son établissement à Strasbourg, y apposait son poinçon, y inscrivait son nom et, moins systématiquement, la date de son inscription. Ces tables sont plus ou moins tenues à jour jusqu'à la Révolution. Par la suite, les orfèvres strasbourgeois vont partager avec leurs confrères nationaux la mise en place progressive de la nouvelle réglementation française. En 1791, l'abolition des corporations d'orfèvres entraîne la suppression du contrôle des métaux précieux. De nouveaux poinçons, des poinçons d'État, sont établis d'abord en 1795-1797, puis en 1797-1798. À partir de cette date et jusqu'en 1838, les ouvrages vont porter les trois poinçons suivants : le poinçon de titre, le poinçon de garantie et le poinçon de l'orfèvre, de forme losangique, parfois doublé par un second poinçon rectangulaire reproduisant le nom du fabricant en toutes lettres. S'y ajoute quelquefois, durant cette même période, le poinçon de recense. En effet, à la suite de vols commis à son préjudice, et surtout à la suite de découvertes de faux poinçons, l'administration de la Monnaie fait procéder par trois fois à une recense générale et ceci en 1809, 1819 et 1838. Elle permet de contrôler par la même occasion les objets munis d'anciens poinçons de décharge utilisés avant la Révolution. Chacune de ces recenses a entraîné avec elle une modification du dessin des poinçons de titre et de garantie. Le nouveau système établi par l'ordonnance du 7 avril 1838 est toujours en usage de nos jours.

Les poinçons bigornes ou de contremarque sont institués à partir de 1819. Ils constituent une innovation dans le but d'empêcher la fraude. L'objet d'orfèvrerie est placé contre une petite enclume, ou bigorne, gravée de dessins plus ou moins compliqués représentant généralement des insectes. Le coup de poinçon, frappé au marteau, fournit ainsi deux empreintes bien différentes, d'une part le poinçon légal insculpé sur la face externe de l'objet et au revers, dos à dos, le poinçon bigorne imprimé par contrecoup.

Les lettres majuscules « ET » (étranger) pour le poinçon d'importation sont remplacées, à partir de 1893, par le hibou pour l'or et par le cygne pour l'argent. Ceci concerne uniquement les pays n'ayant pas contracté de traité de commerce avec la France[2].

L'identification des orfèvres strasbourgeois est rendue possible grâce à l'existence des tables d'insculpation. Sont transcrits ci-dessous les poinçons de maître, de titre et d'année pour la période allant de 1681 à la fin du XVIIIe siècle et ceci dans l'ordre d'apposition sur les plaques. Ont également été reportées les indications accompagnant ces poinçons, à savoir le nom de l'orfèvre et l'année d'insculpation, lorsqu'elle y figure.

1. Le titre de Paris est de 11 deniers, 12 grains (11/12). À Strasbourg, après 1681, on rencontre quelquefois le chiffre 11/12 à la place du 13 habituellement utilisé. De même, le poinçon aux lettres BB interpénétrées, correspondant au sigle de la Monnaie de Strasbourg et mentionné par *l'Almanach royal* de 1756, ne sert que très sporadiquement.

2. De nombreux objets figurant dans la collection du musée des Arts décoratifs en sont pourvus. Ils ont été vraisemblablement contrôlés lors de transferts d'Alsace-Lorraine vers la France durant la période de 1870-1918.

BERNHARD HÜST 1691 · DANIEL SEUPPEL 1692 · DANIEL ERNST BROUN 1692 · IOHANN IACOB BROUN 1692 · FRANTZ KUHN 1692 · IUSTUS SCHLICHTING 1693 · IOHANN DANIEL SÖMERECK 1693

IOHANN DANIEL GROS 1693 · ALLEXANDER MILLER 1693 · THEOFVLUS GOLL 1693 · ANDEREAS ALTENEVRGER 169[illegible] · IOHANN PETER STREHLE 1694 · IOHANN CRISTOPH ROHT 1694 · PAULUS HELWIG 1694

PHILLIP IACOB ROHT 1694 · IOHANN IOACHIM BOTZHEIM 1694 · IOHANN GEORG FLUX 1695 · DANIEL BRAUN 1695 · GOTT FRID BERNHARDAGNCOLA 1695 · IOHANN PILPPUS SCHMID 1696 · IACOB LOSI 16[illegible]

IOHANN CHRISTOPH BICHSHOFFER 1696 · IOHANN FRIDERICH GROS 1697 · PROTHASIUS MEYER 1698 · Frantz Ulrich Diezel 1699 · Johann Reinholt Büttner 1700 · Johann Daniel Meseder 1700 · Johann Friderich Unsauf 1701

IOHANNES PICK 1702 · IOHANN KUBLER 1703 · FRIEDRICH SIGEL 1703 · IOH NICLAUS BAUMEISTER 1703 · IOHANN PAUL REISSEISEN 1704 · IOHANN REINHARD THEURER 1704 · IOHANN VALENTIN POLEY 1704

Adolph Kinckel 1705 · Tobias Ludwig Krug 1705 · Johann Adam Kiechel 1705 · Johann Franciscus Jäger 1706 · Joh: Philip Schell 1706 · Jacob Fagard 1707 · Abraham Stack 1707

Johann Michel [illegible] 1707 · Johann Heinrich Schauman 1707 · Johann Daniel Eschelin 1707 · IOHANN GOLL 1708 · DANIEL WURTZ 1708 · DANIEL KAST 1709 · Georg Friderich Hoffmeister 1710

Johann Friderich Brackenhoffer 1710 · Johann Daniel Ott 1710 · Johann Caspar Hoheisen 1710 · GOTT FRID KLEMM 1711 · WILHELM Schmid 1711 · Joh: Jacob Kolb 1712 · Johann Herbst 1712

Christian Georg [illegible] 1712 · IOHAN MICEL NOLL 1713 · Johann Michel Habmacher 1713 · Jacob Haffner 1713 · Philipp Jacob Kast 1714 · Joh: Jacob Frey 1714 · Johann Jacob Winter 1714

Isaac Kibler 1715 · Joh: Christian Bernhardt 1715 · Frantz Heinrich Goll 1715 · Joh Philip Zeissolph 1716 · Johann Geyer 1716 · Johann Daniel Bahe 16 · Joh Friderich Rode [illegible]

Table d'insculpation
des poinçons d'orfèvres
strasbourgeois, 1691
(détail intérieur du diptyque).

Les poinçons des orfèvres sont reproduits tels qu'inscrits sur les plaques, selon l'ordre aléatoire dans lequel ils ont été insculpés.
Les noms et les prénoms des orfèvres sont susceptibles d'apparaître en langue allemande ou française, indifféremment employées jusqu'au début du XIXe siècle, et selon des orthographes variables.
Certains poinçons peuvent être accompagnés d'une date correspondant à l'année d'insculpation[3].
À ces éléments retranscrits sont adjointes, dans certains cas, de brèves notices biographiques.

Carol Gallva, maître en 1681.

Johannes Geiger, maître en 1682.

Daniel Kaufman, maître en 1682. Fils de Daniel Kaufman (maître en 1652). Sans doute établi à Barr ou à Heiligenstein, il ne figure pas au *Livre de bourgeoisie* de Strasbourg.

Johann Georg Burger, maître en 1682. Sa fille épouse en 1702 l'orfèvre Jean Pick. Un autre Johann Georg Burger (son petit-fils ?) est reçu maître en 1748 et vit encore en 1787.

Johann Friderich von Carben, maître en 1683.

Christoph Wilhelm Liebhaber, maître en 1683.

Josias Bitsch, maître en 1683.

Josias Barbet

Martin Spach

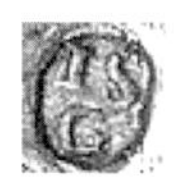

Sigmunt Graffenawer, maître en 1685.

Johann Philip Olter, maître en 1686.

Johann Jacob Dipolt, maître en 1686.

Johannes Bernhart, maître en 1686. Père de Johann Christian Bernhart (maître en 1715) et de Johann Philipp Bernhart (maître en 1724).

Johann Joachim Storch, maître en 1687.

Jacob Grunwaldt, maître en 1688.

Johann Jacob Sandrart, maître en 1688.

 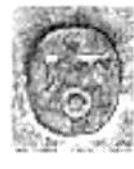

Johann Teobalt Olter, maître en 1688.

Johann Daniel Hammerer, maître en 1689. Père de Johann Daniel, maître en 1734, et de Johann Jacob, maître en 1745.

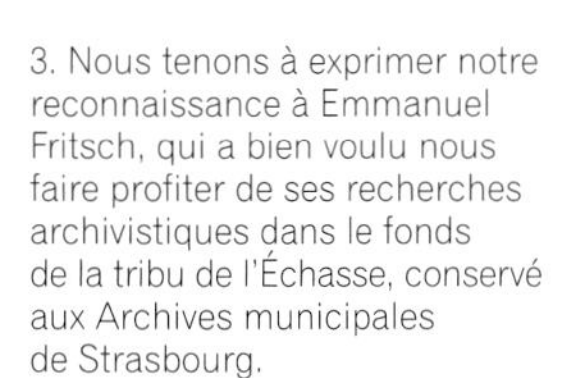

3. Nous tenons à exprimer notre reconnaissance à Emmanuel Fritsch, qui a bien voulu nous faire profiter de ses recherches archivistiques dans le fonds de la tribu de l'Échasse, conservé aux Archives municipales de Strasbourg.

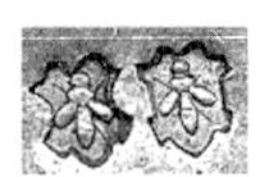

Johann Ludwig I Imlin (1663-1720), maître en 1689. Épouse Marie Salomé, fille de l'orfèvre Daniel Harnister. Membre du Petit Sénat et triumvir à la Taille. Père de Jean Louis II (maître en 1719, inscrit en 1720), de Geoffroy (maître en 1726) et de Jean Frédéric (maître en 1734). Il est le fondateur d'une dynastie d'orfèvres strasbourgeois.

Johann Nicolaus Barbette, maître en 1689. Père de Johann Nicolaus Barbet, maître en 1728.

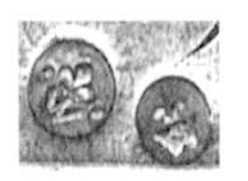

Michael Widder, maître en 1689. Né dans le duché de Holstein, il acquiert le droit de bourgeoisie par son mariage, en 1690, avec Anne Marie Meyer, fille d'un relieur et bourgeois de Strasbourg. Son fils Jean Charles est apprenti chez Jean Louis II Imlin (maître en 1719) de 1720 à 1726. Sa fille Marie Salomé épouse en 1729 Joachim Frédéric I Kirstein (Kirstenstein, maître en 1729), qui devient son successeur.

Enregistrement des poinçons de contrôle en usage en 1725.

Enregistrement des poinçons de contrôle en usage en 1728.

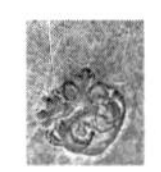

Poinçon de contrôle.

Poinçon de contrôle, 1736.

Bernhard Hülst, maître en 1691.

Daniel Seuppel ou Seupel, maître en 1691. Issu d'une famille ayant exercé la profession d'orfèvre de 1620 à la fin du XVIIIe siècle, il est apparenté au graveur Jean Adam Seupel (1662-1715).

Daniel Ernst Broun, maître en 1692.

Johann Jacob Broun, maître en 1692.

Frantz Kuhn, maître en 1692.

Justus Schlichting, maître en 1693.

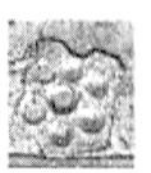

Johann Daniel Somereck, maître en 1693.

Johann Daniel Gros, maître en 1693.

Alexander Miller, maître en 1693.

Theofulus Goll, maître en 1693.

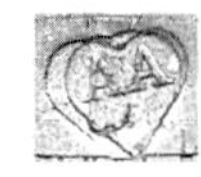

Andreas Altenburger, maître en 1693, originaire de Bâle. Il est inscrit au *Livre de bourgeoisie* de Strasbourg en 1693. Son atelier attire de nombreux compagnons suisses et allemands.

Johann Peter Strehle, maître en 1694.

Johann Cristoph Roht, maître en 1694.

Paulus Helwig junior, maître en 1694.

Phillip Jacob Roht, maître en 1694.

Johann Joachim von Botzheim, maître en 1694.

Johann Georg Finx, maître en 1695.

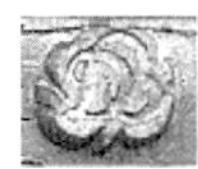

Daniel Braun, maître en 1695.

Gottfrid Bernhard Agricola, maître en 1695.

Johann Philipp Schmid, maître en 1696.

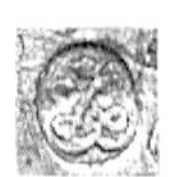

Jacob Lost, maître en 1696.

Johann Christoph Richshoffer, maître en 1696. Sa fille Marie Madeleine épouse en 1726 l'orfèvre Godefroy Imlin (maître en 1726).

Johann Friderich Gros, maître en 1697.

Prothasius Meyer, maître en 1698.

Frantz Ulrich Diezel, maître en 1699.

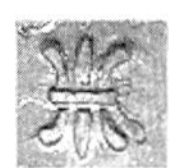

Johann Reinhold I Buttner (1672-1733), maître en 1700. Épouse en premières noces Catherine Barbara Ehrhardt, fille de l'orfèvre et bourgeois Johann Melchior Ehrhardt. Père de Johann Reinhold II (maître en 1733) et de Johann Friderich I (maître en 1748), il est le fondateur d'une dynastie familiale d'orfèvres strasbourgeois.

Johann Daniel Moseder, maître en 1700.

Johann Friderich Unselt, maître en 1701 et mort en 1733.

Johannes Pick, maître en 1702 et père de Johann Eberhart Pick (maître en 1734).

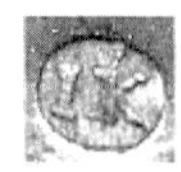

Johann Kubler, maître en 1703.

Friedrich Sigel, maître en 1703.

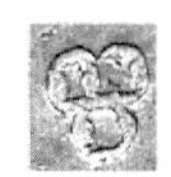

Johann Nicolaus Baumeister, maître en 1703.

Johann Paul Reisseissen, maître en 1704.

Johann Reinhard Theurer, maître en 1704.

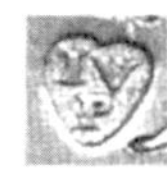

Johann Valentin Poley, maître en 1704.

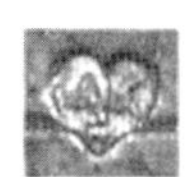

Adolph Kunckel, maître en 1705.

Tobias Ludwig Krug, maître en 1705. Père de l'orfèvre homonyme, maître en 1738, et de Johann Friderich Krug, maître en 1739.

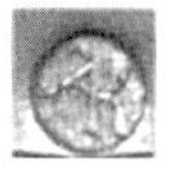

Johann Adam Kiechel, maître en 1705.

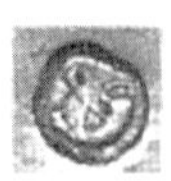

Johann Franciscus Jäger, maître en 1706.

Johann Philipp Schell, maître en 1706.

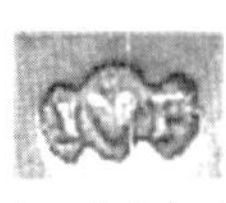

Jacob Fajard, orfèvre catholique, premier orfèvre français à s'être installé dans la ville libre royale, maître en 1707 et mort en 1763. Il achète le droit de bourgeoisie en 1707, à son arrivée. Examinateur juré de la corporation en 1724, il semble jouir d'une grande autorité. Son fils, Jacques Maurice, est sénateur de l'Échasse en 1746.

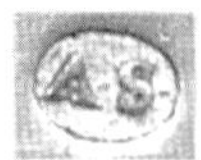

Abraham Spack ou Sback, maître en 1707.

Johann Daniel Roehmer, maître en 1707.

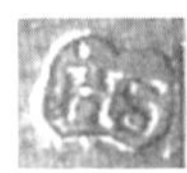

Johann Heinrich Schaumann, maître en 1707.
Sa fille épouse l'orfèvre Jean Henri I Oertel (1717-1796, maître en 1749), successeur de Johann Heinrich Schaumann.

Johann Daniel Eisenheim, maître en 1707.

Johann Goll, maître en 1708.

Daniel Würtz, maître en 1708, date à laquelle il achète le droit de bourgeoisie. Il est désigné comme *Goldarbeiter*.

Daniel Kast, maître en 1709.

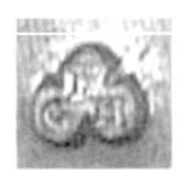

Georg Friderich Hoffmeister, maître en 1710.

Johann Friderich Brackenwer, maître en 1710. Père de Johann Friderich Brackenwer, maître en 1742.

Johann Daniel Ott, maître en 1710. Père de Johann Daniel Ott, maître en 1746.

 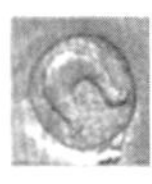 

Johann Caspar Hohleysen, maître en 1710.

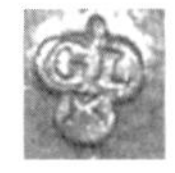

Gottfried Klemb, maître en 1711.

Wilhelm Schmit, maître en 1711.

Johann Jacob Kolb, maître en 1712.

Johann Herbst, maître en 1712.

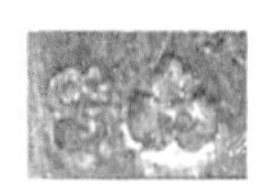

Christian Gottfried Schifferdecker, maître en 1712.

Johann Michael Moul, maître en 1713.

Johann Michel Hibmaeier, maître en 1713.

Jacob Haffner, maître en 1713.

Philipp Jacob Kast, maître en 1714. Père de Johann Friderich Kast, maître en 1755. En 1738, un poinçon identique est insculpé à côté de celui de 1714.

Johann Jacob Frey, maître en 1714. Père de Samuel Frey, maître en 1746.

Johann Jacob Winter, maître en 1714.

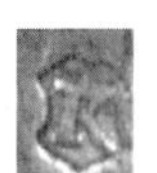

Isaac Kibler ou Kübler, maître en 1715.

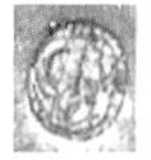

Johann Christian Bernhardt, maître en 1715. Fils de Johannes Bernhart (maître en 1686) et frère de Johann Philipp Bernhart (maître en 1724).

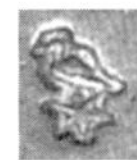

Frantz Heinrich Goll, maître en 1715.

Johann Philipp Zeisolph, maître en 1716.

Johann Geyer, maître en 1716.

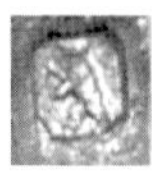

Johann Daniel Bähr, maître en 1716.

Johann Friderich Röderer, maître en 1716.

Josias Bitsch, maître en 1717.

Tobias Bauer ou Baur, maître en 1717, natif d'Augsbourg.

Johann Stahl, maître en 1718. Orfèvre catholique, il a formé ses fils et de nombreux orfèvres étrangers.

Johann Friderich Helwe, maître en 1718.

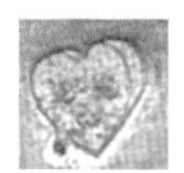

Lorenz Seütter, maître en 1718.

Johann Ludwig II Imlin (1694-1764), maître en 1719.
Poinçon insculpé en 1720. Fils de Johann Ludwig I (maître en 1689). Frère de Godefroy (maître en 1726) et de Jean Frédéric (maître en 1734). Élu maître de la tribu de l'Échasse pour 1732. Membre du Grand Sénat. Père de Jean Louis III (maître en 1746), de Jean Daniel (maître en 1751, non insculpé) et de Georges Frédéric (maître en 1751, non insculpé).

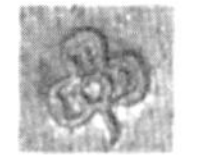

Johann Philipp Dürr, maître en 1720.

Johann Jacob Schwing, maître en 1721.

Johann Friderich Schneider, maître en 1721.

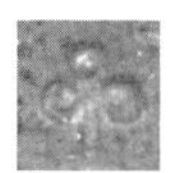

Johann Friederich Gallwitz, maître en 1721.

Friderich Seupel, maître en 1722.

Johann Jacob Hauser, maître en 1723.

Johann Sigmund Gravenauer, maître en 1723.

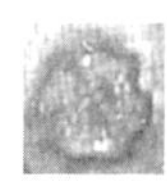

Johann Phillipp Ehringer, maître en 1724.

Johann Philipp Bernhart, maître en 1724. Fils de Johann Bernhart (maître en 1686) et frère de Johann Christian Bernhart (maître en 1715).

Samuel Schwaenfelter, maître en 1726.

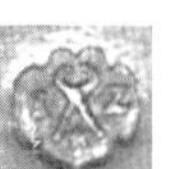

Johannes Zengell, maître en 1726.

Gottfried Imlin (1701-1751), maître en 1726. Fils de Jean Louis I (maître en 1689) et frère de Jean Louis II (maître en 1719) et de Jean Frédéric (maître en 1734). Épouse Marie Madeleine, fille de Johann Christoph Richshoffer (maître en 1696). A fait son apprentissage auprès de Johann Heinrich Schaumann (maître en 1707). Maître de la corporation en 1740. Sa veuve, Salomé Richshoffer, épousée en secondes noces, reste inscrite à l'Échasse jusqu'à son décès (1786).

Andreas Spor, maître en 1728.

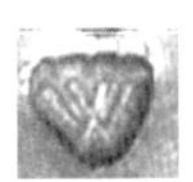

Johann Heinrich Wiegel, maître en 1726.

Johann Daniel Gravenauer, maître en 1728.

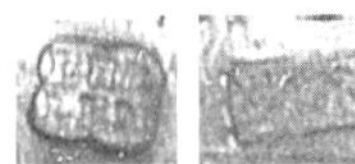

Johann Jacob Ehrlen, né en 1700 et reçu maître en 1728, après avoir effectué son apprentissage auprès de Johann Reinhold Buttner (maître en 1700). Son fils, aumônier du régiment Royal-Suédois, puis prédicateur à la cour des Deux-Ponts-Birkenfeld, à Ribeauvillé, est son homonyme. Sa fille Marie Salomé épouse en 1758 l'orfèvre Jean Christian Zahrt qui succède à J. J. Ehrlen en 1777. Marie Salomé, veuve en 1781, dirige ensuite l'atelier.

F. Hammerer, maître en 1728.

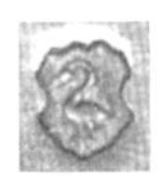

Johann Jacob Mosetter ou Mosseder, maître en 1728.

Johann Nicolaus Barbet, maître en 1728. Fils de Johann Nicolaus Barbette, maître en 1689.

Joachim Friderich I Kirstein (Kirstenstein), né en 1701 à Belitz, maître en 1729 et mort en 1770. Par son mariage avec Marie Salomé Widder, fille de Michel Widder (maître en 1689), il acquiert le droit de bourgeoisie. Père de Johann Jacob I (maître en 1760) et de Johann Friderich II (non insculpé). Il occupe par la suite des fonctions électives à la tribu de l'Échasse : il siège au tribunal, est maître de la tribu pour 1746, inspecteur de l'argent et de l'or, membre du Grand Sénat au titre de la tribu et échevin. Il est le fondateur d'une dynastie d'orfèvres strasbourgeois.

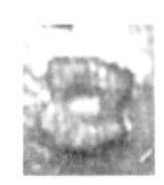

Johann Jacob Braun junior, maître en 1730.

Johann Cristoph Reichshofer junior, maître en 1730.

Franciscus Gravenauer, maître en 1730.

Johann Philipp Fucks ou Fuchs, maître en 1730.

Ludwig Zentel, maître en 1732.

Johann Christman Hamer, Hammer ou Hammerer, maître en 1732.

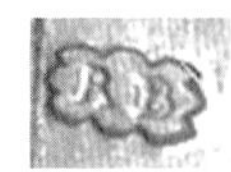

Johann Reinhold II Büttner, maître en 1733. Fils de Johann Reinhold (maître en 1700) et frère de Johann Friderich I (maître en 1748).

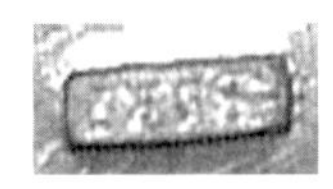

Johann Jacob Bury ou Biry (1698-1734), maître en 1732. Père de deux orfèvres : Frédéric et Jean Jacques Bury.

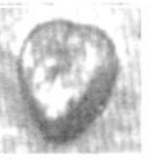

Johann Nathanaël Herzog ou Hertzog, maître en 1731, originaire de Hilberhausen, en Saxe. Poinçon insculpé en 1733.

Johann Andreas Moestel ou Möstel, né à Koenigsberg, maître en 1733.

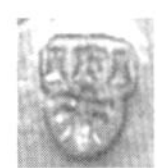

Johann Friderich Imlin (1708-1763), maître en 1734. Fils de Jean Louis I (maître en 1689) et frère de Jean Louis II (maître en 1719) et de Godefroy (maître en 1726). Membre du Grand Sénat. Père de l'orfèvre Jean Frédéric (non insculpé).

Johann Jacob Lung, maître en 1734.

Frantz Ludwig Faber, maître en 1734.

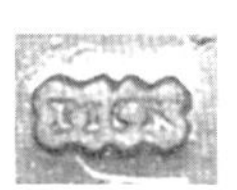

Johann Eberhart Pick, maître en 1734. Fils de Jean Pick (maître en 1702), auprès de qui il est apprenti de 1718 à 1722. Père de Jean Christian Pick (maître en 1772, non insculpé).

Johann Friderich Zopf , maître en 1734. Fils du tourneur de la ville, il est apprenti de 1711 à 1716 auprès de Johann Philipp Schall (maître en 1706). Son fils, portant les mêmes noms, est également maître.

Johann Daniel Hammerer, maître en 1734. Fils de Johann Daniel Hammerer, maître en 1689.

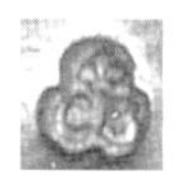

Johann Carl Baldner ou Baltner, maître en 1735. Fils de l'orfèvre Carl Baldner.

Balthasar Friderich Spach, maître en 1735.

Johann Georg Stüber, maître en 1734, insculpé en 1736.

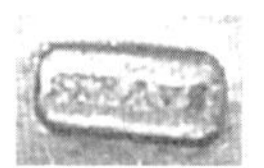

Johann Ludwig Straus (mort en 1753). Venu de Francfort-sur-l'Oder, il a effectué son apprentissage chez Jean Louis II Imlin (maître en 1719), avant d'être reçu maître en 1737.

Johann Wilhelm Euth ou Eyd, maître en 1736.

Johann Remichius Berentz, maître en 1737.

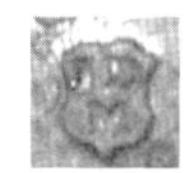

Johann Daniel Marheiningen, maître en 1737.

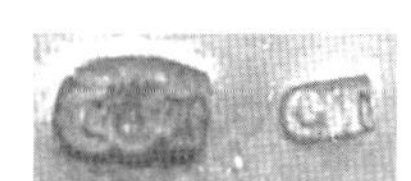

Christian Tulip, maître en 1738. Insculpation du second poinçon en 1743.

Tobias Ludwig Krug, maître en 1738. Fils de l'orfèvre homonyme maître en 1705.

Abraham Wenckert ou Wenger, maître en 1739.

Johann Friderich Krug, maître en 1739. Fils de Tobias Ludwig Krug, maître en 1705.

Johann Jacob Schübler, maître en 1739.

Johann Georg Pick, maître en 1739. Orfèvre catholique, il a été maître de la corporation en 1759, 1777, 1778 et 1785, et délégué au Grand Conseil en 1777 et 1778.

Johann Friderich Schläff, maître en 1738.

Johann Ulrich Mands ou Mahns, maître en 1740.

Hugues La Tour, orfèvre originaire de Paris, maître en 1739. Insculpé en 1740.

Johann Heinrich Roser ou Rosser, maître en 1740.

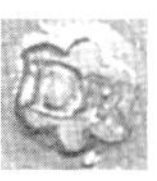

Johann Daniel Kast, maître en 1740.

Johann Fridedrich Brackenwer, maître en 1742. Fils de l'orfèvre homonyme maître en 1710.

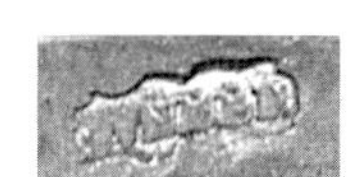

Joachim Webbe ou Weber, maître en 1742.

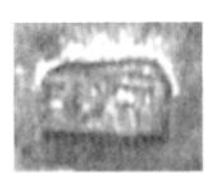
Johann Reinhard Deirer ou Theurer, maître en 1742.

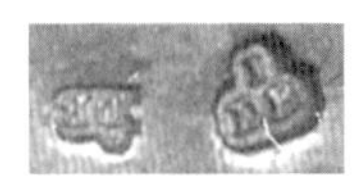
Johann Daniel Ber, maître en 1743.

Johann Friderich Senckeÿsen, maître en 1744. Issu d'une famille d'orfèvres inscrite à la corporation depuis 1668. Le dernier en date est son fils, Johann Friedrich Senckeysen, reçu maître entre 1763 et 1779.

Johann Michael Schröter ou Schroder, maître en 1743, insculpé en 1744.

Daniel Philipp Mosseder, maître en 1744.

Johann Andreas Schmubz, admis à la corporation de L'Échasse en 1743. Poinçon insculpé en 1745.

Johann Jacob Hitschler, maître en 1745.

Johann Philipp I Kraemer ou Krähmer (1721-1787), maître en 1745. Épouse Sophie Salomé Ruger, veuve de Webber (maître en 1742). Père de Johann Philipp II (maître en 1776).

Johann Christoph Spach, maître en 1745.

Herman Bex, maître en 1745.

Johann Jacob Vierling, maître en 1745. Fait son apprentissage chez l'orfèvre Unselt (maître en 1701), puis, après la mort de celui-ci en août 1733, chez Johann Pick (maître en 1702).

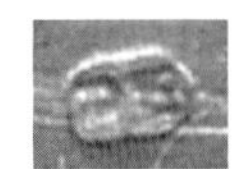
Johann Daniel Ehrman, maître en 1745.

Johann Jacob Hammerer, maître en 1745. Fils de Johann Daniel Hammerer, orfèvre.

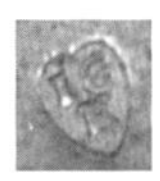
Johann Gottfried Kast, présente son chef-d'œuvre en 1743. Insculpé en 1745. Fils de Johann Daniel Kast, orfèvre.

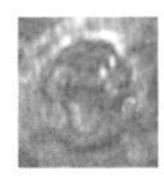
Johann Jacob Hafner, maître en 1746.

Johann Friderich Baer, maître en 1746.

Samuel Frey, maître en 1746. Fils de Johann Jacob Frey, maître en 1714.

Johann Daniel Ott junior, maître en 1746. Fils de l'orfèvre homonyme maître en 1710.

Johann Ludwig III Imlin (1722-1768), maître en 1746. Fils de Jean Louis II (maître en 1719). Fait son apprentissage chez Johann Daniel Ott (maître en 1710). Triumvir à la Taille et membre du Grand Sénat.

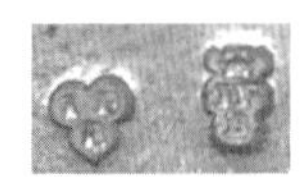
Johann Friderich I Buttner, maître en 1746. Poinçon insculpé en 1748. Fils de Johann Reinhold I (maître en 1700), frère de Johann Reinhold II (maître en 1733) et père de Johann Friderich II (maître en 1779, non insculpé), Johann Jacob (orfèvre bijoutier, non insculpé) et Johann Ludwig (maître en 1786). Installé rue des Hallebardes, à l'enseigne « Au panier fleuri d'argent », surtout connu pour ses bijoux et objets de petite taille, il fournit, entre autres, la cour de Bavière en 1768. Il est assesseur au Petit Sénat de la ville. À sa mort, sa veuve, Marie Cunégonde Huber, lui succède à la tête de l'atelier. Elle décède en 1791.

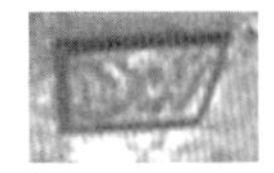
Daniel Wirtz ou Würtz, présente son chef-d'œuvre en 1746. Poinçon insculpé en 1747.

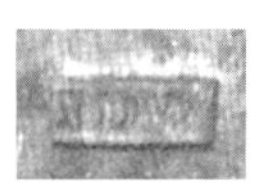
Johann Daniel Wirtz ou Würtz, maître en 1746. Poinçon insculpé en 1747.

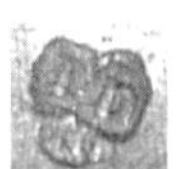
Johann Daniel Wüttschler ou Hitschler, maître en 1746.

Sigmund Falckenhauer, maître en 1747. Fils de Sigmund Falkenhauer, serrurier de la ville.

Christian Wilhelm Gutjahr, né à Dresde, maître en 1747.

Johann Sigmund Graffenhauer, maître en 1747. Fils du bijoutier-joaillier homonyme.

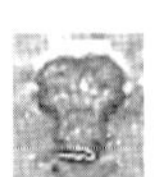
Johann Georg Burger, inscrit à la tribu en 1747, maître en 1748.

Gottfried Boehm ou Böhm, maître en 1747.

Friderich Daniel Schroedter, maître en 1748.

Johann Philipp Fibich, maître en 1748.

Johann Heinrich I Oertel, né à Berlin en 1717, reçu maître en 1749, mort le 3 vendémiaire an V. Fils de Johann Georg Oertel, compagnon orfèvre. Gendre et successeur de Johann Heinrich Schaumann (maître en 1707). Maître de la corporation en 1768 et 1784. Délégué au Grand Conseil en 1787 et 1788. Père de Johann Heinrich II Oertel (non insculpé) et beau-père de Johann Frédéric Boden. Un autre fils, Christian Frédéric, fait son apprentissage à Berlin à partir de 1783 et est reçu maître-orfèvre en 1796, à Brunswick, d'où Boden était originaire.

Johann Friderich Ehrmann, mentionné dans *l'Almanach* de 1747, maître en 1749.

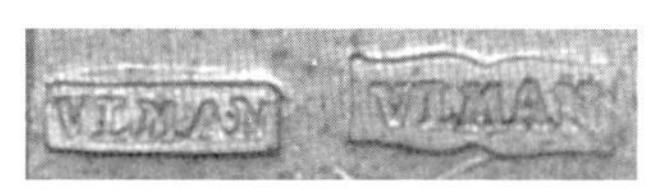
Johann Jacob Ullmann, maître en 1749. Deux poinçons insculpés, l'un en 1749, l'autre en 1763.

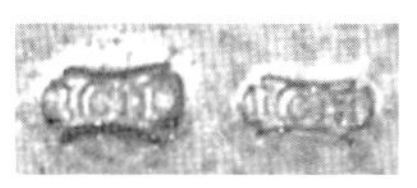
Johann Christian Hübschmann, maître en 1750.

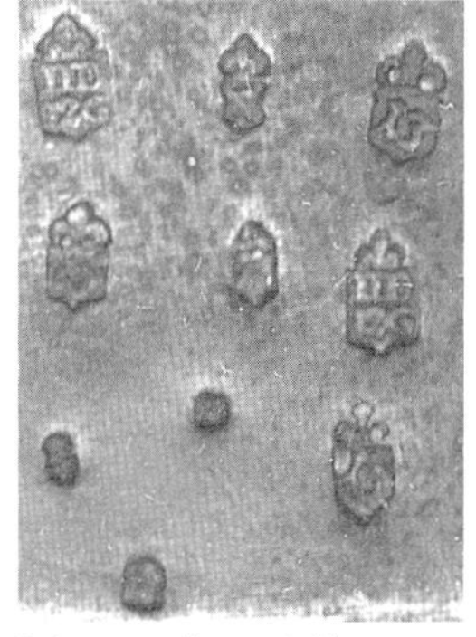
Poinçons de contrôle.

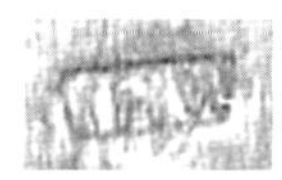
Johann Heinrich Widt, admis à la corporation en 1751.

Enregistrement des poinçons de contrôle et des poinçons des années 1755 et 1757.

Johann Heinrich Beck, admis à la corporation en 1751.

Andreas Wurt, admis à la corporation en 1751.

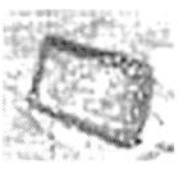
Johann Ulrich Brackwehr junior, admis à la corporation en 1751.

Johann Gottfried Brunner ou Bronner, admis à la corporation en 1752.

Veuve Studter, de Haguenau.

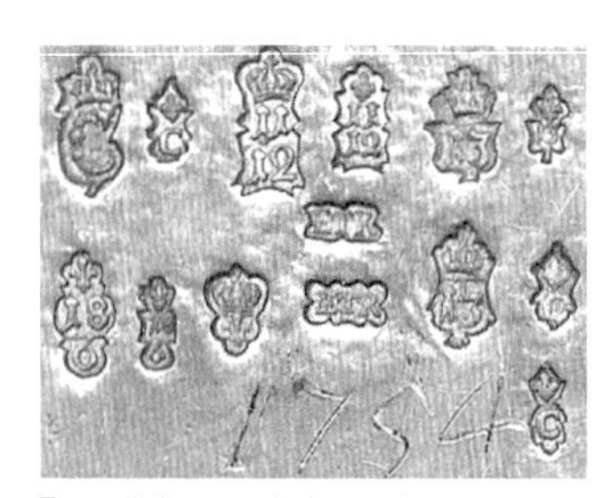

Enregistrement des poinçons de contrôle et des poinçons de l'année 1754.

Johann Friderich Fritz, maître en 1752, mort en 1780. Époux de la Veuve Fritz qui reprend l'atelier après son décès et le dirige de 1780 à 1789 (poinçon *V.FRITZ*). Père de Jean Geoffroy Fritz (1768-1823), qui succède à sa mère en 1789.

Johann Daniel Roederer, admis à la corporation en 1754.

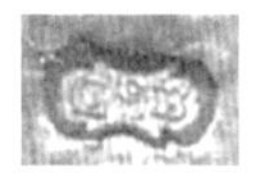

Gustav Samuel Brenner, admis à la corporation en 1754.

Johann Jacob Birr, maître en 1754.

Johann Michael Schreder ou Schröder, maître en 1755. Fils de Johann Michael Schröder, orfèvre.

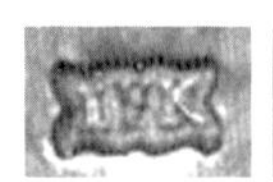

Johann Frederic Kast, maître en 1755. Fils de Philipp Jacob Kast, maître en 1714. Second poinçon : Veuve Kast.

Johann Jacob Wittmar, maître en 1755.

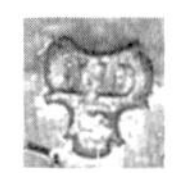

Johann Daniel Christ, maître en 1755.

Veuve Johann Schroeder. Poinçon insculpé après 1754.

Johann Christian Zahrt, mort en 1781. Admis à la corporation en 1758, il succède en 1777 à son beau-père, l'orfèvre Johann Jacob Ehrlen (maître en 1728). Sa veuve, Marie Salomé Ehrlen, reprend l'atelier et modifie le poinçon en ajoutant un V à l'arrière du nom devenu Zartin.

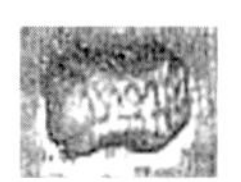

Johann Philipp Bernhardt, maître en 1757. Fils de Philipp Bernhard, orfèvre.

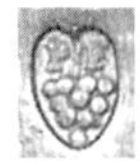

Fubich

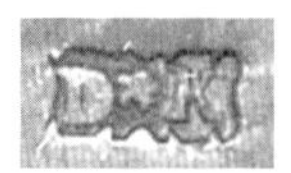

Johann Daniel Krafft, maître en 1758.

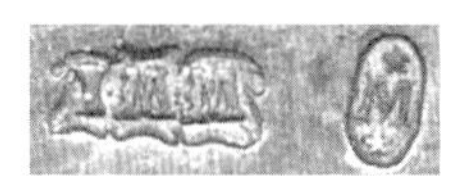

Johann Michael Merck ou Merckel, admis à la corporation en 1759.

Johann Friderich Ruht, maître en 1759.

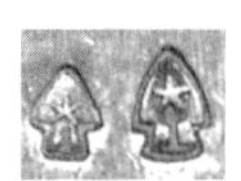

Emmanuel Eisenheim, maître en 1759.

Johann Jacob Stahl, maître en 1759.

Johann Gottfried Stahl, maître en 1759.

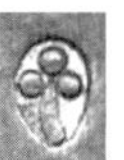

Johannes Beck, maître en 1759 ou en 1760.

Johann Jacob I Kirstein (Kirstenstein). Né en 1733, maître en 1760 et mort en 1816. Fils de Joachim Friderich I (maître en 1729), chez qui il a effectué son apprentissage, et frère de Johann Friderich (non insculpé). Père de Jacob Friderich (1765-1838) et de Johann Jacob II (1766-1788), et grand-père de Joachim Friderich II (1805-1860). Est échevin au titre de la tribu et assesseur au Sénat à une reprise, maître de la tribu et inspecteur de l'or et de l'argent à deux reprises et siège au tribunal de la tribu à trois reprises.

W. Geiger. W pour veuve (*Wittfrau*). Poinçon insculpé en 1760.

Veuve Gönuig. Poinçon insculpé en 1760.

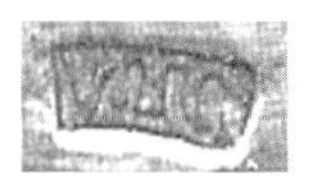

Veuve Tungert. Poinçon insculpé en 176..

J. Jacob Heis, admis à la corporation en 1765.

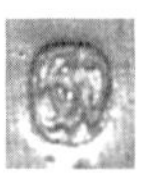

F. Heinrich Wiegel, admis à la corporation en 1762. Poinçon insculpé en 1763.

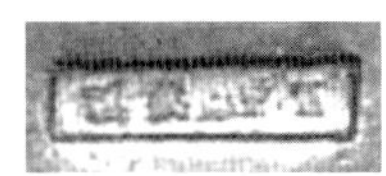

Philipp Jacob Krafft, maître en 1763.

Isaac Köbler ou Kübler, maître en 1763.

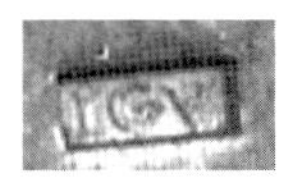

Johann Georg Unsin, maître en 1763.

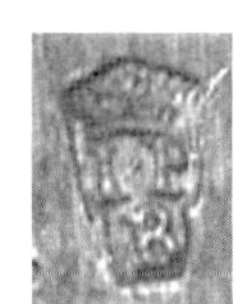

Johann Philipp Braun, maître en 1763.

Johann Michael Ross, reçu maître en 1763 après avoir effectué son apprentissage chez Tobias Ludwig Krug de 1751 à 1756.

Johann Jacob Dörffer. Poinçon insculpé en 1763. Apprentissage chez Johann Gottfrid Kast de 1744 à 1747.

Jacques Henri Alberti (1730-1795), maître en 1764. Compagnon de 1756 à 1764 chez Jean Louis III Imlin (maître en 1746), il dirige de 1769 à 1780 l'atelier Imlin, pendant la minorité de François Daniel (maître en 1780). Il épouse en 1765 Catherine Salomé Emmerich, nièce de l'orfèvre Carl Ludwig Emmerich (maître en 1779).

Leonard Vallon, admis à la corporation en 1765.

Gottfried Siegel, admis à la corporation en 1765.

Johann Christian Walck, admis à la corporation en 1765.

Étienne Lucingi, admis à la corporation en 1766.

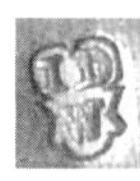

Johann Daniel Wisand ou Weissand, maître en 1766.

Johann Philipp ou Johann Friderich Zopf, fils de Johann Philipp Zopf (maître en 1734).

J. G. Handbrecht, admis à la corporation en 1767.

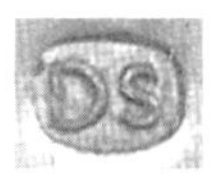

Johann Daniel Seupel, admis à la corporation en 1767. Fils de l'orfèvre Johann Friderich Seupel.

Philipp Koenig (1733-après 1785), maître en 1767. Orfèvre catholique apprenti chez Hugues La Tour (maître en 1740) de 1747 à 1751. Il est délégué au Grand Conseil de la ville en 1785.

Carel Christian Kauffling ou Christian Carl Kaufling, admis à la corporation en 1770.

Johann Michael Brey

Christian Gottlieb Crusius, admis à la corporation en 1768.

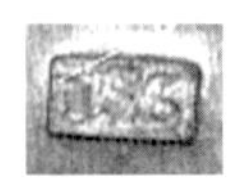

Johann Sigmund Stiber ou Stuber, admis à la corporation en 1770.

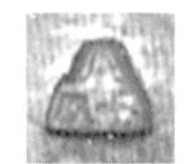

Anna Margaretha Stahlin, ou Stahl.

Johann Friedrich Senckeysen, reçu maître entre 1763 et 1779. Fils de Johann Senckeysen (maître en 1744), il est le dernier maître orfèvre d'une famille inscrite à la corporation depuis 1668.

Johann Christian Meinhard, maître en 1769.

Johann Friderich Buob, né en 1740, admis à la corporation en 1769.

Hartmann, de Saverne.

Philipp Abraham Lung, maître en 1765.

Johann Andreas Geyer, admis à la corporation en 1770.

Georg Friederich Hubmeyer, né en 1734, reçu maître après 1762. Apprenti, de mai 1749 à mai 1753, chez Johann Jacob Hammer.

Gottfried Mathias, admis à la corporation en 1773.

Johann Christoph Meinhard, maître en 1774.

Poinçons de l'année 1779.

Enregistrement des poinçons de contrôle et des poinçons de l'année 1780.

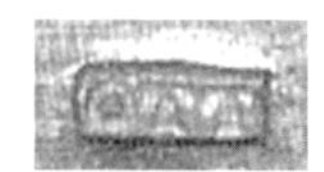

Joseph Ott, maître en 1780.

Enregistrement des poinçons de contrôle et de l'année 1781.

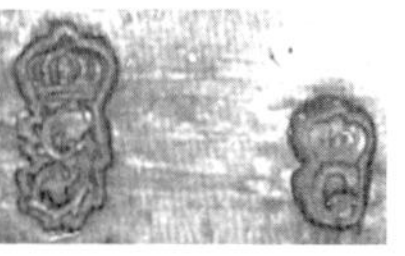

Poinçons de l'année 1782.

Reich, maître en 1785.

Ludwig Leues

Veuve Krämer, 1787.

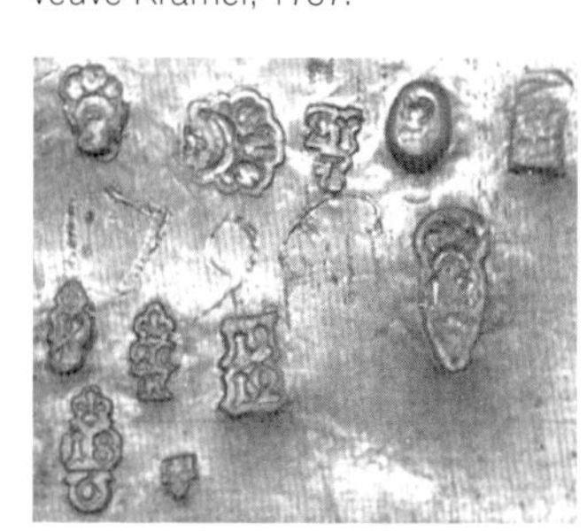

Enregistrement des poinçons de contrôle et des poinçons d'années 1784, 1789 et 1797.

Stritter, maître en 1796.

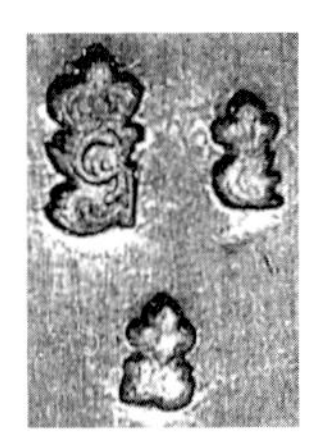

Poinçons de contrôle
et de l'année 1758.

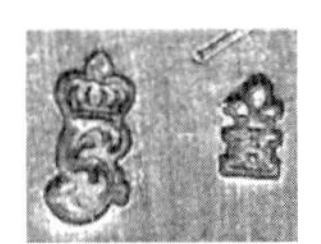

Poinçons des années 1758
et 1759.

Poinçons de l'année 1760.

Poinçons de l'année 1761.

Enregistrement des poinçons
de contrôle et des poinçons d'année
1762 et 1764.

Poinçons de contrôle
et de l'année 1764.

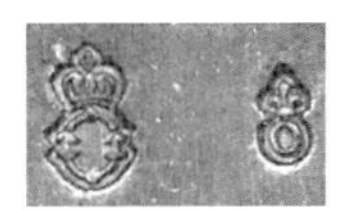

Poinçons de l'année 1765.

Enregistrement des poinçons
de contrôle et de l'année 1766.

Poinçons de contrôle et
de l'année 1767.

Poinçons de l'année 1768.

1769. Poinçons de contrôle
et de l'année 1769.

P. A. Lung

Christian Galler

Johann Georg Simon, maître
en 1770.

Daniel Hermann Meyer, maître
en 1770.

1773. Poinçons de contrôle,
de garantie, d'importation
et poinçons d'année 1771 et 1773.

Franz Friedrich Rollwagen, maître
en 1773.

Meyer

Johann Philipp Kraemer,
maître en 1774, mort en 1799.
A effectué son apprentissage
auprès de Jean Philipp I Kremer
(maître en 1745).

Nathanaël Jacob Horning, maître
en 1774. En 1787, il est déclaré
qu'il a abandonné sa femme et
qu'il a déménagé. Semble s'être
expatrié.

Schmidt, maître en 1774.

Johann Daniel Höelwögig, maître
en 1774.

Johann Heinrich Pierret. Poinçons insculpés successivement en 1774 et 1790.

Johann Friderich Schwing, admis à la corporation en 1775.

Johann Claude Ewerle, admis à la corporation en 1775.

Johann Reinhard Borand ou Jean Regnard Burand, né en 1750 et admis à la corporation en 1776. Après avoir été apprenti chez Johann Ulrich Mands (maître en 1740), il est protégé par Johann Friderich Buttner (maître en 1746). Spécialisé dans les tabatières.

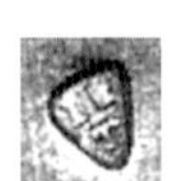

Johann Philipp Thalwitz, admis à la corporation en 1776.

Krug, maître en 1776.

Gottfried Schuman, maître en 1776 après avoir été en apprentissage chez Jean Jacques Kirstein (maître en 1760) de 1762 à 1768.

J. H. Schultz, maître en 1776.

Schimmer, maître en 1776.

Johann Philipp II Kraemer (1748-1815), maître en 1776 après avoir effectué son apprentissage chez son père. Fils de Jean Philipp I (maître en 1745).

P. Fibich, maître en 1776.

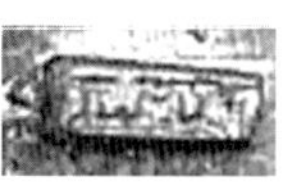

Ludovic Heinrich Nidhammer, maître en 1776.

C. Sibel, maître en 1777.

Chene ou Schene, maître en 1777.

Daniel Friderich Köehler, admis à la corporation en 1778.

Johann Friderich Buhrandt, admis à la corporation en 1778.

G. (ou C.) P. Hornus, maître en 1778.

Johann Jacob Kuhff, maître en 1778.

Baehr, maître en 1778.

Veuve Buttner

Johann Friedrich Wittmar, maître en 1779.

Johann Christian Brey ou Braun

Carl Ludwig Emmerich, maître en 1779.

F.C. Schroetter

Christof Rivet, de Belfort.

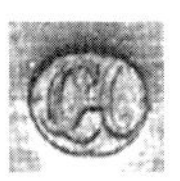

Johann Christian Hübschmann, maître en 1780.

François Daniel Imlin (1757-1827). Fils de Georges Frédéric (maître en 1751, non insculpé). Maître en 1780, il est inscrit à l'Échasse en 1781. Père d'Emmanuel Frédéric Imlin (1782-1831).

Doerffer, maître en 1780.

(Johann Daniel ?) Emmerich, maître en 1780.

Jean Jacques Letz, maître en 1780.

Abel, maître en 1780.

Johan Friderich Scholl, maître en 1781.

Johann Peter Baudrié, maître en 1781.

Johann Friderich Hammerer, maître en 1781.

Zartin, Veuve Zahrt. Marie Salomé Zahrt, fille de Johann Jacob Ehrlen (maître en 1728) et veuve de Johann Christian Zahrt (maître en 1777), reprend en 1781 l'atelier qui a successivement été celui de son père et de son mari, en modifiant le poinçon de son mari.

Robert Leclerc, maître en 1781.

Johann Daniel Dietrich, admis à la corporation en 1783.

Johann Jacob Roos, maître en 1782.

Bar ou Bear, maître en 1783.

Christoph Heinrich Spach, maître en 1783.

Johann Heinrich Ermann , maître en 1784.

Richard Marinus Wurmel, maître en 1784.

Jean Abraham Trachsel ou Draschel, maître en 1785.

Christian Gottfried Boehm, admis à la corporation en 1785.

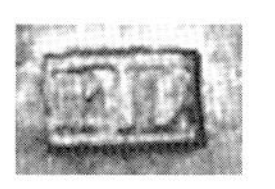

Franz Leonard, admis à la corporation en 1786.

F. I. Schröder

Jean Louis Buttner (1769-1840) maître en 1786 après avoir fait son apprentissage dans l'atelier de ses frères, fils de Johann Friderich I (maître en 1748), frère de Johann Friderich II (maître en 1779, non insculpé) et de Johann Jacob (orfèvre-bijoutier, non insculpé) et père de Charles Auguste (1809-1866). Séjourne à Paris en l'an VI. Il quitte en 1803 la rue des Hallebardes pour le 14, rue des Orfèvres, « Aux deux cigognes », où il réalise surtout de la joaillerie-bijouterie, mais aussi des pièces d'orfèvrerie. Figure sur la liste des électeurs en 1819 et dans le *Manuel du commerce* en 1824, sous la firme de J. L. Buttner cadet.

Ludwig Flach, maître en 1786.

Bibliographie

La présente bibliographie ne saurait être parfaitement exhaustive. Elle offre cependant aux chercheurs une base de travail sur le sujet traité.

ALEMANY-DESSAINT, Véronique, *Orfèvrerie française*, Paris, 1988

Armoiries des familles contenues dans L'Armorial général de J. B. Rieststap publiées par l'Institut héraldique universel, Paris, 1903, 4 vol.

Armorial de la Généralité d'Alsace. Recueil officiel dressé par les ordres de Louis XIV et publié pour la première fois, Paris, 1861

BACK, Friederich et POLACZEK, Ernst, « Kunstwerke aus dem Elsass in Darmstädter Sammlungen », *Revue alsacienne illustrée*, 1913, pp. 94-116

BEUQUE, Émile et FRAPSAUCE, M., *Dictionnaire des poinçons des maîtres-orfèvres français du XIXe siècle à 1938*, Paris, 1964

BEUQUE, Émile, *Dictionnaire des poinçons officiels français et étrangers, anciens et modernes de leur création à nos jours*, Paris, 1962

BOTTINEAU, Yves et VERLET, Pierre, *Musées nationaux. Département des Objets d'art. Musée du Louvre et musée de Cluny. Catalogue de l'orfèvrerie des XVIIe, XVIIIe et XIXe siècles*, Paris, 1958

BRUNNER, Herbert et THOMA, Hans, *Schatzkammer der Residenz München, Munich*, cat. coll., Munich, 1970

BRUNNER, Herbert, *Die Kunstschätze der Münchner Residenz*, Munich, 1977

Compte-rendu de l'année 1908 (Jahresbericht des Kunstgewerbemuseums 1908), Strasbourg, 1910

Compte-rendu de l'année 1909 (Jahresbericht des Kunstgewerbemuseums 1909), Strasbourg, 1910

Compte-rendu de l'année 1910 (Jahresbericht des Kunstgewerbemuseums 1910), Strasbourg, 1911

Compte-rendu de l'année 1911 (Jahresbericht des Kunstgewerbemuseums 1911), Strasbourg, 1912

Compte-rendu des années 1912 et 1913 (Kunstgewerbemuseum der Stadt Strassburg. Bericht 1912 und 1913), Strasbourg, 1914

Compte-rendu des années 1919-1921, Musées de la ville de Strasbourg, Strasbourg, 1922

Compte-rendu de l'année 1922, Musées de la ville de Strasbourg, Strasbourg, 1923

Compte-rendu des années 1923-1926, Musées de la ville de Strasbourg, Strasbourg, 1927

Compte-rendu des années 1927-1931, Musées de la ville de Strasbourg, Strasbourg, 1932

Compte-rendu des années 1935-1945, Musées de la ville de Strasbourg, Strasbourg, 1946

Compte-rendu des années 1945-1955, Musées de la ville de Strasbourg, Strasbourg, s.d.

DAHL, Julius et LOHMEYER, Karl, *Das barocke Zweibrücken und seine Meister*, Waldfischbach, 1957

DAVIS, Frank, *French Silver : 1450-1825*, Londres, 1970

DELVA, Victor, « L'orfèvrerie religieuse dans les églises d'Alsace aux XVIIe et XVIIIe siècles », *Saisons d'Alsace*, n° 33-34, hiver-printemps 1970

ENNES, Pierre, MABILLE, Gérard, et THIÉBAUT, Philippe, *Histoire de la table : les arts de la table des origines à nos jours*, Paris, 1994

DENNIS, Faith, *Three Centuries of French Domestic Silver, its Makers and its Marks*, New York, 1960, 2 vol.

FOELKERSAM, A. de, *Inventaire de l'argenterie conservée dans les garde-meubles des palais impériaux : palais d'Hiver, palais Anitchkov et château de Gatchino*, Saint-Pétersbourg, 1907, 2 vol.

FORRER, Robert, *Les Antiquités, les tableaux et les objets d'art de la collection Alfred Ritleng à Strasbourg*, Strasbourg, 1906

FRITSCH, Emmanuel, « Une pièce magistrale de l'orfèvrerie strasbourgeoise du XVIIIe siècle », *Cahiers alsaciens d'archéologie, d'art et d'histoire*, t. XLVI, 2003, pp. 87-108

FRITZ, Johann Michael, « Alte Strassburger Silberbecher aus der Ortenau », *Geroldsecker Land*, n° 18, 1976, pp. 65-71

FUCHS, François-Joseph, « Nouvelles sources illustrant le rayonnement artistique de Strasbourg au début du XVIIIe siècle : extrait de procès-verbaux de la corporation de l'Échasse (1716-1724) », *Cahiers alsaciens d'archéologie, d'art et d'histoire*, t. XLVI, 2003, pp. 1-31

GRANDJEAN, Serge, *L'Orfèvrerie du XIXe siècle en Europe*, Paris, 1962

GRODECKI, Catherine, *Guide des sources d'histoire de l'art et de l'architecture en Alsace XIe-XVIIIe siècles*, Strasbourg, 1996

GRUBER, Alain, *Gebrauchssilber des 16. bis 19. Jahrhunderts*, Fribourg, 1982

HATT, Jacques, « Le préteur royal Klinglin et Andrieux, agent de la ville de Strasbourg de 1740 à 1773 », *Revue d'Alsace*, t. 88, fascicule 1, 1948, pp. 167-180

HATT, Jacques, *Liste des membres du Grand Sénat de Strasbourg, des Stettmeistres, des Ammeistres, des Conseils des XXI, XIII et des XV, du XIIIe siècle à 1789*, Strasbourg, 1963

HAUG, Hans, « Zur Geschichte des Strassburger Goldschmiede-Handwerks 1362-1870 », *Verbandstag (XIV.) Verband Deutscher Juweliere, Gold- und Silberschmiede. Strassburg, vom 7.-11. August 1914. Verbunden mit einer Ausstellung. Alte und Neue Strassburger Goldschmiedearbeiten und Uhren*, Strasbourg, 1914, pp. 29-65

HAUG, Geneviève, « L'orfèvrerie de Strasbourg des origines au XIXe siècle », *Revue d'Alsace* n° 110, 1984, pp. 113-140

HAUG, Hans, *Strasbourg et l'art du XVIIIe siècle*, Strasbourg, 1926

HAUG, Hans, *La Ferronnerie strasbourgeoise au dix-septième et au dix-huitième siècles*, Strasbourg, 1933

HAUG, Hans, *Les Musées de Strasbourg : 1900-1950*, Strasbourg, 1950

HAUG, Hans, « Les pierres de Strass et leur inventeur », *Cahiers de la céramique, du verre et des arts du feu*, n° 23, 1961, pp. 175-185

HAUG, Hans, « Strasbourg pendant cinq siècles, une des capitales de l'orfèvrerie européenne », *Connaissance des arts*, n° 151, septembre 1964, pp. 102-111

HAUG, Hans (dir.), *Artisans et ouvriers d'Alsace*, Strasbourg, 1965

HAUG, Hans, *L'Orfèvrerie de Strasbourg dans les collections publiques françaises*, Paris, 1978

HELFT, Jacques, *Les Grands Orfèvres de Louis XIII à Charles X*, Paris, 1965

HELFT, Jacques, *Le Poinçon des provinces françaises*, Paris, 1968

HERNMARCK, Carl, *Die Kunst der europäischen Gold- und Silberschmiede von 1450 bis 1830*, Munich, 1978

Jahrbuch der staatlichen Kunstsammlungen Baden-Württemberg, n° 12, 1975

Jahrbuch der staatlichen Kunstsammlungen Baden-Württemberg, n° 13, 1976

Jahrbuch der staatlichen Kunstsammlungen Baden-Württemberg, n° 21, 1984

Jahrbuch der staatlichen Kunstsammlungen Baden-Württemberg, n° 32, 1985

Jahresbericht des Kunstgewerbemuseums der Stadt Strassburg für das Rechnungsjahr 1909, Strasbourg, 1910

KENBER, Bilgi (dir.), *Les Cuillers à sucre dans l'orfèvrerie française du XVIIIe siècle*, Paris, 2004

KLEIN, Jean-Pierre, *Le Musée historique de Strasbourg*, Strasbourg, 1980

LAMI, Stanislas, *Dictionnaire des sculpteurs de l'école française du XIXe siècle*, Paris, 1914-1921, 4 vol.

LANZ, Hanspeter, *Silberschatz der Schweiz. Gold- und Silberschmiedekunst aus dem Schweizerischen Landesmuseum (Trésors d'orfèvrerie suisse. Les collections du Musée national suisse)*, Zurich et Karlsruhe, 2004

LEHR, Ernest, *L'Alsace noble. Suivie du Livre d'or du patriarcat de Strasbourg d'après des documents authentiques et en partie inédits*, Paris, 1870, 3 vol.

LEITSCHUH, Franz Friedrich, *Kleine Beiträge zur Geschichte der Kunstentwicklung und des Kunstlebens im Elsass*, Cologne, 1909

LEVALLET-HAUG, Geneviève, « L'Hôtel des Deux-Ponts à Strasbourg », *Cahiers alsaciens d'architecture, d'art et d'histoire*, n° XIII, 1969, pp. 145-182

LEVALLET-HAUG, Geneviève, « Gold- and Silverware at Strasbourg », *Apollo*, n° 114, août 1971, pp. 140-144

LEVALLET-HAUG, Geneviève, « Les demeures du préteur François Joseph Klinglin », *Cahiers alsaciens d'archéologie, d'art et d'histoire*, t. XVII, 1973, pp. 119-143

LIVET, Georges et RAPP, Francis, *Histoire de Strasbourg des origines à nos jours*, t. III, « Strasbourg de la guerre de Trente Ans à Napoléon : 1618-1815 », Strasbourg, 1981

LUDMANN, Jean-Daniel, « Surtout de table strasbourgeois en argent massif», *Musées à Strasbourg*, n° 14, janvier-mars 1982, non pag.

LUDMANN, Jean-Daniel, « Écuelle à bouillon de Jean-Louis III Imlin », *Musées à Strasbourg*, n° 16, octobre-décembre 1982, non pag.

LUDMANN, Jean-Daniel, « Musée des Arts décoratifs », *Musées à Strasbourg*, n° 23, mars 1985, pp. 6-8

MARTIN, Étienne, *Le palais Rohan. Musée des Arts décoratifs*, Strasbourg, 1998

MÉNARD, René, *L'Art en Alsace-Lorraine*, Paris, 1876

MEYER, Hans, *Die Strassburger Goldschmiedezunft von ihrem Entstehen bis 1681*, Leipzig, 1881

OBERLÉ, Raymond, *L'Alsace entre la paix de Westphalie et la Révolution française*, Wettolsheim, 1997

Objets civils domestiques. Principes d'analyse scientifique. Vocabulaire typologique, Paris, 1984

POLACZEK, Ernst, « Aus dem Kunstgewerbemuseum der Stadt Strassburg », *Elsässische Rundschau*, t. XVI, 1914

REINHARDT, Hans, « Une pièce d'orfèvrerie strasbourgeoise peu connue : la coupe du bourgmestre bâlois, Jean-Rodolphe Wettstein, 1649 », *Hommage à Hans Haug*, Strasbourg, 1967, pp. 253-260

RIFF, Adolphe, « Les trésors d'orfèvrerie des corporations strasbourgeoises », *Archives alsaciennes d'histoire de l'art*, 1928, pp. 83-96

ROCHE, Serge, COURAGE, Germain et DEVINOY, Pierre, *Spiegelgalerien, Hand- und Wandspiegel*, Tübingen, 1985

RODA, Burkard von, *Das Stammbuch des Basler Goldschmieds Johann Heinrich Schrotberger (1670-1748)*, Bâle, 1989

ROSENBERG, Marc, *Der Goldschmiede Merkzeichen*, Berlin, 1922-1928, 4 vol.

ROSENBERG, Marc, « Eine vergessene Goldschmiedestadt », *Kunstgewerbeblatt II*, 1886, pp. 41-48

Saisons d'Alsace n° 75, « Le rattachement de Strasbourg à la France », Strasbourg, 1981

SCHEFFLER, Wolfgang, *Berliner Goldschmiede*, Berlin, 1968

SCHNEEGANS, Charles, « L'enseignement des arts en Alsace : les écoles de dessin de Strasbourg au XVIIIe siècle », *Archives alsaciennes d'histoire de l'art*, 1927, pp. 185-224

STRATMANN-DÖHLER, Rosemarie, « Notizen zu französischen Luxuserzeugnissen an südwestdeutschen Höfen », *Antologia di belle arti* n° 29-30, 1986, pp. 59-68

THOUVENIN, Élodie, « Kurt Martin et les musées alsaciens pendant l'Occupation (1940-1944) », *Cahiers alsaciens d'archéologie, d'art et d'histoire*, n° XLV, 2002, pp. 165-177

Verbandstag (XIV.) Verband Deutscher Juweliere, Gold- und Silberschmiede. Strassburg, vom 7.-11. August 1914. Verbunden mit einer Ausstellung. Alte und Neue Strassburger Goldschmiedearbeiten und Uhren, Strasbourg, 1914

VOGLER, Bernard, « La vie quotidienne de la famille de Dietrich à Strasbourg aux XVIIe et XVIIIe siècles », *Saisons d'Alsace*, n° 91, mars 1986, pp. 9-16

VOGLER, Bernard, *Histoire culturelle de l'Alsace*, Strasbourg, 1993

VOGLER, Bernard (dir.) et KINTZ, Jean-Pierre (dir.), *Nouveau dictionnaire de biographie alsacienne*, Fédération des Sociétés d'histoire et d'archéologie d'Alsace, Strasbourg, 1983-2003, 42 fascicules

WITTMAN, Otto, « A great Lady's *Nécessaire de voyage* », *Apollo*, n° 114, août 1971, pp. 145-149

Expositions

1895, Strasbourg, Orangerie, *Kunst und Altertum in Elsass-Lothringen*

1907, Vienne, Kaiserlich-Königliches Österreichisches Museum für Kunst und Industrie

1926, Paris, musée des Arts décoratifs, *L'Orfèvrerie française civile du XVIe siècle au début du XIXe siècle*

1929, Paris, musée des Arts décoratifs, *L'Orfèvrerie civile française de la Révolution à nos jours*

1930, Strasbourg, château des Rohan, *L'Alsace romantique*

1933, New York, Seligmann Rey and Cie Galleries, *Exhibition of old French Gold and Silver Plate*

1935, Strasbourg, palais du Rhin, *Art chrétien ancien et contemporain*

1936, Paris, musée des Arts décoratifs, *L'Orfèvrerie française civile de province du XVIe au XVIIIe siècle*

1938, New York, The Metropolitan Museum of Art, *Three Centuries of French Domestic Silver*

1948, Paris, musée des Arts décoratifs, *Chefs-d'œuvre de l'art alsacien et de l'art lorrain*

1948, Strasbourg, château des Rohan, Musée historique, *L'Alsace française : 1648-1948*

1954, Montpellier, musée Fabre, *Trésors d'orfèvrerie des églises du Roussillon et du Languedoc méditerranéen*

1964, Paris, Jacques Kugel, *Le Siècle d'or de l'orfèvrerie de Strasbourg*

1965, Paris, musée des Arts décoratifs, *Les Trésors des églises de France*

1969, Strasbourg, palais du Rhin, *Napoléon et l'Alsace*

1972, Londres, The Victoria and Albert Museum, *The Age of Neo-Classicism*

1978, Strasbourg, musée des Arts décoratifs, *Artisans strasbourgeois du métal*

1980, Munich, Völkerkundemuseum, *Wittelsbach und Bayern : Krone und Verfassung : König Max I Joseph und der neue Staat*

1981, Karlsruhe, Badisches Landesmuseum, *Barock in Baden-Württemberg, Vom Ende des Dreissigjährigen Krieges bis zur Französischen Revolution*

1981, Strasbourg, Hôtel de ville, *Strasbourg, ville royale : 1681-1792*

1991, Paris, Galeries nationales du Grand Palais, *Un Âge d'or des arts décoratifs : 1814-1848*

1991, Blieskastel, Orangerie, *Die Grafen von der Leyen und das Amt Blieskastel*

1994, Paris, musée du Louvre, *La Collection Puiforcat. Donation de Stavros S. Niarchos au Département des Objets d'art. Orfèvrerie du XVIIe au XIXe siècle*

1995, Karlsruhe, Badisches Landesmuseum, *Für Badengerettet*

2003, Heidelberg, Kurpfälzisches Museum, « *...so geht hervor ein' neue Zeit.* » *Die Kurpfalz im Übergang an Baden 1803*

Index des orfèvres

Les numéros renvoient au catalogue des œuvres.

Crédits photographiques

L'ensemble des photographies du catalogue a été réalisé par Martine Beck-Coppola, en dehors des illustrations suivantes :

Galerie Neuse, Brême, Allemagne : ill. 3, 4, 5
Musées de Strasbourg, photos Mathieu Bertola : ill. 8, 11, 33, et cat. 129, 130
Courtesy of Sotheby's, Paris ; ill. 14
Historisches Museum, Bâle, Suisse, photo P. Portner : ill. 17
Kunsthistorisches Museum, Vienne, Autriche, photo Marianne Haller : ill. 19
The Toledo Museum of Art, Toledo, États-Unis : ill. 21
Kurpfälzisches Museum, Heidelberg, Allemagne, photo Courtesy of Sotheby's, New York, États-Unis : ill. 22, 24, 25
Reiss-Engelhorn-Museen, Mannheim, Allemagne, photo Jean Christen : ill.23
Bayerische Schlösserverwaltung, photo Bayerische Verwaltung der staatlichen Schlösser, Gärten und Seen, Munich, Allemagne : ill. 26, 28, 29, 30
Bayerische Staatsgemäldesammlungen, Neue Pinakothek, Munich, Allemagne, photo Artothek, Weilheim : ill. 27
Badisches Landesmuseum-Verwaltung, Karlsruhe, Allemagne : ill. 31
Cabinet des estampes et des dessins, Musées de Strasbourg, photo Hauser, Mannheim : ill. 32
Cabinet des estampes et des dessins, Musées de Strasbourg, photo Klein, Strasbourg : ill. 34

ISBN : 2-901833-80-2

Achevé d'imprimer sur les presses
de l'imprimerie Valblor, à Illkirch,
en novembre 2004.

Dépôt légal : novembre 2004